普通高等教育"十一五"国家级规划教材

农艺实践与技能

吴玉娥　刘明久　主编

中国农业大学出版社

主　　编　吴玉娥　刘明久

副 主 编　王春虎　宋留轩

编写人员　吴玉娥（河南科技学院）
刘明久（河南科技学院）
王春虎（河南科技学院）
宋留轩（河南科技学院）
欧行奇（河南科技学院）
郜庆炉（河南科技学院）
杨文平（河南科技学院）
许桂芳（河南科技学院）
邵赞平（河南科技学院）
梁云娟（河南科技学院）
薛　勇（佳木斯大学）

前　言

近些年来，高等院校对切实加强实践教学环节，提高学生的操作技能的呼声越来越强烈，不少教学改革课题的研究形成了共识，农业类高校面临同样的问题。为进一步完善实践教学体系，强化实践教学环节，一年前我们就开始准备编写一本农学专业的实践与技能教材，适逢国家"十一五"规划教材编写申报，本书有幸被评选上，期望本书的出版能对农学专业实践教学的规范和水平提高有所益处。

《农艺实践与技能》编写本着基础性、操作性、实用性和系统性的原则，基本涵盖了农学专业的主要专业实践与技能内容，包括作物栽培技能、作物育种技能、土壤测定和耕作技能、设施栽培综合技能等 4 部分，每一个技能又分为目的意义、技能内容、条件准备、操作方法、作业与考核 5 项内容，教材的最后还附有各地区主要作物的新品种介绍、主要农作物田间调查和室内考种记载标准、常用仪器简介和使用方法。

本书编写过程中，参阅了大量的相关资料，特别是农业高等院校专家、教授编写的有关教材、著作等。全书共分四章，第一章由吴玉娥、王春虎、梁云娟编写，第二章由刘明久、欧行奇、薛勇编写，第三章由宋留轩编写，第四章由郜庆炉、杨文平编写，附录一由王春虎、欧行奇编写，附录二由邵赞平编写，附录三由许桂芳编写。

本书在编写时得到了河南科技学院教务处的大力支持，河南科技学院李友勇教授为本书提出了不少指导性意见，在此表示真诚的感谢。由于作者水平有限，书中不当之处在所难免，敬请各兄弟院校在使用过程中，给以批评指正，以便以后修订时改正。

编　者

2006 年 7 月

目　录

第一章　作物栽培技能

第一节　农作物播种、育苗和移栽技术

一、小麦播种技术

(一)目的要求

了解、掌握小麦播种的基本方法和技术要点，掌握操作要领，熟悉小麦播种的全过程。

(二)技能内容

播种是小麦高产的基础和前提，播种方法有机械播种、畜力播种、人工播种；播种形式有等行距条播、宽窄行条播、穴播、撒播、间作套种等。

(三)条件准备

小麦种子、天平、发芽皿、皮卷尺、钢卷尺、开沟器、铁耙、定点田块等。

(四)操作方法

1. 选择优良品种，测定千粒重、发芽率，计算播种量

播种量＝[每 667 m^2 预定基本苗×千粒重]/[500×1 000×发芽率(%)×田间出苗率(%)](田间出苗率一般按 80%计算)

2. 搞好种子处理

(1)精选种子，用子粒饱满的种子，实现“母大子肥”。小麦种子的构造见图 1-1。

(2)播前晒种 2～3 d，以提高发芽势和发芽率。

(3)种子药剂包衣或拌种。

3. 施足基肥，精耕细作整好地

一般要求翻耕深度 20～28 cm。耕地前要铺施基肥，重点是以农家有机肥（厩肥、土粪，亩施量 3～5 m^3）。化肥要氮、磷、钾合理配方施肥，一般按每生产 100 kg 子粒需氮 3 kg，磷（P_2O_5）1～1.5 kg，钾（K_2O）2～4 kg。化肥的使用方法以总使用量的 70% 作基肥掩底，30%作追肥在中后期使用。深耕后的土地要求达到"齐、平、松、碎、净、墒、直"。

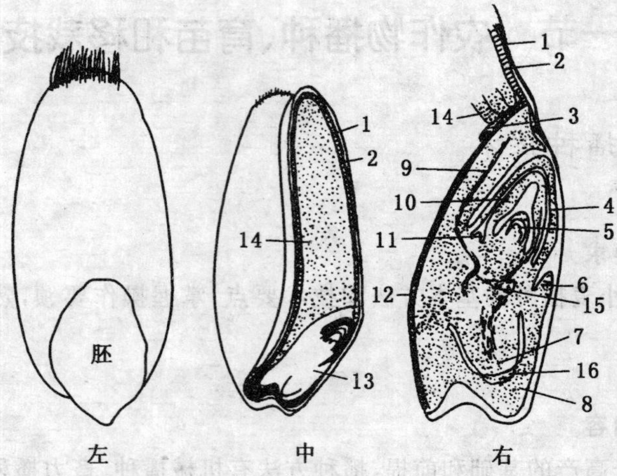

图 1-1 小麦种子的构造

左：种子背面观 中：通过种子腹沟处的纵切 右：通过胚的纵切

1. 果皮和种皮 2. 糊粉层 3. 被挤压破坏的胚乳细胞 4. 胚芽鞘 5. 生长点 6. 外胚叶 7. 胚根 8. 胚根 9. 盾片 10. 第一片叶 11. 胚芽鞘腋部的芽 12. 上皮层 13. 胚 14. 粉质胚乳 15. 胚茎 16. 根冠

（引自刘穆. 种子植物形态解剖学导论，2001）

4. 高质量种好小麦

(1)适时播种。河南省秋播小麦适宜播期一般在 9 月中下旬至 10 月中下旬，同时应考虑：①品种特性，一般冬性品种应适当早播，日平均气温稳定在 18～20℃为宜；春性品种应适当晚播，日平均气温稳定在 16～18℃为宜。②土壤特性，瘦地麦苗发的慢，可先播种，肥田麦苗发的快，可后播种；盐碱地阴，不发苗，宜先播，沙性地，地性热，发苗快，可后播；土壤墒情差的应抢墒先播，土壤墒情好的可后播。③应注意地形地貌、当年气候等因素。经验表明，雨后播种比雨前播种好，北坡播种比南坡早，海拔高的地块播种要比海拔低的地块播种早，海拔每上升 100 m，日平均气温下降 0.5℃。

(2)适量播种。河南省适播期内的亩播种量一般为 6～12 kg,具体种多少应依据:①品种特性。冬性品种,分蘖期长,分蘖力强,在肥水充足的条件下应适当少播,减少基本苗;春性品种,营养生长期短,分蘖力弱,应适当加大播量;多穗型品种,播量宜小,大穗型品种,播量应大些。②土壤特性。瘦薄地麦苗发的慢,产量低,可少播种;肥田麦苗发的快,可精量播种;盐碱地播量宜大些,沙性地,地性热,发苗快,后期保水供肥差,可适当减少播种量;土壤墒情差的应适当增加播种量,土壤墒情好的可适当减少播种量。③还应注意当年气候、茬口、播种期、土壤墒情等灵活掌握播种量。多年经验表明,晚播的一定要加大播种量,否则头数不够,不宜高产。

播种时除考虑播期播量外,还要达到播种深浅(3～5 cm)一致,覆土良好,播行直,下籽匀。

(五)作业与考核

1.作业

(1)小麦播种的基本要求有那些?

(2)精细整地的标准与要求是什么?

(3)播种是小麦高产的基础,简述播种的重要性。

2.考核标准

(1)整地质量。(25 分)

(2)播种技术。(25 分)

(3)配套措施。(15 分)

(4)出苗情况。(35 分)

二、玉米播种技术

(一)目的要求

了解、掌握玉米及自交系播种的基本方法、技术要点和操作要领,熟悉玉米及自交系播种的全过程和技术规程。

(二)技能内容

播种时间有春播、夏播;茬口安排有直播、套播、育苗移栽;土地肥力有高、中、低产之分;播种方法有机械播种和人工播种;播种方式有等行距播种、宽窄行播种、间作套种;品种选用有早、中、晚熟品种,有大、中、多穗型品种,株型有紧凑型、半紧凑型、松散型品种等，在多因素存在的情况下，要求能够灵活掌握玉米及自交系播种技术要点，因地制宜地搞好玉米播种。

(三)条件准备

不同类型玉米品种、天平、发芽皿、皮卷尺、钢卷尺、开沟器、铁耙、铁锨等。

(四)操作方法

1. 选择优良品种，测定发芽率，计算播种量

品种是增产的内因，选用优势强、抗倒抗病、适应性强、品质优的品种。目前生产上利用的主要优良品种有：农大 108、农大 3138、豫玉 33 号、豫玉 22 号、豫玉 25 号、豫玉 27 号、豫玉 28 号、豫玉 29 号、豫玉 18 号、豫玉 23 号、济单 7 号、掖单系列、丹玉系列、登海系列等玉米杂交种。

2. 搞好种子处理

几种子粒外形见图 1-2。

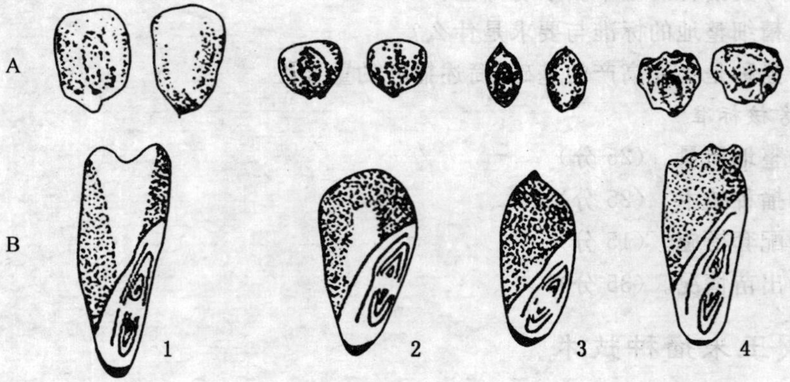

图 1-2　玉米的几种子粒外形

A. 子粒外形　B. 子粒纵切面构造

1. 马齿型　2. 硬粒型　3. 爆裂型　4. 甜粒型

3. 精细整地

4. 高质量种好玉米

做到因地制宜，适时播种，合理密植，选择适宜对路品种；保证高质量种好玉米，实现苗全、苗壮、苗匀。

(1)适时播种。玉米播种有春播、夏播。春播常以土壤表层 5～10 cm 深处温

度稳定在10～12℃时播种，黄淮地区达到这一温度要求的时间约为4月中下旬，过早或过晚对春玉米生长不利。早春地膜覆盖播种玉米可提前15～20 d，时间约为3月底4月初。夏播玉米在前茬作物收获后，应及时播种，越早越好。提倡套种，水利条件好的地方鼓励育苗移栽。

(2)合理密植。合理密植是玉米高产的基础和关键。不同的品种因子粒大小、种子活力、发芽势、播种方法、最佳密度、栽培目的及土壤肥力等因素不同，播种量不同。一般人工点播，每穴2～3粒，667 m^2 用种2～3 kg；犁种条播，667 m^2 用种4～5 kg；机械播种或耧播，667 m^2 用种3～4 kg。超高产、高产、中产田密度要求，一般多穗型品种(4 500～5 500)株/667 m^2，中穗型品种(3 500～4 500)株/667 m^2，大穗型品种(2 800～3 500)株/667 m^2。具体留苗多少还应参照品种特性，土壤特性及肥力，当年气候情况、前茬产量、播种期、土壤墒情等因素灵活掌握。

(五)作业与考核

1.作业

(1)玉米播种的基本要求有那些？

(2)玉米套种的最佳时期如何确定？套种的优、缺点是什么？

(3)目前我国推广利用的主要玉米品种有哪些？简述其主要特点、特征。

2.核标准

(1)整地质量。(25分)

(2)播种技术。(25分)

(3)配套措施。(15分)

(4)出苗结果。(35分)

三、棉花播种技术

(一)目的要求

了解和掌握棉花播种、育苗、移栽的基本方法、技术要点及操作要领。

(二)技能内容

棉花是世界上栽培最广的纤维作物，也是我国主要的经济作物，播种是棉花高产的基础环节。各地种植习惯不同，生产条件千差万别，播种时间有春播、夏播；种植形式有直播、套播、育苗移栽；播种方法有机械播种、人工播种；播种方式有等行距播种、宽窄行播种、间作播种；品种选用上有早、中、晚熟品种，有杂交棉、抗虫棉、常规棉、彩色棉等品种，在多因素存在的情况下，要求灵活掌握棉花播种、育苗、移栽技术要点，因地制宜地种好棉花。

(三)条件准备

棉花品种、天平、发芽皿、皮卷尺、钢卷尺、开沟器、铁耙、铁锨、营养钵、塑料农膜或地膜、撑杆、划行器、定点田块等。

(四)操作方法

1. 选择优良品种

测定发芽率和发芽势，计算播种量。品种是增产的内因，要选用适合当地生产条件的丰产、优质、抗逆性、适应性强的品种。注意品种间的合理搭配。目前主要优良品种有:33B、99B、中棉 19 号、中棉 20 号、中棉 30 号、中棉 40 号、中棉 45 号、豫棉 17 号、豫棉 19 号、标杂棉等品种。

2. 搞好种子处理

一是要精选种子，剔除秕粒、病粒，实现“母大子肥”。二是播前晒种 2～3 d，以提高发芽势和发芽率。三是应硫酸脱绒，减少病菌感染，提高发芽率。具体方法是:先将棉籽称重后放入缸内，然后按每 10 kg 棉籽加入 700～800 mL 的浓硫酸(密度 1.8 左右)，边倒边搅，待 20 min 左右，短绒全部脱净，种子变黑发亮时，立即捞出用净水反复冲洗，直至水色变清，水味不显酸，然后摊开晾干备用。四是针对当地苗期常发生的病虫害，进行种子药剂包衣或拌种。

3. 精细整地

一般要求翻耕深度 20～28 cm。深耕能加深耕作层，增加土壤通气性，提高蓄水保肥能力，有利于土壤微生物的活动和土壤养分的转化，协调水、肥、气、热，为棉花播后正常生长发育、提高产量创造有利条件。有条件的情况下最好耕地前要施足农家有机肥(厩肥、土粪，亩施量 3～5 m^3)。深耕后的土地要认真耙磨平整，实现“齐、平、松、碎、净、墒”。

4. 高质量种好棉花

做到因地制宜，适时播种，合理密植，选择适宜对路品种;保证高质量种好棉花，实现苗全、苗壮、苗匀。

(1)适时播种。河南棉花播种有春播、夏播。北方棉区春播可在土壤表层 5～10 cm 深处，温度稳定在 14℃时播种，黄淮地区达到这一温度要求的时间约为 4 月中下旬，过早或过晚对春播棉花生长不利。早春地膜覆盖播种棉花，可在 4 月 10 日前后播种，放苗时间在谷雨后(4 月 21 日左右)，过早易受冻害。夏播棉花在前茬作物收获后，应及时播种，越早越好。提倡套种，水利条件好的地方提倡育苗移栽。

(2)合理密植。由于棉花产量构成因素中的亩株数由基本苗决定，因此合理密植是棉花高产的基础和关键。不同的棉种因子粒大小、种子活力、发芽势不同，播量不一。一般人工点播，每穴 4～6 粒，667 m^2 用种 3～4 kg；机械播种或耧播，亩用种 5～6 kg，育苗移栽亩用种 1～1.5 kg。高产田、中产田、旱薄地要求一般品种密度为(4 000～6 000)株/667 m^2、(5 000～7 000)株/667 m^2、(7 000～10 000)株/667 m^2。具体留苗多少还应参照品种特性、土壤特性、施肥管理水平、当年气候情况、前茬产量、播种期、土壤墒情等灵活掌握，经验表明，一般密度取下限，有利于获高产。

(3)播种方法。黄淮地区多采用机械条播、耧播、人工点播、育苗移栽等种植方式。条播的播种深度比较一致，容易控制，定苗时有一定的弹性，易保证计划密度，但株距不均匀，用种量较多。点播用种量相对较少，株距一致，但播种深度不易掌握一致。地膜覆盖种植棉花，还应当做到开沟、坐水、下种、覆土、盖膜一次完成，减少跑墒，提高出苗率。

棉花育苗移栽是提高棉花产量和品质的一项有效措施，一般可比直播棉花增产 10%～30%，提高复种指数，减少苗期管理任务和面积，有利于确保苗全、苗匀，有利于培育壮苗。育苗的基本环节有：选建苗床应选背风向阳、土质肥沃、地势高、管理方便，大面积生产应就地建床，尽量选择地势平坦不积水、无枯萎病和黄萎病的地段建床。苗床一般宽 1.5 m 左右，长度因需要而定。苗床面积与移栽面积为 1∶10；制钵，配制钵土：取肥沃表土 8～9 份，腐熟晒干过筛的堆肥或厩肥 1～2 份，再按 100 kg 钵土中加过磷酸钙 0.2～0.3 kg 和少量的硫酸铵，最后将其混合均匀。制钵时，加水拌和调匀，以手握钵土成团，齐胸落地即散为宜，然后用制钵器制钵，钵径 5～7 cm，高 8～10 cm，重 0.5 kg 左右。有的地方采用大床育苗，苗床挖好后，用铁锨拍实，床底撒一薄层细沙或草木灰，然后装上钵土，用力拍实，浇透水，待 3～4 h 后，用刀划切成 5 cm 见方的小格，格与格间的刀痕装入细沙；播种：按播种到移栽需要 45 d 才能达到适龄棉苗具体播种期，每钵或每格播经过精选、消毒的种子 1～2 粒，最好用浸种催芽已露白的种子，播后盖细土 1 cm，覆土后喷施除草剂，或喷施土壤消毒剂，最后加盖塑料薄膜。移栽技术要领是：“天要好，水要少”，适时抢晴天移栽，栽后少浇点水使营养钵与土壤紧密结合；带钵移栽，谨防钵散，大小苗分栽，规格摆放，深浅适宜。

(4)高质量种好棉花。大田播种时除考虑播种方法外，还要严格质量，达到播种深浅(深 3～5 cm)合适，覆土良好，播行直，下籽匀。机播时，一定要做到接茬准确，提放整齐，不重播、不漏播，覆盖良好。注意种到地边或到地头；机播时不要忽视标志播种量与实际播种量的差异，以免播量减少，影响齐苗。

(五)作业与考核

1. 作业

(1)棉花播种育苗移栽的基本要求有哪些？

(2)棉花育苗播种的最佳时期如何确定？

2. 考核标准

(1)整地质量。(25分)

(2)播种技术。(25分)

(3)配套措施。(15分)

(4)出苗结果。(35分)

四、水稻育苗(秧)与插秧技术

(一)目的要求

通过实践，使学生了解、掌握水稻下种、育苗、插秧的基本方法和技术要点。

(二)技能内容

水稻是世界上栽培面积最大最广的粮食作物，也是我国主要的粮食作物，水稻育苗、插秧是高产的基础环节，河南省既有南方的籼稻类型，又有北方的粳稻类型，各地种植习惯不同，生产条件千差万别，在播种时间上有春季稻、夏季稻；种植形式有直播、套播、育苗移栽；土地肥力有高、中、低产之分；播种方式有等行距种植、宽窄行种植；品种选用上有早、中、晚熟品种，有籼稻、粳稻、糯稻等品种，要求灵活掌握水稻播种、育苗、插秧等技术要点，因地制宜地做好水稻育苗、插秧。

(三)条件准备

各类型水稻品种、天平、发芽皿每组四个，皮卷尺、钢卷尺、开沟器、铁耙、铁锨、定点田块等。

(四)操作方法

1. 选择优良品种，测定发芽率和发芽势，计算播种量

2. 精细整地

水稻无论是秧田还是大田，都应深耕细耙，使田面平整，便于实现秧(稻)田水

深浅一致,发苗均匀。

3.高质量育好秧

做到因地制宜,适时下种,合理密植,选择适宜对路品种;实现苗全、苗壮、苗匀,培育壮秧,保证大田移栽需要,育秧的主要方式有:

(1)湿润育秧。技术要点主要是采取湿润管理的办法满足秧苗对水、气、肥的要求,达到生长健壮。从播种到一叶一芯期称为立苗期,一般只在沟中灌水,保持田面湿润通气,而不灌水上畦,促使种子迅速伸根立苗。从一叶一芯到三叶期称为扎根期,一般不灌或灌浅水,遇寒流时才灌深水护苗。三叶期后称为成秧期,一般保持秧田有 3 cm 水层,有利长苗。

(2)塑料薄膜育秧。薄膜育秧是在湿润育秧的基础上,加盖一层具有保温、保湿和透光作用的塑料薄膜,一般有薄膜保温湿润育秧,薄膜保温营养土旱育秧,薄膜保温营养土软盘旱育秧等。主要技术是在湿润育秧的基础上,播种期提前,注意适时揭膜和通风练苗。

(3)旱育秧。是指从下种开始,整个育秧过程只维持土壤湿润而始终不保持水层的育秧方式。其优点是根系发达,生长健壮,秧苗耐旱、耐寒,栽后发根力强,返青快,秧苗低矮。缺点是草害、鸟害、虫害较严重,成苗率低。技术要点:选好秧田,应选土质肥沃、不易板结的壤土地作秧田,要施足底肥,精细整地,做畦后浇透底墒水,待土壤不软不干时下种,播后用细碎湿土均匀覆盖,厚 2～3 cm。出苗后保持湿润,不浇明水,三叶期后不轻易浇水。

(4)老壮秧。在华北麦茬稻区以及淮河、汉水流域双季晚稻中晚熟品种,为了确保安全齐穗,要培育 40 d 以上的长龄秧,秧龄长了,便成为老秧,达不到壮的要求,因此必须采用特别技术,培育老壮秧。一是稀播,减少下种量,适当扩大秧田面积,缩小秧田与大田的比例;二是采取水育旱管,即三叶前像湿润育秧一样管理,三叶期后像旱秧一样管理。

(5)无土育秧。无土育秧是利用透光的温室厂房,把种子种在秧盘里,放在秧架上,既无铺土,也无盖土,用人工加温、加湿办法,利用种子自身养料,培育短龄小苗,秧龄一般只有 8 d 左右,在 1.5 ～2.5 叶龄时移栽,是一种适于机播、机插相配套的育秧新技术。

4.高质量插秧

一般要求适期插栽,合理密植,确保移栽质量。麦茬稻在小麦收后及时整地,高质量整地,保证田面平整。争取做到及时插秧、适龄插秧,适宜的插植方式,目前常用的有方形插植法、长方形插植法、宽窄行插植法。

合理密植的原则是在当地水稻有效分蘖终止期前后,每亩总茎数应与高产所计划的亩穗数相同；抽穗前后，稻叶不应封行，以形成协调的高光效群体；具体规格应根据品种特性、秧苗素质、移栽时期、土壤肥力、产量水平、管理技术等情况灵活调整。一般行距 20～36 cm，穴距 10～25 cm，每穴 3～8 株，每 667 m^2 穴数在 1.2 万～2.5 万。

提高插秧质量必须做到：坚持浅插匀插，浅插是促进早返青、早分蘖的关键性措施。水稻幼苗的生长见图 1-3。

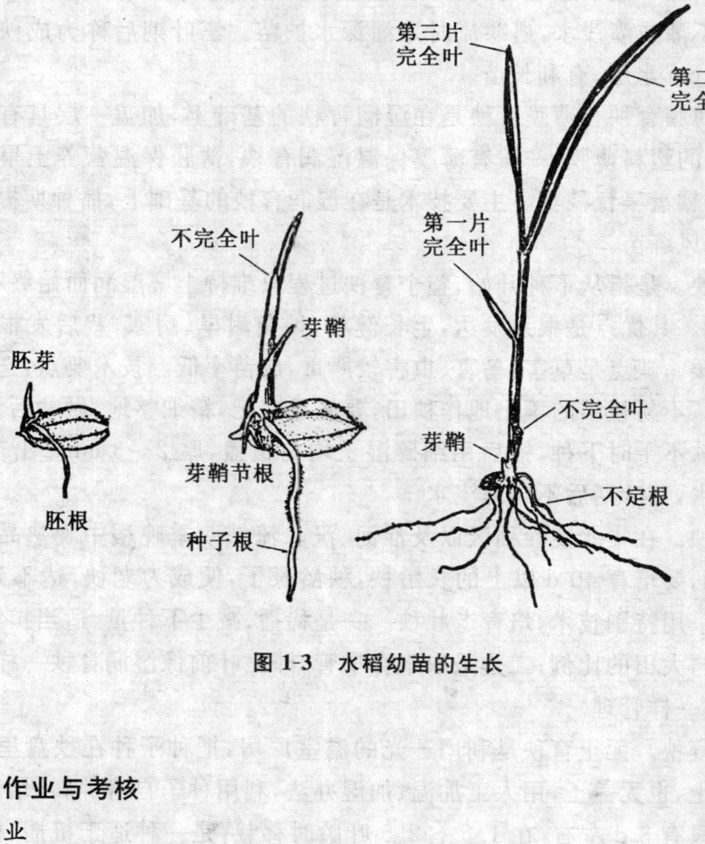

图 1-3 水稻幼苗的生长

（五）作业与考核

1. 作业

(1)水稻育秧的基本要求有哪些？方式有哪些？

(2)水稻育秧播种的最佳时期如何确定？

2. 考核标准

(1)苗床整地质量。(25 分)

(2)播种技术。(25 分)

(3)配套措施。(15 分)

(4)出苗结果。(35分)

五、甘薯育苗移栽技术

(一)目的要求

了解并掌握甘薯育苗、移栽的基本方法、操作要领和技术要点。

(二)技能内容

甘薯是我国的主要粮食作物之一,栽培面积仅次于水稻、小麦、玉米和大豆,居于第五位,随着人民生活水平的提高,甘薯的经济效益也越来越高,用途越来越广。甘薯的繁殖方式特殊,生产上多为采用无性生殖的方式进行。收获时,在薯块的“根眼”两旁已分化形成不定芽原基,在适当的温度时,不定芽就能萌发成苗,用于生产,本技能主要是如何获得理想的甘薯壮苗,为生产奠定基础。

(三)条件准备

不同品种类型甘薯、台秤、水缸或水桶、皮卷尺、钢卷尺、塑料薄膜、撑杆、铁耙、铁锨、定点田块,建火炕育苗时还应备一些砖块、灰沙等。

(四)操作方法

1.建好苗床

甘薯育苗由于采用热源不同,一般有人工加热、生物热源、太阳辐射热源和电能热源等形式。苗床建造原则一是方便管理,二是节省材料,降低成本。

(1)人工加热火炕育苗多用回龙火炕,具体建法是:炕长 6 m,宽 2 m,深 0.46 m,先挖炕当中的土,把炕边砸结实(炕边略高于地面),再按规格挖好,然后在炕底当中挖一条 40 cm 宽的“T”字形斜沟,靠炉子的一头深 53 cm,另一头深 30 cm,斜沟当中再挖 23 cm 见方的火道,用秸秆蓬好,抹上泥(靠炉子的一头 3 层秫秸 3 层泥);在“T”字形横沟的两端各留一个 17～20 cm 见方的出火口,与两边的上火层火道相通。在出火口两边垫几块半截砖,上面盖两块整砖,这两块砖比上层火道的上沿略低。在炕墙内,靠两边(距炕边 10 cm)挖两条 36 cm 宽、20 cm 深的长沟(即两边的上层火道),这样靠里边也就留出了两条 33 cm 宽的土埂当做火道的隔墙。把靠炉子一头的隔墙挖通,并和中间的大沟(正中间的上层火道)相连,挖通的地方宽 33 cm 左右,深 13 cm 左右。在沟底插花着放几块砖,以便铺秫秸蓬炉底。当中的大沟在架好下火道之后用土填平,留 20 cm 深的一条上层火道,并将出火口的一头挖通了的土隔墙，用土补起来，这样就成了三道沟(即上层火道)。在这三道沟上铺秫秸，抹上泥，就是炕底。在蓬盖下层火道之前，先挖一个 1.3 m 见方，1.6 m 多深的烧火坑(或烧火沟)，并在烧火坑离炕边 50 cm 处掏一个自来风的炉灶，炉灶膛顶部略低于下层火道的底部，从下层火道斜着打一个洞和炉子连接起来，另一头挖一个烟囱口(离炕边约 33 cm)和当中的上层火道相通，砌一个立于地面的烟囱。蓬好炕底以后，在炕内铺 10 cm 厚的无病床土即可。火炕结合塑料薄膜覆盖，可利用太阳辐射热能，节省人工热能。

(2)酿热温床覆盖塑料薄膜。酿热温床是利用微生物分解牲畜粪、作物秸秆等的纤维素发酵产生的热量，并结合塑料薄膜覆盖，利用太阳能增高苗床温度，具体做法是：酿热物选用高热的驴、马粪和低热的牛粪、作物秸秆、茎蔓、杂草等，一般以高、低热酿热物搭配使用较好。酿热物填放前要晒干弄碎，秸秆切成 6～10 cm 小段，畜粪和秸秆配合使用时应分层放置。苗床酿热物填放厚度以 25～30 cm 为宜，填放后用铁锨略拍实，保持一定的通透性。保持酿热物的水分(在 70%左右)、温度和补充氮素，为微生物的分解活动创造适宜条件。在酿热物上铺 4～5 cm 细土，并覆盖薄膜，待床温升高至 33～35℃时，即可排放种薯。苗床应选建在背风向阳、地势较高、排水良好、管理方便的地方，苗床长度视地形和需要而定，一般 5～7 m 长，宽度视薄膜宽度为准，一般在 2 m 以内便于管理，床深依酿热物而定，以 40 cm 左右为宜。床底挖成南深北浅，苗床南低北高有利于采光，提高床温，促进出苗。

(3)冷床覆盖塑料薄膜育苗。冷床的构造类似酿热温床，只是不加酿热物，因此床土要加厚到 20～25 cm，盖上塑料薄膜后利用太阳辐射增温。塑料薄膜覆盖冷床育苗，设施简单，但遇阴雨天过多则出苗缓慢，应用土壤增温保墒剂可弥补不足。

(4)采苗圃。采苗圃是以苗繁苗的一种育苗方法，它能扩大良种繁殖系数，为夏薯或晚春栽植提供秧苗。方法是选择背风向阳、地势较高、排水良好、土壤肥沃、管理方便的地块，一般有小垄密植，单行栽植，垄距 50～67 cm，株距 13～20 cm，每 667 m^2 种 8 000 株左右；开沟条栽(朝阳沟)，行距 40～43 cm，东西向开沟，开沟时把土放在沟的北边，沟深 10～13 cm，株距约 10 cm，薯苗贴着沟的南面栽，以防风保温，利于发根长苗；畦栽覆盖薄膜，一般畦宽 117 cm，长 10 m，分低畦和高畦两种。低畦的畦面比地面低 20 cm 左右，畦埂高约 20 cm，在畦埂上覆盖塑料薄膜，高畦的畦面比地面高 20 cm 左右，用拱形支架覆盖塑料薄膜。栽植行距 20 cm 左右，株距约 10 cm，每平方米栽苗 50 株左右。

2. 选择优良品种

品种是增产的内因,要选用适合当地生产条件和不同用途的丰产、优质、抗逆性的品种。目前河南省主要优良品种有:豫薯 7 号、豫薯 8 号、豫薯 9 号、豫薯 10 号、豫薯 12 号、冀薯 4 号、鲁豫薯 3 号、苏薯 8 号、徐薯 18-76(块根形状见图 1-4)。

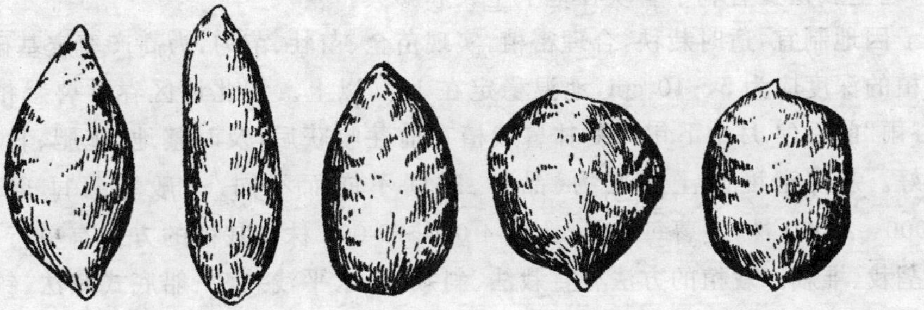
1　2　3　4　5

图 1-4　甘薯块根的形状

1. 纺锤形　2. 圆筒形　3. 椭圆形　4. 球形　5. 块状形

3. 做好种薯选择与消毒工作

育好薯秧不仅要选好品种,更要选择具有本品种特色特征,色泽鲜明,没有外伤,未受冷害,大小适中,不带病毒的健薯做种薯。为了防止种薯带病,可用温汤浸种消毒,在水温 51～54℃的范围内浸种 10 min,也可用 50%托布津可湿性粉剂 200 倍液浸种 10 min。

4. 种薯上床

种薯用量与品种的出苗特性、育苗方法、栽插期、栽插密度有关,一般每亩需用种薯量 70 kg 左右,育秧面积约 4 m^2。

适时排种是育好薯苗的关键之一,同时也是保证大田适时栽插的重要措施。排种时间应根据气候条件、育苗方法和栽插时间而定,一般气温稳定在 8℃以上(约在 3 月末 4 月初)排薯,1 个月后可适时扦插。

排种方法有斜排、平排、直排。以斜排种薯的方法较普遍,要求种薯头、尾重叠,以不超过 1/3 为好。这样薯块中上部发芽多,薯芽容易出土,薯苗健壮。排薯时,要分清薯块的头、尾,防止倒排,以免影响出苗。排完种薯后,用细沙土填满种薯间隙,随即用温水浇湿床土,再盖上营养土或细沙土,厚度 1.5 cm 左右。

5. 精细整地、高质量栽插

深耕能加深耕作层,疏松土壤,增加土壤通气性,提高蓄水保肥能力,有利于土壤微生物的活动和土壤养分的转化，协调水、肥、气、热，为甘薯栽后正常生长发育、提高产量创造有利条件。一般要求翻耕深度 20～28 cm。有条件的情况下，最好耕地前要施足腐熟的农家有机肥（厩肥、土粪，667 m^2 施量 3～5 m^3）。化肥以磷、钾肥为主，氮、磷、钾配合。并重视地下害虫的防治。深耕后的土地要认真耙磨平整，起垄栽植更有利于薯块在地下生长和膨大。

因地制宜，适时栽秧，合理密植，实现苗全、苗壮、苗匀，为高产奠定基础。适宜栽植的深度应为 5～10 cm，地温稳定在 17℃以上。华北地区春甘薯栽植时间在"谷雨"前后（4 月中下旬）；夏甘薯栽植在前茬收获后，及时整地、施肥、栽植，越早越好。栽植密度因土壤肥力、品种、时间不同而不同，一般春薯每 667 m^2 栽 3 000～4 000 株，夏薯每 667 m^2 栽 4 000～5 000 株。栽植的方式有单行垄栽、双行垄栽、堆栽。栽植的方法有直栽法、斜栽法、水平浅栽法、船底式栽法、钓钩式栽法等。

（五）作业与考核

1. 作业

（1）甘薯育苗的基本要求有哪些？

（2）甘薯育苗建床是育苗的基础，试述建床的技术要点。

（3）甘薯移栽的适宜时期如何确定？栽植方法有哪几种？

2. 考核标准

（1）育苗建床整地质量。（25 分）

（2）排种技术。（25 分）

（3）配套措施。（15 分）

（4）出苗结果及移栽质量。（35 分）

第二节 农作物植株形态结构观察

一、小麦植株形态特征的观察

（一）目的要求

通过实践教学，使学生了解、熟悉小麦植株的形态特征，掌握发育进程及其外部表现特征。

(二)技能内容

在播种好小麦的基础上，通过田间定点定时或室内定期取小麦的各期标本样株，特别是幼苗分蘖后期、拔节期、孕穗期、抽穗期、扬花期、灌浆期、成熟期的样株标本进行仔细观察。明确根、茎、叶、蘖、分蘖节、种子根、次生根、穗型、穗轴、颖壳等形态特征。

(三)条件准备

扩大镜、镊子、直尺、米尺、剪刀等。

(四)观测项目

1.根

纤维状须根系，由种子根(又叫胚根或初生根)和次生根(又叫不定根或节根)组成。

种子根在种子发芽时由种子的胚陆续长出。小麦的种子根一般是5条，最多达7～8条；大麦的种子根为5～8条。当第一片绿叶出现后，种子根的数量即停止增加。初生的种子根粗而柔软，上下粗细一致。种子根长至10～15 cm以后，长出许多侧根，长成后直径缩小。在生育前期，种子根的生长速度超过地上部分，在水、肥、土壤条件良好时，越冬前小麦种子根的长度可达100 cm以上。

次生根是在麦苗三叶期开始分蘖时从分蘖节生长出来的，每发生一个分蘖，就从该分蘖节上长出2～3条次生根。次生根的生长，有冬季和春季两个高峰，在适宜的条件下，越冬期次生根可达30～60 cm长。次生根比种子根粗壮，它的入土深度比种子根浅。抽穗以后，根系基本停止发展。

小麦根系主要分布在0～40 cm土层内(一般20 cm耕层内的根系占总根量的60%～70%；20～40 cm土层内占20%～30%)，40 cm以下的土层内，根系只占总根量的10%左右。

2.茎

小麦茎的原始体在幼苗生长锥伸长初期已经形成，茎上各节紧密聚集在分蘖节上。分蘖停止前后，节间开始伸长，当茎伸长到3～4 cm，茎生长点和位于其基部的第一节间都露出地面时称为拔节，50%以上的第一茎节露出地面1.5 cm以上时，定为拔节期。小麦主茎通常有5个地上节间，也有4～6个的。分蘖茎比主茎短，节间数也少。节间长度自上而下依次递增。植株高度一般在60～140 cm之间，矮秆、抗倒的高产品种一般株高60～100 cm。节间的直径，从第二节往上逐渐增大，至最上部的一个节间则变细。秆壁的厚度是下部厚上部薄。同一茎秆中，第一节间的机械组织层特别厚，韧性大。

3. 叶

小麦出苗后的第一片叶子称为胚芽鞘，是不完全叶，呈管状，是保护幼苗出土的器官。当第一片真叶从胚芽鞘中穿出，并长至正常大小时，胚芽就皱缩枯萎。真叶是正常的绿叶，它由叶鞘、叶片、叶舌和叶耳组成。

4. 穗

小麦为复穗状花序，由穗轴和小穗组成。穗轴由许多节片组成，每节着生一枚小穗，每个小穗又包括一个小穗轴，外有两片护颖（颖片）和内有小花数朵（一般3～9朵）。每一个小穗一般基部有2～4朵小花结实，上部小花退化。每个正常小花有内、外颖（内、外稃），3枚雄蕊和1枚雌蕊，外稃厚而绿，上端着生芒，内稃薄而透明。每枚雄蕊由花丝和花药组成，未成熟花药呈绿色，成熟花粉呈亮黄色。雌蕊由柱头、花柱、子房组成，成熟柱头呈两裂羽毛状。

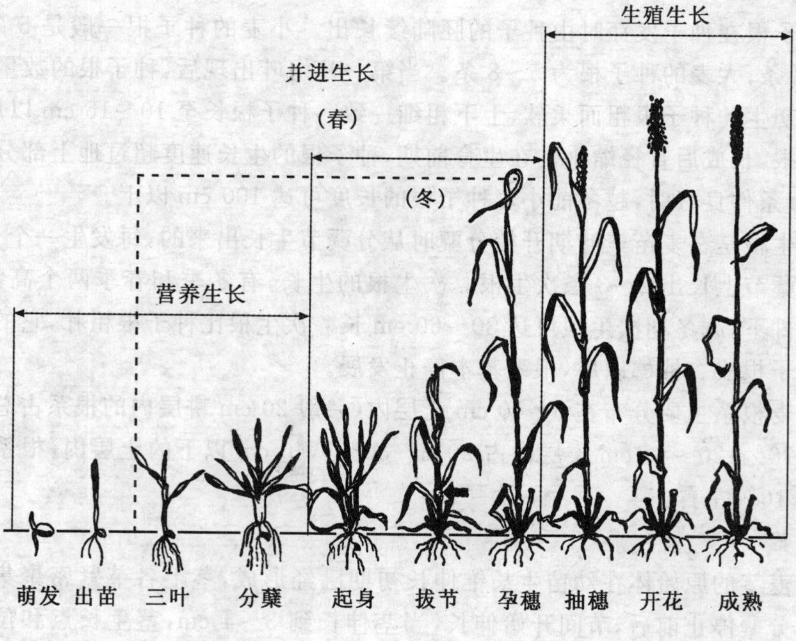

图1-5 小麦各生育阶段形态图

5. 子粒

子粒的腹面有凹陷的腹沟。胚位于背面基部。小麦的子粒不带壳，卵圆形或椭圆形，皮色有白色、红色、褐色、蓝色、黑色等，蓝色和黑色种皮的小麦常叫蓝粒小麦、黑小麦。小麦小穗结构见图 1-6。

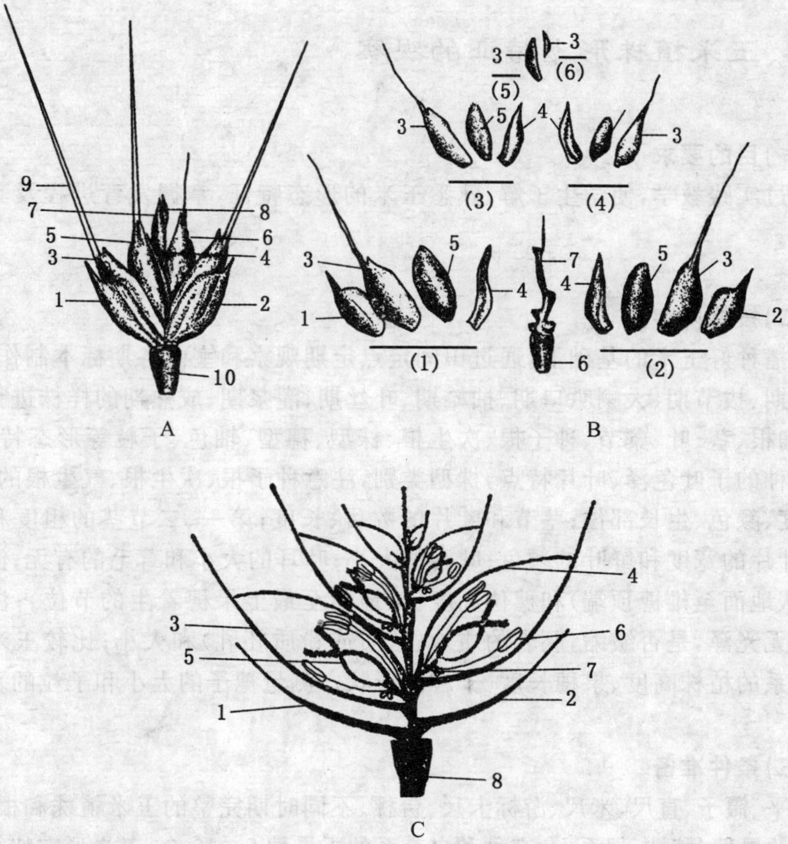

图 1-6　小麦小穗结构图

A:1. 下位护颖　2. 上位护颖　3. 第一小花　4. 第二小花　5. 第三小花　6. 第四小花　7. 第五小花　8. 第六小花　9. 芒　10. 穗轴节片　B:(1)～(6)代表小花位　1. 下位护颖　2. 上位护颖　3. 外颖　4. 内颖　5. 子粒　6. 穗轴节片　7. 小穗轴　C:1. 下位护颖　2. 上位护颖　3. 外颖　4. 内颖　5. 雌蕊　6. 雄蕊　7. 鳞片　8. 穗轴节片

(五)作业与考核

1. 作业

画出小麦根及茎的基本结构图。

2. 考核标准

(1)观察结果。(50 分)

(2)实验报告。(50 分)

二、玉米植株形态特征的观察

(一)目的要求

通过实践教学,使学生了解、熟悉玉米的形态特征,掌握发育进程及其外部表现特征。

(二)技能内容

在播种好玉米的基础上,通过田间定点定期观察和室内各期标本制作,特别是对幼苗期、拔节期、大喇叭口期、抽雄期、吐丝期、灌浆期、成熟期的样株进行仔细观察;明确根、茎、叶、蘖节、种子根、次生根、株型、穗型、轴色、子粒等形态特征;比较不同品种的子叶色泽、叶片特点,株型类别,注意种子根、次生根、气生根的数目、长度、粗度、颜色、生长部位;茎节和叶片的数目、长度;第一、二节茎的粗度和秆壁的厚度;叶片的宽度和鲜叶的颜色;叶舌的大小;叶耳的大小和茸毛的有无;测定植株高度(从地面至雄穗顶端)和穗位高度(从地面至最上果穗着生的节位);注意比较种子有无光泽,是否皱缩,胚乳的质地(角质或粉质胚乳)和大小;比较玉米杂交种和自交系的植株高度、果穗长度、子粒的形状。测量穗子的大小和子粒的百粒重。

(三)条件准备

天平、镊子、直尺、米尺、游标卡尺、台秤、不同时期完整的玉米植株和根系、玉米各类型的果穗、植株、根系、杂交种和自交系的干果穗 5～10 个、玉米形态特征挂图。

(四)观测项目

1. 根

玉米的根系是须根系,根据根的发生时期,外部形态,部位和功能可分为初生根、次生根和支持根(气生根)组成。胚根也叫初生根,是由种子胚发育形成的,胚根只有一条,在种子萌动发芽时,首先突破胚根鞘而长出,经 1～3 d 后,在中胚轴基部,盾片节上长出 3～7 条次生胚根。由胚根和次生胚根构成了初生根系,一般是 5 条,最多达 7～8 条;次生根又叫节根,着生在茎的节间居间分生组织基部,生长在地下节间上的叫地下次生根,生长在地上节间上的叫地上次生根(也叫气生根、支持根)。次生根一般 4～9 层,多的 10 层以上。地下 4～7 层,地上 3～4 层,见图 1-7。

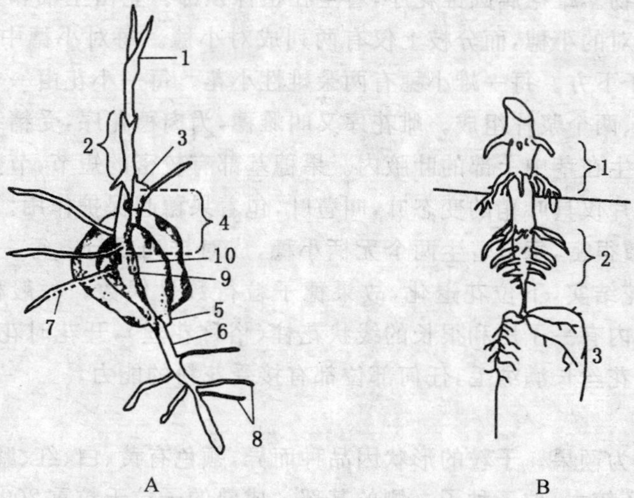

图 1-7　玉米的根

A:1.第一叶片　2.胚芽鞘　3.节根　4.中胚轴　5.胚根鞘　6.胚根　7.次生胚根　8.侧根　9.下胚轴　10.盾片　B:1.支持根　2.次生根　3.种子根

玉米根系主要分布在 0～30 cm 土层内,占总根量的 65%～75%;30～50 cm 土层内占 15%左右,50 cm 以下的土层内根系只占总根量的 10%左右。

2.茎

玉米茎较粗大,直立。一般高 1～2.5 m,有 14～24 节,早熟品种一般小于 19 节,中熟品种一般 20～21 节,晚熟品种大于 22 节,其中 4～6 节密集在地下部。每节有一个芽,但仅中上部的芽能发育成果穗,而基部的腋芽有时能长成侧枝,称为分蘖,并能形成自己的根系。着生第一果穗的节间最长,雄穗节也较长,其他节较短。茎由下向上逐渐变细。

3.叶

玉米叶着生在茎节上,呈互生排列;全叶由叶鞘、叶片、叶舌三部分组成。叶鞘着生在茎节上,包围着节间的全部或一部分,肥厚而坚硬,有保护茎秆和储藏养分的作用。幼苗叶鞘呈淡绿色或红紫色,是鉴别品种的重要标志之一;叶片着生在叶鞘顶部的叶环上,是光合作用的主要器官,叶片扁平、宽大、密被茸毛,形如剑,叶尖渐尖,叶片边缘呈波状起伏,中央纵贯一条主脉,主脉两侧平行分布着许多侧脉;同一品种,单株叶片数相同。

4.花序

玉米为雌雄同株异花作物,依靠风力传粉,天然杂交率一般在 95%左右,故称为异花授粉作物。雄穗属圆锥花序，着生在植株顶部。它由主轴和分枝组成，主轴上生有几列成对的小穗，而分枝上仅有两列成对小穗。每对小穗中有柄的位于上方，无柄的位于下方。每一雄小穗有两朵雄性小花。每一小花由一个外稃、一个内稃及三枚雄蕊、两个浆片组成。雌花序又叫雌穗，为肉穗花序，受精结实后，发育成果穗。雌穗着生在茎中上部的叶腋内。果穗基部有较密的短节，节数因品种而异，每节上着生一片仅具叶鞘的变态叶，叫苞叶，包着果穗起保护作用。穗轴呈白色或紫红色，穗轴节很密，每节着生两个无柄小穗，成对排列成行。每一个小穗内有两朵小花，上位花结实，下位花退化，故果穗子粒行数呈偶数。一般穗行数 12～20 行。可育雌花内有一子房和很长的线状花柱(俗称花丝)，开花时花柱伸出苞叶之外，先端二裂，花丝长满绒毛，任何部位都有接受花粉的能力。

5. 子粒

玉米子粒为颖果。子粒的形状因品种而异，颜色有黄、白、红、紫、黑等，顶端有花柱的遗痕，胚较大，位于种子一侧的基部。成熟的子粒千粒重 200～350 g。出籽率一般为 75％～85％，几种果穗形状见图 1-8。

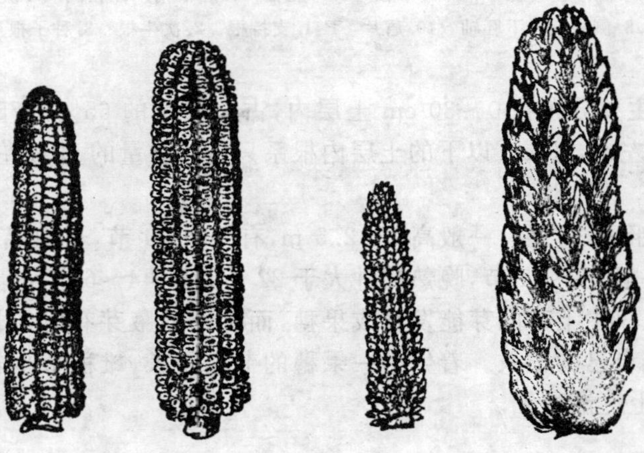

图 1-8 玉米的果穗类型

1. 硬粒型 2. 马齿型 3. 爆裂型 4. 有稃型

(五)作业与考核

1. 作业

观察玉米各生育时期的形态特征，列表说明各期特点。

2. 考核标准

(1)观察结果。(50分)

(2)作业完成情况。(30分)

(3)观察圃田间管理情况。(20分)

三、水稻植株形态特征的观察

(一)目的要求

通过实践教学,使学生了解水稻的形态特征,掌握发育进程及其外部表现特征,识别水稻的主要类型。

(二)技能内容

在播种好水稻(或育秧)的基础上,通过田间定点定时观察或定期取样株室内制作标本,特别是对幼苗扎根期、分蘖期、拔节期、孕穗期、抽穗期、扬花期、灌浆期、成熟期的样株标本,仔细观察其根、茎、叶、蘖、分蘖节、种子根、次生根、穗型、穗轴、颖壳、子粒等形态特征。着重观察水稻的叶片特点,种子根的数目、长度,次生根的数目、长度,茎节的数目、长度,第一、二节茎的粗度和秆壁的厚度,旗叶叶片的宽度和鲜叶的颜色,叶舌的大小,叶耳的大小和茸毛的有无,每穗枝梗上着生的小穗数目,每小穗具有的小花数,护颖的质地和形状,子粒的形状和带壳性等。了解水稻开花授粉过程,观察不同类型水稻的穗部的结实性,测量穗子的长短和子粒的大小。

(三)条件准备

手持扩大镜,镊子,直尺,米尺,剪刀,籼、粳、糯稻种子若干(每个品种1 kg左右),籼、粳、糯稻1～4叶龄秧苗若干,各生长期的植株、根系、成熟的稻穗若干,水稻的挂图。

1%苯酚(将苯酚置于水浴锅中加热溶解,然后配成1%溶液)。碘—碘化钾溶液(将1.3 g碘化钾溶于10 mL水中,再加入0.3 g结晶碘,加热搅拌至溶解后再兑蒸馏水至100 mL,配置好后置于有色瓶中待用)。

(四)观测内容

1. 根

由种子根(胚根)和不定根组成。种子根只有一条,种子根是在种子发芽时由胚根直接向下延伸长出，种子发芽出苗时主要靠它吸收水分。接着，在胚轴的芽鞘节上开始发出不定根，不定根上生出的枝根称第一次枝根，第一次枝根上再生长出许多细根和毛根。从三叶期开始，随着叶片的伸出，依次从不完全叶节及完全叶节上长出根来，统称为“不定根”或“节根”，不定根比较粗壮，具有通气组织。

2. 茎

由节和节间组成。茎秆中空细长，茎高 20～60 cm。每茎有 10～18 节，多数茎节密集于茎秆基部，地面以上伸长的仅有 3～5 节(一般生育期长的品种，茎节数较多，生育期短的品种茎节数较少)。每节上都有腋芽，但通常只有接近地表茎节的腋芽才能长出分枝，称之分蘖。茎秆最上位的节称为穗颈节。

3. 叶

稻谷发芽时，首先出现筒状的芽鞘。它是由胚芽鞘生长出来的，其内不含叶绿素，也没有主脉。芽鞘伸长终止前后出现一个裂口，从中抽出不完全叶。不完全叶只有叶鞘，没有叶片，含叶绿素，它出现后秧苗开始显绿，称之为“显青”。显青后不久，在不完全叶内即抽出第一片完全叶，以后在第一片完全叶内长出第二片完全叶……依此类推。最上面的一片完全叶称为顶叶或止叶，顶叶的宽度因品种不同而异，其叶片组织比下部叶片硬直，叶片较短。水稻完全叶由叶片、叶鞘、叶枕、叶舌、叶耳所组成。

4. 分蘖

由茎基部的腋芽(即分蘖芽)在适宜的条件下生长形成。稻茎的每一个节上都有一个分蘖芽，通常发生的最早分蘖节位(最低分蘖节位)，是在第一完全叶节。最迟发生的分蘖节位(最高分蘖节位)，一般是伸长节间下方的第一个节。这个节的节位是总叶数(N)减去伸长节间数(M)，为($N-M$)叶节。水稻的分蘖与其出叶速度有一个同伸规律。也就是说，当 N 叶抽出时，$N-3$ 叶节的分蘖抽出第一叶。无论主茎上的分蘖，以及一二次分蘖上的分蘖均属此规律。着生在主茎上的分蘖称为第一次分蘖，着生在第一次分蘖上的分蘖，称为第二次分蘖。依此类推，见图 1-9。

5. 穗

稻穗为复总状花序。它由穗轴(主梗)、一次枝梗、二次枝梗(或者有三次枝梗)、小穗梗和小穗组成。从穗颈节到穗顶端的退化生长点称为穗轴；穗轴上有 8～15 个左右穗节。穗颈节是最下一个穗节，每个穗节上着生一个枝梗。着生在穗节上的枝梗称第一次枝梗；着生在第一次枝梗上的枝梗称第二次枝梗，依此类推。每个第一枝梗上，着生 6 个左右的小穗梗；每个第二次枝梗上着生 3 个左右的小穗；小穗梗的末端着生一个小穗，每个小穗通常只有一朵完全花。

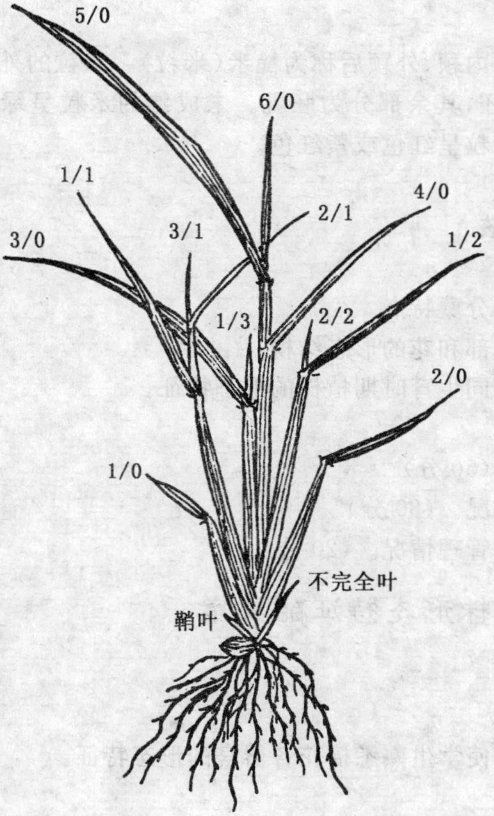

图 1-9　水稻的分蘖

6. 花

由副护颖、护颖、内颖、外颖、雌蕊、雄蕊和鳞片构成。副护颖在小穗梗的顶端，其上着生护颖。在两个护颖之间着生内、外颖，普通叫“谷壳”。谷壳表面有茸毛，有的品种外颖尖端伸长成针状的“芒”。在内、外颖之间着生雌蕊一枚(由花柱、两裂羽毛状柱头与子房组成)，雄蕊 6 枚(由花药、花丝组成)。在外颖内侧基部，着生两枚细小无色的浆片。

7. 谷粒(子实)

颖花受精结实后称为谷粒。谷粒由谷壳与糙米两部分组成。谷壳由内颖、外颖构成。内、外颖着生在小枝梗上，其下方有两片退化花护颖，形状相似，长约 2 mm，先端尖锐，再下方有两个突起状的副护颖，颖片下为比较短的小穗梗，它的基部着生在第一、第二次枝梗上，在外颖顶端有一个小突起的稃尖，有的外颖稃尖伸长为芒。

谷粒去掉护颖、内颖、外颖后称为糙米（米粒）。米粒的外层有皮膜（糠皮），基部靠外颖的一侧有胚，其余部分为胚乳。未成熟的米粒呈绿色，成熟的米粒呈白色，有少数品种的米粒呈红色或紫红色。

（五）作业与考核

1. 作业

（1）简述水稻的分蘖特点。

（2）简述水稻穗部和花的形态结构。

（3）观察水稻不同生育时期植株的形态特征。

2. 考核标准

（1）观察结果。（50 分）

（2）作业完成情况。（30 分）

（3）观察圃田间管理情况。（20 分）

四、棉花植株形态特征的观察

（一）目的要求

通过实践教学，使学生熟悉棉花各器官的形态特征。

（二）技能内容

1. 根

棉花的根属直根系，由胚根发育成主根，当主根生长到一定长度时，开始长出侧根，侧根上再长支根，支根上又同样可再产生支根。主根向下伸长可达 2 m 左右。主根四周发生许多侧根，侧根水平伸展，长达 80～100 cm。侧根上发生支根，支根上再生小支根。主根、侧根、支根和小支根构成棉花根系。根系大量分布在 10～30 cm 土层内，往下逐渐减少，缩短，在土壤中分布成倒圆锥形，见图 1-10。

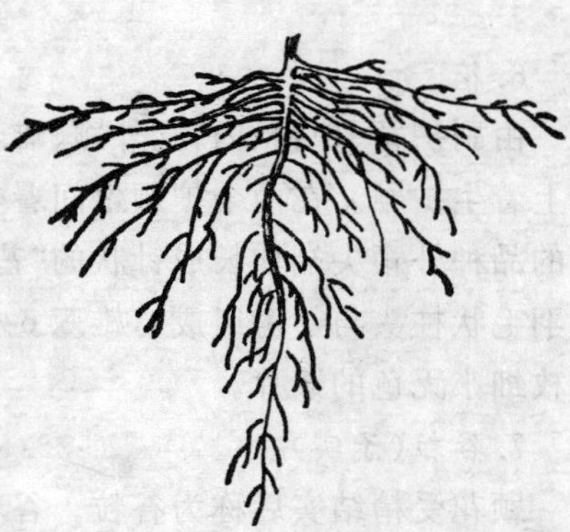

图 1-10 棉花的根系

2. 茎

棉苗出土后，顶芽生长点向上生长，形成主茎。主茎为圆柱形，直立，栽培品种一般主茎高 50～100 cm。主茎上每个叶腋处都有一个腋芽，一般棉株下部 1～2 个节的腋芽不发育，呈潜伏状态；3～5 节处的腋芽发育为叶枝（又叫营养枝、疯杈）；6～7 节及以上发育成果枝。叶枝为单轴分枝，与主茎所成的角度较小，枝上不直接着生花蕾；果枝为多轴分枝，与主茎所成的角度较大，枝上直接着生花蕾。第一果枝着生节位的高低与早晚，受品种特性、栽培条件的强烈影响。果枝着生节位低，是棉苗早发的表现。棉花的叶枝、果枝见图 1-11、图 1-12。

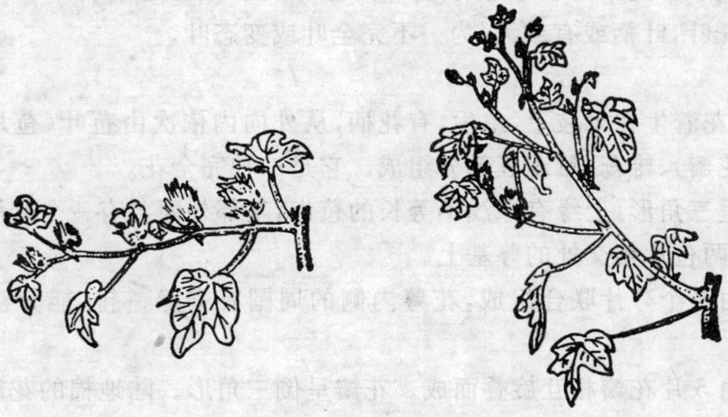

1　　2

图 1-11　棉花的果枝和叶枝

1. 果枝　2. 叶枝

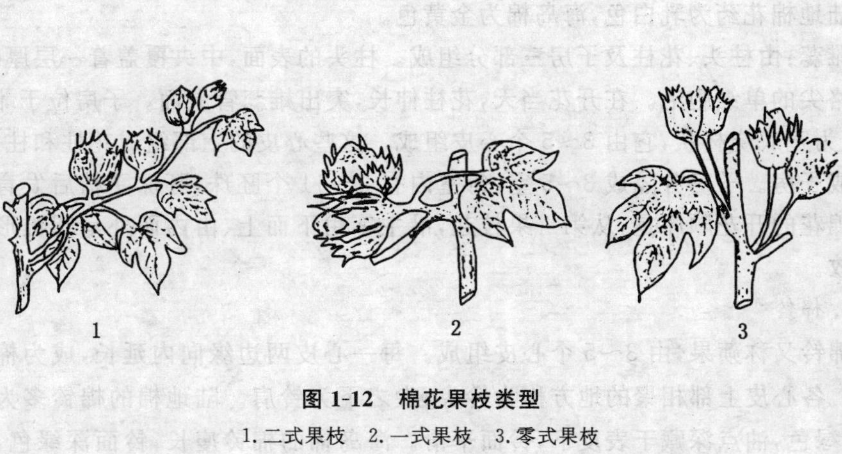

1　　2　　3

图 1-12　棉花果枝类型

1. 二式果枝　2. 一式果枝　3. 零式果枝

3. 叶

棉花叶子有子叶、真叶、先出叶三种。棉苗出土后，最初长出的两片对生的肾形叶称为子叶。子叶一大一小，有主脉三条，子叶平展后，幼茎逐渐伸长，在茎枝每一节上，陆续分生出的叶子称为真叶。真叶由托叶、叶柄、叶片三部分组成。托叶两枚，生在叶柄基部，长约 1 cm，宽 0.2～0.3 cm。叶柄长短因品种而异。叶片为掌状分裂，第一、二片真叶全缘，第三片真叶有 3 个尖，第五片真叶才有明显的 5 个裂片。一般棉叶有 3～5 个裂片，多的可达 7 个裂片。同一株上，各部位上的棉叶形状、大小都不相同。主茎下部的第 1～4 片真叶较小，全缘无裂口，或三裂，或裂口不明显；茎中部的真叶发育最完全，叶片较大，裂片最多；茎顶部的真叶又逐渐变小，裂片也较小。先出叶位于枝条基部的左、右侧，其形态各异，叶一般宽 0.5～0.6 cm，无托叶，叶柄或有或无，为一不完全叶或变态叶。

4. 花

棉花的花着生在果枝上，单生，有花柄，从外向内依次由苞叶（苞片）、花萼（萼片）、花冠（花瓣）、雄蕊、雌蕊五部分组成。它是一种完全花。

苞叶：呈三角形，上缘有深浅不等长的苞齿，基部外面各有一个蜜腺，另有三个蜜腺着生在两苞片相交处的萼基上。

花萼：由 5 个萼片联合组成，花萼内侧的周围有蜜腺一排，能分泌蜜汁，引诱昆虫。

花冠：由 5 片花瓣相互旋叠而成。花瓣呈倒三角形。陆地棉的花瓣为乳白色，海岛棉的花瓣为黄色，花瓣基部有红斑。

雄蕊：由花药和花丝两部分组成。花药为肾脏形，花丝着生在花药下部中间凹陷的地方，每一花药里有几十至一百多个花粉粒。花粉粒呈球形，表面有许多刺突。陆地棉花药为乳白色，海岛棉为金黄色。

雌蕊：由柱头、花柱及子房三部分组成。柱头的表面，中央覆盖着一层厚的、长形而略尖的单细胞毛。在开花当天，花柱伸长，突出雄蕊管上面。子房位于雌蕊的下部，为宽底烧杯状，它由 3～5 个心皮组成。这些心皮的上部组成花柱和柱头，下部形成子房。子房分隔成 3～5 室，每室内有 9～11 个胚珠，胚珠受精后发育成棉籽。棉花的开花顺序是，从第一果枝起，沿主茎由下而上、由内而外呈圆锥形螺旋式开放。

5. 棉铃

棉铃又称蒴果，由 3～5 个心皮组成。每一心皮两边缘向内延长，成为棉铃的一室。各心皮上部相聚的地方称为铃尖，尖之下为铃肩。陆地棉的棉铃多为卵圆形，浅绿色，油点深藏于表皮下，铃面平滑。海岛棉的棉铃瘦长，铃面深绿色，油点浅露，表面有凹点。

6. 种子

棉籽由种皮和胚两部分组成。棉籽多为不规则的梨形，亦有椭圆形、卵形、卵圆形，表面有短绒，称毛籽。海岛棉及少数中棉没有短绒，称光籽。棉籽一般长8～12 mm，宽5～7 mm。棉籽的大小通常以百粒重来表示，称为籽指。陆地棉的籽指一般为9～12 g，1 kg种子一般有8 200～11 000粒。每100粒在13 g以上的称为大籽，10～13 g的为中籽，10 g以下的为小籽。了解棉籽的大小对于设计棉籽播种机有一定的意义。

(三)条件准备

双目显微镜、双目解剖镜、解剖针、解剖刀、天平、镊子、直尺、米尺、梳绒板、梳子、烧杯、电炉、浓硫酸、石蕊试纸。陆地棉及海岛棉的成株标本、幼苗标本、压扎后的子粒样本、各期叶子标本、蕾、花铃、不同发育阶段的纤维样品标本、各器官标本、挂图等。

(四)操作方法

在播种(栽)好棉花的基础上，通过田间定点定期观察或室内制作各期样株标本，比较子叶、根系的形态，特别是不同类型棉株幼苗前期、中期、后期、现蕾期、开花期、吐絮期、收获期的植株标本进行仔细观察，明确根、茎、叶、蕾、花、铃、子粒的形态特征。着重观察和测量结铃的高、低部位，用显微镜观察花粉粒，用解剖镜观察胚珠和纤维细胞发育进程，练习操作硫酸脱绒。

(五)作业与考核

1. 作业

(1)观察棉花各生育时期植株的形态特征。

(2)简述棉花开花特性。

2. 考核标准

(1)分小组分品种种植观察圃。(20分)

(2)观察结果。(30分)

(3)作业完成情况。(30分)

(4)观察圃田间管理情况。(20分)

五、甘薯和马铃薯植株形态特征的观察

(一)目的要求

我国甘薯的栽培面积居粮食作物的第四位。马铃薯分布也极广,而且是耐储放的粮食、蔬菜兼用品种。熟悉其形态特征,是认识其生长发育规律的基础。通过实践教学,使同学们了解和掌握甘薯(马铃薯)的形态特征、发育进程及其外部表现特性,识别甘薯的主要类型。

(二)技能内容

在栽(播种)好甘薯和马铃薯(或育苗)的基础上,通过田间定点定时或室内定期取各期标本样株,特别是对幼苗前期、中期、后期、收获期的样株标本进行仔细观察。明确根、茎、叶、块根、纤维根、牛蒡根、块茎等形态特征。着重观察甘薯的叶片、块根的类型及特点;掌握马铃薯的块茎的类型及特点。

(三)条件准备

双目扩大镜、天平、镊子、直尺、米尺、游标卡尺、解剖刀、剪刀、甘薯、马铃薯不同品种地上部、地下部完整的植株、标本、挂图等。

(四)操作方法

1. 甘薯的形态特征

(1)根。甘薯为蔓生草本植物。甘薯插苗的根,由地下蔓节上的根原基长出。由芽苗或茎蔓生长的根统称不定根,按其生长情况不同可分为纤维根、柴根(又称牛蒡根或梗根)、块根三种。纤维根由不定根原基长出,多分布于 0.5 m 左右的土层内,深者可达 1.5 m;柴根长约 33 cm,粗 1 cm 左右,此种根消耗养料,无经济价值。甘薯的块根由幼根经过一系列组织分化发育而成,为积贮养分的器官。块根多分布在 5～30 cm 的土层内,形状有纺锤形、圆筒形、球形和块形等。皮色有白、黄、淡黄、杏黄、橘红、粉红、黑紫或带紫晕等。

(2)茎。茎蔓生,少数品种生长初期直立生长。长蔓型茎长达 3～4 m,短蔓型茎长 1 m 以下,茎粗为 0.4～0.8 cm,颜色可分为绿、绿带紫、紫、褐等,茎节两端具根原基,能生出不定根。主茎能产生分枝。茎节有棱或圆柱形,表面有茸毛。

甘薯的叶片类型见图 1-13。

2. 马铃薯的形态特征

(1)根。根的构造随繁殖方法而不同,用种子繁殖所发生的根为圆锥根系,具有主根与支根。用块茎繁殖时,其植株所发生的根为纤维根系。当块茎开始发芽时,在幼茎基部形成初生根(芽眼根),以后在植株生长期间由茎的地下节形成后生根,每 4~5 条成群分布在匍匐茎的近旁,见图 1-14。

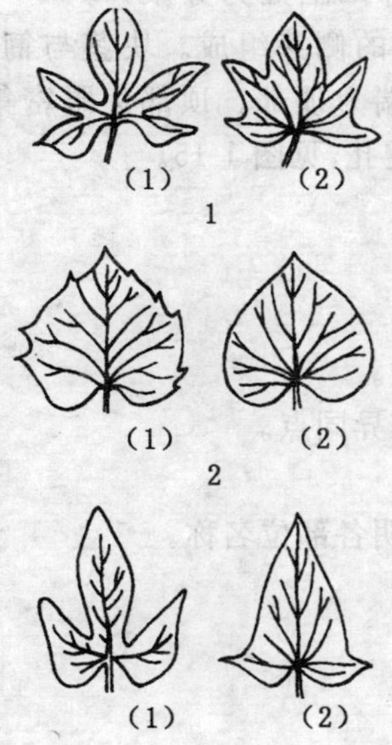

图 1-13　甘薯的叶片类型

1. 掌状形(1)深复缺刻　(2)浅复缺刻;2. 心脏形(1)带齿　(2)全缘分;3. 三角形或戟形(1)深单缺刻　(2)浅单缺刻

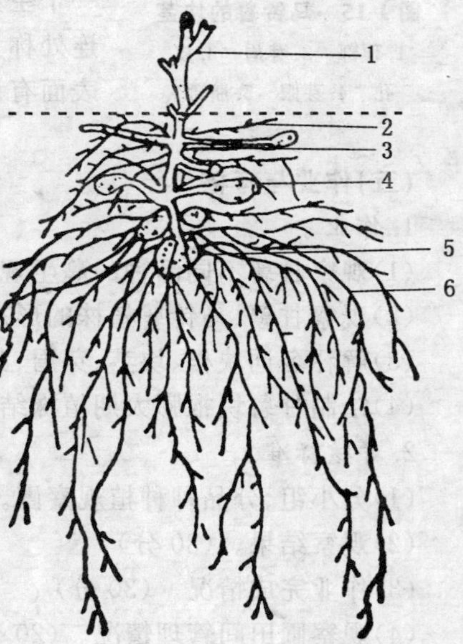

图 1-14　马铃薯的根系

1. 地上茎　2. 匍匐根　3. 匍匐茎　4. 块茎　5. 母茎　6. 芽眼根

(2)茎。包括地上茎、地下茎、匍匐茎和块茎。

地上茎是由块茎芽眼中抽出的枝条,茎多汁,色泽有绿色或紫色。茎有三棱或四棱。一般早熟品种的茎较矮(40~70 cm),节间较短,分枝较少,节位较高;中晚熟品种的茎较高(80~120 cm),节间长,茎较粗,分枝较多,节位较低。

地下茎为主茎地下结薯的部位,地下茎节数一般为 6~8 节。节上每一腋芽均有可能伸长形成匍匐茎。

匍匐茎由地下茎节上的腋芽发育而成,是形成块茎的部位。匍匐茎的层次,早熟品种 6~7 层,能结薯的仅基部 3~4 节;中晚熟品种有 6~8 层,栽培条件适宜的均能结薯。

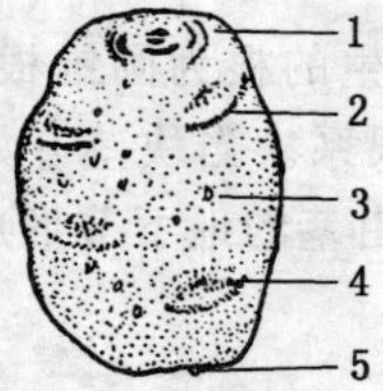

图 1-15 马铃薯的块茎

1.顶部 2.芽眉 3.皮孔 4.芽眼 5.脐部

用种子繁育的植株，当地上部长出 3～4 片真叶时，即开始在子叶的叶腋间发生第一对匍匐茎，其顶端向主茎基部近旁穿入土中，并开始膨大形成块茎。块茎是一短缩而肥大的变态茎，形状有椭圆形、圆形、扁圆形、长椭圆形等。其上有鳞片叶凋萎而留下的叶痕，称芽眉。芽眉上部凹陷处为芽眼，每一个芽眼由一个主芽和两个以上的侧芽组成。块茎与匍匐茎相连处称为脐部，另一端为顶部。顶部芽眼密集，块茎表面有许多小孔，称皮孔，见图 1-15。

(五)作业与考核

1.作业

(1)观察甘薯不同品种的蔓生现象和叶形类型。

(2)观察甘薯、马铃薯植株的形态特征，说明其异同点。

(3)解释名词块根、块茎、芽眉、芽眼及脐部。

(4)绘制甘薯块根膨大期植株结构示意图，说明各部位名称。

2.考核标准

(1)分小组、分品种种植观察圃。(20 分)

(2)观察结果。(30 分)

(3)作业完成情况。(30 分)

(4)观察圃田间管理情况。(20 分)

六、大豆植株形态特征的观察

(一)目的要求

大豆原产我国，是一种最重要的豆类作物。大豆营养价值很高，经济用途十分广泛，发展大豆生产有着重要的国民经济意义。认识大豆的形态特征，是掌握大豆生长发育规律的基础。也是提高栽培水平的必备条件。通过实践教学，使同学们熟悉大豆各器官及形态特征，明确其发育进程及栽培要点，能识别大豆的类型。

(二)技能内容

1.大豆的形态特征观察

(1)根及根瘤。大豆根属直根系，由胚根发育成主根，当主根生长到一定长度时，开始长出侧根，侧根上再长根毛。主根近地面 8～10 cm 较粗壮，下部突然变细。侧根水平伸长 40～50 cm 后即急转向下生长，主、侧根入土深度可达到 80～100 cm，从而整个根系呈倒圆锥形。主、侧根上结有直径约 0.5 cm 的钝圆球形、深褐色的根瘤。每个根瘤中有 2 000～3 000 个根瘤菌(好气性杆状细菌)，大豆根瘤菌集中分布在 20 cm 左右耕层内的主、侧根上，在适宜的土壤条件下，当幼苗有第一对真叶时已能结根瘤，两周后即起固氮作用，从分枝、开花至青粒形成期固氮能力最强，占总固氮量的 80%左右。侧根上长有须根，须根上又长有根毛。根系大量分布在 10～30 cm 土层内。

(2)茎。大豆苗出土后，顶芽生长点向上生长，形成主茎。主茎为圆柱形，直立，粗硬强韧，一般主茎高 50～100 cm。矮的只有 20 cm 左右，茎粗 0.4～2.2 cm。主茎上有 14～26 个节，下部节间短，上部节间长，每个节的叶腋都有一个腋芽，植株下部的腋芽大都发育成分枝。总分枝一般 4～7 个，多的可达 10～15 个。第一次分枝一般离地面 5～10 cm，栽培条件好时可能形成第二次分枝。大豆幼茎呈紫色或绿色，紫茎开紫花，绿茎开绿花。成熟的茎呈灰黄、深褐色。大豆茎上有绒毛，呈灰白色或棕色，其绒毛的长和短、多与少受品种特性、栽培条件的强烈影响而不同。

(3)叶。大豆叶子有子叶、单叶、复叶之分。幼苗出土后，最初长出的两瓣叶称为子叶。子叶未出土时有绿色和黄色两种，出土后经阳光照射变为绿色。子叶出土 2～3 d 后，幼茎上长出第一对单生真叶，又叫初生叶。它是单叶，椭圆形，对生，绿色具绒毛，大小相同，单生真叶长出后，又在幼茎上长出一对互生的、由三个小叶组成的复叶。它包括叶柄、托叶、叶片三部分。复叶多少因品种而异。叶形有披针形、卵圆形及心脏形等。一般叶面有茸毛。

(4)花。大豆花系总状花序，花为蝶形花。花冠由一枚旗瓣，二枚翼瓣，二枚龙骨瓣组成。雄蕊 10 个(九联雄蕊)，雌蕊一个，柱头球形，子房由一心皮构成，内含胚珠 1～4 个，着生在腹缝线上。大豆花序着生在叶腋间或茎顶端，为总状花序，花为簇生，每簇花有 9～15 朵花。

(5)荚果。每株有 10～350 个豆荚，成簇着生，每簇有 1～10 个不等，通常为 3～5 个，豆荚荚面光滑，无毛或有茸毛。荚形有直形、弯形(镰刀形)和扁平形。每荚内含种子 1～4 粒，色泽有黄、灰褐、褐、黑褐、黑色、绿色等。豆荚成熟后有爆裂性，为避免损失需适当早收。大豆主茎最下部距离地面的高度称为结荚高度，一般有 5～15 cm，生产上一般选择结荚高度高于 15 cm 的品种，以便于进行机械化收割。

(6)种子。种子由子房内受精的胚珠发育而成。种皮外有脐，脐的下端有珠孔(又叫发芽孔)。每粒种子由种皮和胚(子叶、胚茎、胚芽、胚根)两部分组成。形状有球形，也有椭圆形、肾脏形、卵圆形、扁圆形等。种子大小常以百粒重表示，一般在每百粒 14 g 以下的称为小粒种，14～20 g 的称为中粒种，20 g 以上的称为大粒种。种子表面光滑，种子外的脐是种子脱离珠柄后在种皮上留下的疤痕，在脐靠近下胚轴的一端有珠孔，发芽时胚根由此生出。脐的另一端是合点，是珠柄微管束与种脉连接处的痕迹。脐色的变化可由无色至淡褐、褐、深褐、黑色等，它是区分大豆品种的标志之一。见图 1-16。

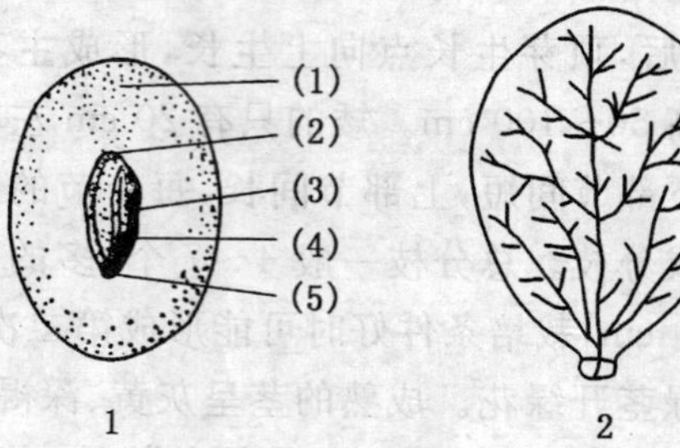

图 1-16　大豆的种子及结构

1. 种子(1)胚轴透视处　(2)珠孔　(3)脐　(4)脐间裂缝　(5)合点；2. 子叶

2. 大豆的类型

(1)按主茎与分枝生长形态可分为三个类型。

①蔓生型。植株高大分枝多，茎秆细，节间长，半直立或匍匐地面。野生大豆或近于野生种属于此类型。

②半直立型。主茎较粗短，上部细弱，常缠绕，节间较长，多属无限结荚习性。

③直立型。植株较矮，分枝少，节间较短，茎秆粗壮，直立不倒，多数有限结荚习性的品种以及一些早熟品种属于此类型。

又可按分枝与主茎所成夹角大小、分枝在主茎上着生的部位以及分枝的长短等进一步划分为张开式、半张开式、收敛式三种。

(2)按结荚习性可分为三个类型。

①有限结荚型。开花后主茎及旁枝顶端即形成一个花簇，此后茎节数目不再增加，茎较矮，主茎粗，节间短，豆荚集中在主茎上。

②无限结荚型。主茎及旁枝的顶端没有明显的花簇，无限生长，植株高大，旁枝较发达，荚果均匀分布于全株，顶端只结一个小荚。

③亚有限结荚型。结荚习性介于以上两者之间，只是茎顶端形成一串花，结荚率较高，植株较高大，似无限结荚习性。

(三)条件准备

烘箱、天平、双目扩大镜、双目显微镜、剪刀、塑料牌、小镊子、米尺、解剖针、不同大豆类型的根、茎、叶、花、子粒、荚果及不同类型标本挂图等。

(四)操作方法

(1)仔细观察各品种大豆子粒特征。

(2)认真种好大豆的观察圃。

(3)通过田间定点定时或室内定期取各期标本样株,比较子叶、根系的形态,注意不同类型大豆品种幼苗期、中期、后期、开花期、鼓粒期、收获期的植株特性观察,明确根、茎、叶、花、荚的形态特征。

(4)观察和测量不同类型大豆的株高、结荚高度、结荚习性及粒色粒重。

(5)观察植株根部的根瘤菌生长情况并用双目扩大镜或显微镜观察根瘤及根瘤菌。

(6)定株观察供试品种的优缺点。

(五)作业与考核

1.作业

(1)观察不同大豆品种的生长现象,总结生长发育规律。

(2)观察不同类型大豆各生育时期植株的形态异同。列表给以说明。

(3)解释说明大豆子叶的特点与作用。

(4)绘制大豆成熟期植株示意图。说明其主要结构名称。

2.考核标准

(1)分小组分品种种植观察圃。(20 分)

(2)观察结果。(30 分)

(3)作业完成情况。(30 分)

(4)观察圃田间管理情况。(20 分)

七、花生植株形态特征的观察

(一)目的要求

花生是我国食用油料作物之一,是一种重要的豆科一年生草本植物。花生营养价值高,经济用途广,与群众生活密切相关,对实现小康富裕生活有着重要的作用和意义。认识花生的形态特征，是掌握花生生长发育规律的基础，也是提高栽培水平的必备条件。通过实践教学，使同学们熟悉花生各器官及形态特征，明确其发育进程及栽培要点，能识别花生不同的类型。

(二)技能内容

1. 花生的形态特征观察

(1)根及根瘤。花生根属直根系，由胚根发育成主根，当主根生长到一定长度时，开始长出侧根，侧根呈四列十字形排列，侧根上再长出许多次生侧根。主根、侧根、许多次生细根组成倒圆锥形根系。一般分布在 30 cm 的耕层中。根上着生有许多深褐色的根瘤。每个根瘤中有 2 000～3 000 个根瘤菌(好气性杆状细菌)，花生根瘤多集中分布在 20 cm 左右耕层内的主、侧根上，见图 1-17。

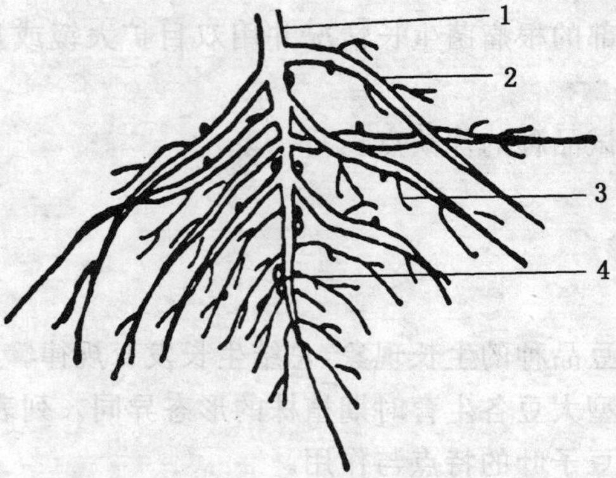

图 1-17 花生的根系

1. 主根 2. 侧根 3. 支根 4. 根瘤

(2)茎。花生苗出土后，胚芽生长点向上生长，形成茎。主茎为圆柱形，直立，中部有髓。一般主茎高 30～45 cm。矮的只有 20 cm 左右。主茎上有 15～25 个节。生长中后期，主茎中上部呈棱角状，全茎中空，下部木质化，茎绿色或紫红色，上生有茸毛。每个节的叶腋都有一个腋芽，植株下部的腋芽大都发育成分枝。第一次分枝的 1～4 分枝及其发生的第二次分枝是荚果发生的主要部位。

(3)叶。花生叶分为不完全叶、完全叶两类。两片子叶及每一枝条中第一、二节上着生的叶都是不完全叶，又称“鳞叶”或“苞叶”。真叶一般为偶数羽状复叶，由两对小叶组成，但也有由三叶、五叶或更多的小叶所组成的变态叶。叶形有倒卵型、椭圆形等。叶柄细长，柄上有茸毛和一条纵沟，叶柄基部的膨大部分称为叶枕。

花生的几种叶形见图 1-18。

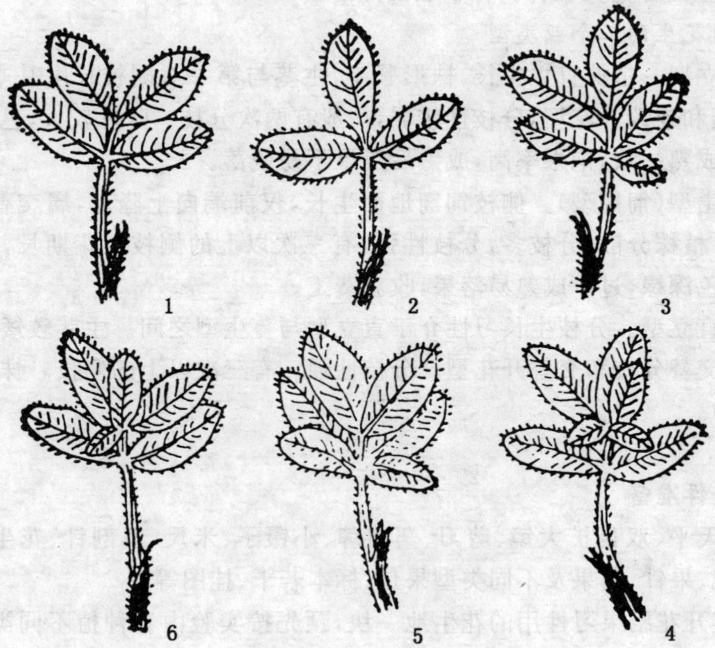

图 1-18　花生的各种叶形

1. 正常叶　2～6. 变态叶

(4)花。花生花系两性完全花,属总状花序,花序着生在叶腋间,每个花序通常有 2～7 朵花,多的可达 15 朵,后期通常出现单生花。花为蝶形花,由苞叶、花萼、花冠、雄蕊、雌蕊五部分组成。苞叶 2 枚,位于花萼管基部外侧,绿色;花萼位于花的最外轮,5 枚,其中 4 枚联合,1 枚分离,浅绿色或带紫色;花冠由一枚旗瓣,二枚翼瓣,二枚龙骨瓣组成。黄色,着生在花萼管上;雄蕊 10 个,着生在花管内,其中 2 个退化成花丝,8 个发育成花药,花丝联合成一个雄蕊管;雌蕊位于花内中央部,由柱头、花柱、子房构成,内含胚珠 1～4 个。

(5)荚果。荚果由子房膨大而形成。荚果可分为普通型、斧头型、葫芦型、串珠型及曲棍型等五种。

(6)种子。种子由子房内受精的胚珠发育而成。种子着生于荚果的腹缝线上。成熟的种子形状有椭圆形、圆锥形、三角形等。种皮颜色有深红、红、淡红、褐色、黄色及花皮等。每粒种子由种皮和胚(子叶、胚茎、胚芽、胚根)两部分组成。种子大小常以百粒重表示，一般每百粒在 50 g 以下的称为小粒种，50～80 g 的称为中粒种，80 g 以上的称为大粒种。种子表面光滑。

2. 普通花生的三个亚类型

(1)直立型。植株直立生长，株形紧凑，主茎与第一对侧枝长度基本一致。属连续分枝型和连续开花型，分枝性较弱，一般有两次分枝。叶片较大，色浅绿，开花结荚集中，成熟一致，饱果率高，成熟后荚果不易脱落。

(2)蔓生型(匍匐型)。侧枝匍匐地面生长，仅前端向上隆起，属交替分枝和交替开花型。植株分散，分枝多，分枝性强，有三次以上的侧枝。花期长，结荚分散，叶片较小，色深绿，过于成熟易落果，收获费工。

(3)半直立型。分枝生长习性介于直立型与蔓生型之间。主茎较矮，侧枝斜上生长，属于交替分枝和交替开花型。分枝性强。有三次以上的侧枝。株形较紧凑，结荚较集中。

(三)条件准备

烘箱、天平、双目扩大镜、剪刀、塑料牌、小镊子、米尺、解剖针、花生的根、茎、叶、花序、花、果针、荚果及不同类型果仁、标本若干、挂图等。

供观察开花结果习性用的花生地一块，预先按实验内容种植不同类型的花生植株观察圃。

(四)操作方法

(1)室内观察。观察比较三个花生类型。顺序观察各种花生子粒特征及根、茎、分枝、叶、花序、花、果针、荚果类型。

(2)认真种好花生的观察圃，并通过田间定点定时或室内定期取各期标本样株，比较子叶、根系的形态，注意不同类型品种幼苗期、中期、后期、开花期、鼓粒期、收获期的植株特性观察，明确根、茎、叶、花、荚果的形态区别。

(3)开花习性的观察。重点观察不同类型开花特性，交替开花性：花序与分枝相互交替出现；连续开花性：花序与分枝连续出现。

(4)结果习性的观察。在田间选择同等大小的单株若干，插牌定点。然后将着生于同一分枝部位的果针分别挂牌(果针长短、大小、粗细要均匀一致)，每种类型挂牌 50 个左右，从挂牌之日起，每间隔一星期取样一次(每个类型约取 10 株)。洗净、晾干、称鲜重，再放入烘箱中，于 110℃温度下烘干 0.5 h，然后降至60～70℃恒温，烘干后称其干重。

(5)观察根瘤菌生长情况，并用解剖针和双目扩大镜或显微镜观察根瘤及根瘤菌。

(6)综合观察评定供试品种的优缺点。

(五)作业与考核

1.作业

(1)观察不同花生品种类型的生长现象,总结生长发育规律。

(2)观察不同类型各生育时期植株的形态异同,列表给以说明。

(3)解释说明花生子叶的特点与作用。

(4)绘制花生成熟期植株示意图,说明其主要结构名称。

2.考核标准

(1)分小组分品种种植观察圃。(20 分)

(2)观察结果。(30 分)

(3)作业完成情况。(30 分)

(4)观察圃田间管理情况。(20 分)

八、油菜植株形态特征的观察

(一)目的要求

油菜是我国的主要油料作物,产量占全国油料作物总产量的 30%以上,油菜产品在食用、工业和农业方面都有广泛的用途。我国是世界上种植油菜最早和播种面积最大的国家之一。油菜营养价值高,经济用途广,与群众生活密切相关,对实现小康富裕生活有着重要的作用和意义。认识油菜的三大类型形态特征和遗传特性,是掌握油菜生长发育规律的基础。也是提高栽培水平的必备条件。通过实践教学,使同学们熟悉油菜各器官及形态特征,学会考查油菜的经济形状,明确其发育进程及栽培要点,能识别不同的类型。

(二)技能内容

1.油菜的形态特征观察

(1)根。油菜的根属直根系,由主根和侧根组成。胚根发育成主根,当主根生长到一定长度时,开始长出侧根,侧根上再长出许多次生侧根。主根、侧根、许多次生细根组成倒圆锥形根系。一般分布在 30 cm 的耕层中,见图 1-19。

(2)茎及分枝。油菜种子萌发后,胚根向下生长的同时,胚芽生长点和子叶也向上生长,胚茎伸长形成幼茎。幼茎继续生长而形成主茎。主茎上的各个节,在花

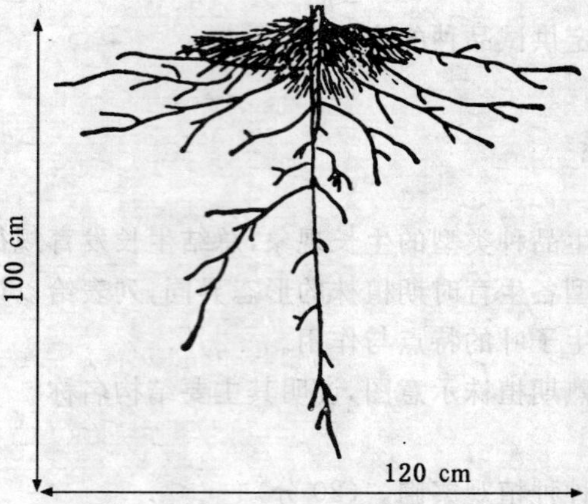

图 1-19 甘蓝型油菜的根系

芽开始分化时就已分化完全，但各节仍紧密相连。现蕾抽薹以后，节间明显伸长。始花时，茎的伸长基本停止，此时主茎由下而上分为缩茎段、伸长茎段、薹茎段三段。缩茎段在主茎基部，节间短而密集，节上着生长柄叶。伸长茎段在主茎中部，节间由下而上逐渐增加，棱起渐显著，节上着生短柄叶。薹茎段，在主茎上部，节间较长，棱起渐显著，节上着生无柄叶。主茎高一般 40～250 cm。矮的只有30 cm左右。主茎上一般有 2～8 个分枝。多的分枝可达 18 个以上。

(3)叶。油菜叶分为不完全叶、完全叶两类。两片子叶是不完全叶。子叶平展后 3～5 d，开始出现第一片真叶。无论主茎和分枝，每节上都着生一片真叶，随着油菜的生长，真叶陆续出现。不同类型和不同品种的油菜，真叶的形状各不相同。同一油菜植株，在不同发育阶段中产生的叶片，其形状也不相同，一般有长柄叶、短柄叶、无柄叶。长柄叶，有明显的叶柄，基部两侧无叶翅，叶片有矩圆、椭圆、长椭圆、卵圆和匙形等；短柄叶，叶柄不明显，叶柄两侧至基部具有明显的叶翅，着生在伸长茎段上，也称伸长茎叶；无柄叶，叶片基部两侧向下方延伸成耳状，半抱茎，着生在薹茎段上，也称薹茎叶或抱茎叶。

油菜主茎的叶片数一般在 30～40 片之间。早熟品种较少，一般有 20～30 片叶；晚熟品种叶片较多，可多达 40 片叶以上，几种叶形见图 1-20。

(4)花。油菜的花属总状花序，由顶芽或腋芽生长点的原基分化而成。着生在主茎顶端的称主花序，每个花序的序轴上着生许多单花。

油菜的花由花托、花萼、花冠、雄蕊、雌蕊和蜜腺等部分组成。花托为花柄的顶

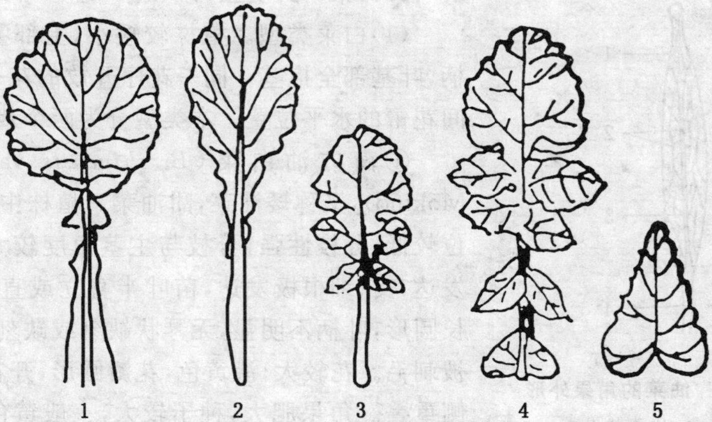

图 1-20　油菜的几种叶形

1,4.茎升短柄叶　2,3.基部长柄叶　5.分枝及薹茎无柄叶

端部分，略膨大成圆顶状；花萼位于花的最外层，由 4 片完全分离的萼片组成；花冠由 4 片花瓣组成，黄色；雌蕊位于花朵中央，由子房、花柱和柱头三部分组成；雄蕊 6 枚，4 长 2 短，称四强二弱雄蕊。每个雄蕊由花药、花丝两部分组成。花药成熟时散出黄色的花粉粒；蜜腺位于花的基部，在四强雄蕊的外侧和二短雄蕊的内侧为四枚绿色粒状物，可以分泌蜜汁，引诱昆虫。

(5)角果。油菜角果可分为果喙、果身、果柄三部分。果喙与果身相连，由花柱发育而成。果身与果柄分别由子房、花柄发育而成。

油菜角果的果身由壳状和线状两种果瓣组成。壳状果瓣，二片狭长，似船形；线状果瓣，二片窄而细，似线状，其内侧为侧膜胎座，着生胚珠，两端与果柄、果喙相连，两侧与果壳状果瓣相连。角果充分成熟时相连部分产生离层，失水干燥后果瓣收缩，壳状果瓣即脱落，因此油菜不能在充分成熟时收获，否则，果瓣收缩，造成大量损失。

(6)种子。种子由子房内受精的胚珠发育而成。每个角果胚珠数 20～40 粒，胚珠一旦受精，即发育为种子。成熟的种子形状一般为圆形，表面光滑。种皮颜色有暗褐、红褐和黄色三种。每粒种子由种皮和胚(子叶、胚茎、胚芽、胚根)两部分组成。种子大小常以千粒重表示，一般分为五种：极小粒(千粒重 1～2 g)，小粒(千粒重 2～3 g)，中粒(千粒重 3～4 g)，大粒(千粒重 4～5 g)，极大粒(千粒重 5 g 以上)。角果外形见图 1-21。

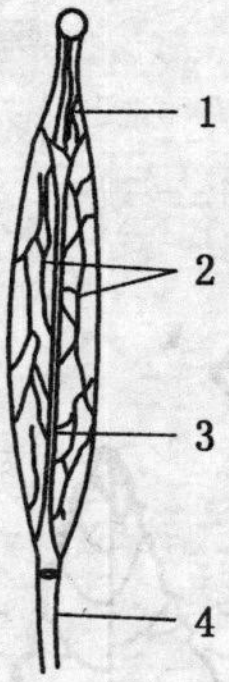

图 1-21　油菜的角果外形

1. 果喙　2. 壳状果瓣

3. 线状果瓣　4. 果柄

2. 油菜三大类型的识别

(1)白菜类型。植株较矮小，上部薹茎叶无叶柄，叶基部全抱茎。同一花序开放的花一般高于中间花蕾的水平位置。本类型分为两个栽培种：

①南方油白菜（*B. chinensis* var. *oeifera* Mokino），又称矮油菜，甜油菜。植株中等，分枝部位较低，分枝性强，分枝与主茎角度较大。主茎不发达，支、细根极发达，苗叶半直立或直立，基叶呈长圆形，叶柄不明显，无琴状缺刻或缺刻不明显，不被刺毛。花较大，淡黄色，花瓣圆形，开花时花瓣两侧重叠。角果肥大，种子较大，一般黄色，也有黑、红褐、黄褐等色。

②北方小油菜（*Brassica campestris* L.）。植株矮小，茎秆纤细，分枝性弱，主根发达或较发达，支、细根发育中等或差，基叶呈椭圆形，有明显叶柄，具明显的琴状缺刻，密被刺毛，有蜡粉。角果及种子均小。

(2)芥菜类型。植株高大，分枝性强，分枝部位较高。主根发达。幼苗基部叶片窄小，具有较长而明显的叶柄，叶面密被刺毛，叶缘有缺刻或明显锯刺。薹茎叶柄短，不抱茎。花瓣较长而窄小，开花时花瓣互离而不重叠。角果细而短，子粒较小。油分有辛辣味，品质较差。

(3)甘蓝类型(*B. napus* L.)。又称欧洲油菜。植株高大，叶蓝绿，叶肉组织较致密，叶片较厚且被蜡粉，叶质似甘蓝。下部叶片 1～5 对琴状裂片，有明显缺刻。薹茎叶半抱茎。花瓣黄色而大，开花时花瓣相互重叠。同一花序开放的花一般低于中间花蕾的水平位置。角果、种子均较大，黑褐色，千粒重一般 3～4 g，不具辛辣味。

(三)条件准备

烘箱、天平、双目扩大镜、剪刀、塑料牌、小镊子、米尺、解剖针、油菜的根、茎、叶、花序、花、角果、种子及不同类型标本若干、挂图等。

供观察开花结果习性用的油菜地一块，预先按实验内容种植不同类型的油菜植株观察圃。

(四)操作方法

(1)室内观察。观察比较三大类型油菜种子的大小、色泽、形状、子粒特征。

(2)顺序种植观察圃并定期观察各类型的根、茎、分枝、叶、花序、花、角果、类型,比较子叶、根系的形态,注意不同类型品种幼苗期、中期、后期、开花期、收获期的植株特性,明确根、茎、叶、花、角果、种子的形态区别。

(3)开花习性的观察。重点观察不同类型花芽分化、分枝出现及开花特性,开花的顺序,连续开花性等。

(4)结果习性的观察。在田间选择同等大小的单株若干,插牌定点。定期观察。

(5)用解剖针和双目扩大镜或显微镜观察根及根茎部菌核菌的发生情况和特征。

(6)综合观察评定供试品种的优缺点。

(五)作业与考核

1.作业

(1)观察不同油菜类型的生长现象,总结生长发育规律。

(2)观察不同类型各生育时期植株的形态异同,列表给以说明。

(3)解释说明油菜越冬的特点与作用。

(4)绘制油菜成熟期植株示意图。说明其茎部主要结构特点。

2.考核标准

(1)小组分品种种植观察圃。(20分)

(2)观察结果。(30分)

(3)作业完成情况。(30分)

(4)观察圃田间管理情况。(20分)

第三节　农作物群体动态调查

一、小麦群体动态调查

(一)目的要求

学会按定点调查法和选点调查法对不同类型麦田群体的调查和计算。掌握群体动态的调查和数据处理方法,了解群体动态变化的一般规律。

(二)技能内容

群体是指一定单位面积内的总头数,包括主茎和分蘖。任何一块麦田都是一个群体，群体结构的动态变化和小麦的产量与品质均有着密切关系。因此，群体大小是拟定管理措施的重要依据。群体大小的起点是单位面积基本苗数，也就是主茎数量。一般情况下，小麦分蘖是从进入三叶期以后开始的，随着叶片不断增加，分蘖不断发生，群体也不断增加。分蘖数量达到最高峰时，群体大小也达到最高峰，以后，随着分蘖两极分化，无效分蘖不断死亡，群体数量也不断减少，直到最后，单位面积群体数量以单位面积成穗数固定下来。也就是说小麦一生中，基本苗数是群体大小的起点，成穗数是群体大小的终点，中间的变化过程称为群体动态。

(三)条件准备

各类麦田若干块，皮卷尺、钢卷尺、计算器、田间记载本、记载铅笔。

(四)操作方法

(1)确定样点。在各类麦田中选取若干个样点，样点一定要有代表性。

(2)调查时间。群体动态调查一般与物候期的观察记载同时进行。分蘖前调查基本苗数，以后在越冬期、起身期、抽穗期后、成熟期前分别调查年前群体(分蘖)数、年后最高群体(分蘖)数、亩成穗数。

(3)调查方法。

①定点调查法。从调查基本苗开始，对样点做出标记，固定不变，以后每次调查均在此样点内进行。因此，在操作时要特别注意不要损伤样点内和周围的小麦，尽量保持自然状态。定点调查法所得数据比较准确，试验研究中常采用此方法。

②选点调查法(不定点调查法)。每次调查都临时选样点，样点不固定。此方法的优点是不会因多次调查而影响小麦的正常生长发育。但由于样点变动，调查所得数据可比性较差，选点调查法多用于大田生产。其具体方法为：

a. 先用皮卷尺量 1～2 畦的宽度，再查出其中小麦行数，计算出平均行距。

b. 用钢卷尺在确定的样点内量若干行长(一般为 1 m 长)，查出所量行长内的苗数。

c. 计算出单位面积内的群体数。

$$群体数(万/667\ m^2)=样点内头数\times 667\ m^2/样点面积$$

或：

$$群体数(万/667\ m^2)=每米长平均头数\times 667\ m^2/平均行距(m)$$

(五)作业与考核

1. 作业

简述如何在试验田中进行群体调查。

2.考核标准

(1)正确选择样点。(10 分)

(2)正确运用定点调查法。(25 分)

(3)正确运用选点调查法。(25 分)

(4)调查数据计算与整理。(40 分)

二、水稻群体动态调查

(一)目的要求

掌握群体动态变化的调查和数据处理方法,了解群体动态变化的一般规律,学会用定点法和选点法对不同类型稻田群体的实地调查。

(二)技能内容

水稻群体是指一定单位面积内的总头数,包括主茎和分蘖。群体结构的动态变化和水稻的产量与品质有着密切关系。因此群体大小是拟定管理措施的重要依据。群体大小的起点是单位面积基本苗数,是决定主茎和分蘖数量及其比例的基础。一般情况下,水稻秧田分蘖是从进入三叶期以后开始的,随着叶片不断增加,分蘖不断发生,群体也不断增加。插秧返青后,水稻分蘖继续增加,分蘖数量达到最高峰时,群体大小也达到最高峰,以后,随着分蘖两极分化,无效分蘖不断死亡,群体数量也不断减少,直到最后,单位面积群体数量以单位面积成穗数固定下来。也就是说,水稻一生中,基本苗数(插秧棵数)是群体大小的起点,成穗数是群体大小的终点,中间的变化过程称为群体动态。

(三)条件准备

各类稻田若干块,皮卷尺、钢卷尺、计算器、记录本、铅笔等。

(四)操作方法

1.定点调查法

从调查基本苗(秧田)或最初群体(大田插秧后)开始,对样点作出标记,固定不变,以后每次调查均在此样点内进行。因此,在操作时要特别注意不要损伤样点内和周围的水稻,尽量保持自然状态。定点调查法所得数据比较准确,试验田中常采用此方法。

2. 选点调查法(不定点调查法)

每次调查都临时选取样点,样点不固定。此方法的优点是不会因多次调查而影响水稻的正常生长发育。但由于样点变动,前后调查所得数据的一致性较差,选点调查法多用于大田生产。

3. 具体方法

(1)先用皮卷尺量1～2畦的宽度,再查出其中水稻行数,计算出平均行距。

(2)用米尺在确定的样点内量若干行长(一般为1 m长),查出所量行长内的苗数。

(3)计算出单位面积内的群体数。

$$群体(万/667\ m^2)=样点内头数\times 667\ m^2/样点面积$$

或：

$$群体(万/667\ m^2)=每米长平均头数\times 667\ m^2/平均行距(m)$$

(五)作业与考核

1. 作业

简述如何在水稻秧田、大田中进行定点调查。

2. 考核标准

(1)正确选择样点。(10分)

(2)正确运用定点调查法。(25分)

(3)正确运用选点调查法。(25分)

(4)调查数据计算与整理。(40分)

三、玉米群体调查

(一)目的要求

学会按定点调查法和选点调查法进行不同类型玉米群体的调查和计算方法。掌握群体调查和数据处理方法,了解群体的一般规律。

(二)技能内容

玉米群体是指一定单位面积内的总株数。任何一块玉米田就是一个特定的群体,群体结构的合理与否对玉米的产量与品质均有着密切关系。群体大小是制定施肥量和管理措施的重要依据。一般情况下,大穗型品种玉米密度为(3 000～4 000)株/亩;中穗型品种玉米密度为(3 500～4 500)株/亩;多穗型品种玉米密度为(4 000～5 500)株/亩;只有群体合理,才能获得高产。群体密度过大或过小均不宜获得理想产量。测定单位面积群体数量是检验群体大小的有效方法。

(三)条件准备

各类玉米田若干块,皮卷尺、钢卷尺、定点材料、计算器、记录本、铅笔等。

(四)操作方法

1. 确定样点

(1)样点一定要有代表性。选取的样点一定要避开块头、地边、路边、粪底、缺苗断垄处及植株生长特殊的地方。同时还应避免人为的主观倾向性,以使调查数据尽量接近实际。选点一般有随机取样法、五点取样法、棋盘式取样法、蛇形取样法等。

(2)样点数目。样点数目应根据田块大小而定。小区试验中,每小区取 2～3 个样点;大田调查中,1 hm^2 以下田块取样 8 个样点,1～3 hm^2 取 8～20 个样点,3 hm^2 以上取 20～25 个样点。

(3)样点面积。每个样点的面积可取 1 m^2 或先确定若干行数的一定行长,按实际平均行距测定面积。小区试验中,样点总面积一般占小区面积的 1%～3%;大田调查时,样点总面积一般为 1%左右。

2. 调查时间

玉米群体调查在定苗后至收获前均可进行。具体应以调查目的而定,一般以中后期测产同时进行比较省事。

3. 调查方法

(1)定点调查法。从调查基本苗开始,对样点作出标记,固定不变,以后每次调查均在此样点内进行。因此,在操作时要特别注意不要损伤样点内和周围的玉米,尽量保持自然状态。定点调查法所得数据比较准确,玉米不同时期生长量、病虫害发生及危害情况、单株成穗数等调查试验中常采用此方法。

(2)选点调查法(不定点调查法)。每次调查都临时选取样点,样点不固定。此方法的优点是不会因多次调查而影响玉米的正常生长发育。但由于样点变动,前后调查所得数据的一致性较差,选点调查法多用于大田生产。

4. 具体方法

(1)先用皮卷尺量 1～2 畦的宽度,再查出其中玉米行数,计算出平均行距。

(2)用米尺在确定的样点内量若干行长(一般为 1 m 长),查出所量行长内的苗数。

(3)计算出单位面积内的群体。

$$群体(株/666.7\ m^2)=样点内苗数\times 666.7\ m^2/样点面积(m^2)$$

或：

$$群体(株/666.7\ m^2)=每米长平均株数\times 666.7\ m^2/平均行距(m)$$

(五)作业与考核

1.作业

(1)如何在玉米田中进行定点调查？优缺点是什么？

(2)如何在指定地块采用不定点调查法调查玉米的群体？

(3)根据调查数据说明所测玉米田群体是否合理，怎样管理？

2.考核标准

(1)正确选择样点。(10 分)

(2)正确运用定点调查法。(25 分)

(3)正确运用选点调查法。(25 分)

(4)调查数据计算与整理。(40 分)

四、棉花群体调查

(一)目的要求

学会按定点调查法和选点调查法进行不同类型棉田群体的调查和计算方法。掌握群体调查和数据处理方法，了解群体密度的一般范围规律。

(二)技能内容

群体是指一定单位面积内的总株数。任何一块棉田都是一个特定的群体，群体结构的合理与否对棉花的产量与品质均有着密切影响。因此群体大小是拟定管理措施的重要依据。群体过大或过小都不利于棉花的高产。一般情况下，棉花亩留苗 3 000～8 000 株：原则是高水肥亩留苗 3 000～4 500 株；中肥力地亩留苗 4 500～5 500 株；旱地或薄地亩留苗 6 000～8 000 株。群体调查是检验群体合理与否的基本方法。

(三)条件准备

各类棉田若干块，皮卷尺、钢卷尺、定点材料、计算器、记录本、铅笔等。

(四)操作方法

1.确定样点

(1)样点一定要有代表性。选取的样点一定要避开块头、地边、路边、粪底、缺苗断垄处及植株生长特殊的地方。同时还应避免人为的主观倾向性,以使调查数据尽量接近实际。选点一般有随机取样法、五点取样法、棋盘式取样法、蛇形取样法等。

(2)样点数目。样点数目应根据田块大小而定。小区试验中,每小区取 2～3 个样点;大田调查中,1 hm^2 以下田块取样 8 个样点,1～3 hm^2 取 8～20 个样点,3 hm^2 以上取 20～25 个样点。

(3)样点面积。每个样点的面积可取 1 m^2 或先确定若干行数的一定行长,按实际平均行距测定面积。小区试验中,样点总面积一般占小区面积的 1%～3%;大田调查时,样点总面积一般为 1%左右。

2.调查时间

棉花群体调查一般在定苗后至收获前均可进行。具体应根据调查目的而定。也可与测产、物候期的观察记载同时进行。

3.调查方法

(1)定点调查法。从调查基本苗开始,对样点做出标记,固定不变,以后每次调查均在此样点内进行。因此,在操作时要特别注意不要损伤样点内和周围的棉苗,尽量保持自然状态。定点调查法所得数据比较准确,棉花不同时期生长量、病虫害发生及危害情况、单株落卵量、单株现蕾数、单株开花数、单株结桃数等调查试验中常采用此方法。

(2)选点调查法(不定点调查法)。每次调查都临时选取样点,样点不固定。此方法的优点是随机性强,不会因多次调查而影响棉花的正常生长发育。但由于样点变动,前后调查所得数据的一致性较差,选点调查法多用于大田生产。

4.具体方法

(1)先用皮卷尺量 1～2 畦的宽度,再查出其中水稻行数,计算出平均行距。

(2)用米尺在确定的样点内量若干行长(一般为 1 m 长),查出所量行长内的苗数。

(3)计算出单位面积内的群体。

群体(株株/666.7 m^2)=样点内株数×666.7 m^2/样点面积(m^2)

或:　群体(株/666.7 m^2)=每米长平均株数×666.7 m^2/平均行距(m)

(五)作业与考核

1. 作业

(1)如何在棉田进行定点调查?

(2)如何在指定地块采用不定点调查法调查棉花群体数量?

(3)根据调查结果谈谈定点、不定点棉田群体调查的优缺点。

2. 考核标准

(1)正确选择样点。(10分)

(2)正确运用定点调查法。(25分)

(3)正确运用选点调查法。(25分)

(4)调查数据计算与整理。(40分)

五、花生群体调查

(一)目的要求

学会按定点调查法和选点调查法进行不同类型花生田群体的调查和计算方法。掌握群体调查和数据处理方法,了解花生田群体变化的一般规律。

(二)技能内容

群体是指一定单位面积内的总株数。任何一块花生田都是一个特定的群体,群体结构的合理与否与花生的产量与品质均有着密切关系。群体大小还是拟定管理措施的重要依据。群体的大小是指单位面积基本苗数,也就是每亩的株数。一般情况下,密度过大或过小都不利于花生高产,群体调查是了解密度合理与否的有效方法。

(三)条件准备

各类花生田若干块,皮卷尺、钢卷尺、定点材料、计算器、记录本、铅笔等。

(四)操作方法

1. 确定样点

(1)样点一定要有代表性。选取的样点一定要避开块头、地边、路边、粪底、缺苗断垄处及植株生长特殊的地方。同时还应避免人为的主观倾向性,以使调查数据尽量接近实际。

(2)样点数目。样点数目应根据田块大小而定。小区试验中,每小区取2～3个样点;大田调查中,1 hm^2 以下田块取样8个样点,1～3 hm^2 取8～20个样点,3 hm^2 以上取20～25个样点。

(3)样点面积。每个样点的面积可取1 m^2 或先确定若干行数的一定行长,按实际平均行距测定面积。小区试验中,样点总面积一般占小区面积的1%～3%;大田调查时,样点总面积一般为1%左右。

2.调查时间

群体调查一般在出(定)苗后至收获前均可进行。具体因调查目的不同而不同。也可与物候期的观察记载同时进行。

3.调查方法

(1)定点调查法。从调查基本苗开始,对样点做出标记,固定不变,以后每次调查均在此样点内进行。在操作时要特别注意不要损伤样点内和周围的植株,尽量保持自然状态。定点调查法所得数据比较准确,试验田中常采用此方法。如调查单株(穴)开花数、开花日期、果针下扎日期和数量、结果数、病叶数、病虫害发生种类和数量等。

(2)选点调查法(不定点调查法)。每次调查都临时选取样点,样点不固定。此方法的优点是随机性强,不会因多次调查而影响样点内花生苗的正常生长发育。但由于样点变动,前后调查所得数据的一致性较差,选点调查法多用于大田生产。

4.具体方法

(1)先用皮卷尺量1～2畦的宽度,再查出其中花生行数,计算出平均行距。

(2)用米尺在确定的样点内量若干行长(一般为1 m长),查出所量行长内的苗数。

(3)计算出单位面积内的群体。

群体(株/666.7 m^2)=样点内头数×666.7 m^2/样点面积(m^2)

或:　群体(株/666.7 m^2)=每米长平均头数×666.7 m^2/平均行距(m)

(五)作业与考核

1.作业

(1)如何定点调查花生田群体?

(2)如何在指定地块中采用不定点调查法调查花生各时期的群体?

(3)根据调查数据绘出所测花生田群体变化示意图。

2.考核标准

(1)正确选择样点。(10分)

(2)正确运用定点调查法。(25 分)

(3)正确运用选点调查法。(25 分)

(4)调查数据计算与整理。(40 分)

六、大豆群体调查

(一)目的要求

学会按定点调查法和选点调查法进行不同类型大豆田群体的调查和计算方法。掌握群体调查和数据处理方法，了解群体变化的一般规律。

(二)技能内容

群体是指一定单位面积内的总株数。任何一块大豆田都是一个特定的群体，群体结构合理与否对大豆的产量与品质均有着密切关系。群体大小还是拟定管理措施的重要依据。群体调查是检验群体大小的基本方法。

(三)条件准备

各类大豆田块若干，皮卷尺、钢卷尺、定点材料、计算器、记录本、铅笔等。

(四)操作方法

1.确定样点

(1)样点一定要有代表性。选取的样点一定要避开块头、地边、路边、粪底、缺苗断垄处及植株生长特殊的地方。同时还应避免人为的主观倾向性，以使调查数据尽量接近实际。

(2)样点数目。样点数目应根据田块大小而定。小区试验中，每小区取 2～3 个样点；大田调查中，1 hm^2 以下田块取样 8 个样点，1～3 hm^2 取 8～20 个样点，3 hm^2 以上取 20～25 个样点。

(3)样点面积。每个样点的面积可取 1 m^2 或先确定若干行数的一定行长，按实际平均行距测定面积。小区试验中，样点总面积一般占小区面积的 1%～3%；大田调查时，样点总面积一般为 1%左右。

2.调查时间

群体调查一般在出(定)苗后至收获前均可进行。因调查目的不同而不同，也可与物候期的观察记载同时进行。

3. 调查方法

(1)定点调查法。从调查基本苗开始，对样点作出标记，固定不变，以后每次调查均在此样点内进行。因此在操作时要特别注意不要损伤样点内和周围的植株，尽量保持自然状态，以保证调查数据的可靠性。定点调查法所得数据比较准确，试验田中常采用此方法。如调查单株发枝情况、开花情况、结荚情况、不同时期虫卵量等等。

(2)选点调查法(不定点调查法)。每次调查都临时选取样点，样点不固定。此方法的优点是随机性强，不会因多次调查而影响大豆的正常生长发育。但由于样点变动，前后调查所得数据的一致性较差，选点调查法多用于大田生产。

4. 具体方法

(1)先用皮卷尺量 1～2 畦的宽度，再查出其中大豆行数，计算出平均行距。

(2)用米尺在确定的样点内量若干行长(一般为 1 m 长)，查出所量行长内的苗数。

(3)计算出单位面积内的群体。

$$群体(株/666.7\ m^2)=样点内头数\times 666.7\ m^2/样点面积(m^2)$$

或：

$$群体(株/666.7\ m^2)=每米长平均头数\times 666.7\ m^2/平均行距(m)$$

(五)作业与考核

1. 作业

(1)如何在大豆田中进行定点调查?

(2)如何在指定地块采用不定点调查大豆各时期的群体大小?

(3)根据调查数据绘出所测大豆田群体变化情况，说明出苗数与收获数是否相同。

2. 考核标准

(1)正确选择样点。(10 分)

(2)正确运用定点调查法。(25 分)

(3)正确运用选点调查法。(25 分)

(4)调查数据计算与整理。(40 分)

第四节 农作物叶面积系数的测定

一、小麦叶面积系数的测定

(一)目的要求

掌握小麦叶面积系数的测定方法。

(二)技能内容

小麦的绿色叶片是小麦植株进行光合作用制造有机物的主要器官。群体叶面积的大小常用叶面积系数表示。叶面积系数,是指一定土地面积上的小麦植株总绿色叶面积与该土地面积之比,它是群体结构的一个重要指标。本实验要求学生掌握小麦叶面积系数的测定方法,熟悉小麦叶面积系数的动态变化规律。

(三)条件准备

剪刀、米尺、标签、烘箱、天平等。

(四)操作方法

叶面积系数=[单株叶面积(cm^2)×每 667 m^2 基本苗]/[667 m^2×10 000]

求单株叶面积的方法很多,现仅介绍两种。

1. 称重法

在需要测定的地块中,取有代表性的植株 25～30 株;再从中随机取五株,摘取全部绿叶片,量其叶片的总宽度(量叶的中部最宽处),然后从叶片中间截取 3～10 cm 长的样段烘干称重;截取后剩下的其余部分和其他样株的全部绿色叶片再一起烘干称重。

单位重量叶面积(cm^2/g)=[样段叶总宽×长]/样段干重

总样株叶面积(cm^2)=单位重量叶面积×总样株叶干重

平均单株叶面积(cm^2)=总样株叶面积/样株数

2. 乘积法

在需要测定的地块中,取有代表性的植株 5～10 株,量出每一绿叶片长和宽,按下列公式计算出单株叶面积。

$$平均单株叶面积(cm^2)=[\sum(叶长\times叶宽)]/[1.2\times样株数]$$

$\sum$：累加的运算符号，在此式中表示各叶面积相加。1.2为矫正系数。

(五)作业与考核

1.作业

为什么要测定叶面积系数？怎样测定？

2.考核标准

(1)熟练掌握实际操作方法 。(40分)

(2)数据计算及整理。(20分)

(3)实验报告。(40分)

二、水稻叶面积系数的测定

(一)目的要求

学会按定点调查法和选点调查法进行不同类型稻田产量、叶面积系数调查和计算的方法。掌握田间调查结果和数据处理方法，了解群体动态变化的一般规律。

(二)技能内容

叶片是作物光合作用的主要器官，是植物利用太阳能生产有机物的工厂。水稻叶片面积的动态变化，与其产量和品质有着密切关系。及时调查和了解稻田叶面积系数变化动态也是拟定管理措施的重要依据。一般情况下，影响叶面积系数大小的因素有播种期、基本苗(插秧数量)、水稻品种分蘖力的强弱、土地肥力等。秧田从出苗(本田从插秧)以后开始，随着叶片不断增加，分蘖不断发生，单株叶面积也不断增加。叶面积系数也不断变化。水稻叶面积系数孕穗期前后应达到最大，高产地块叶面积系数5～7最佳，并尽可能使其维持较长时期。叶面积系数低不能充分利用光能；叶面积系数高则形成郁闭，叶片相互遮光而降低光合效率。

(三)条件准备

各类稻田若干块，皮卷尺、钢卷尺、定点材料、小米尺、计算器、记载本。

(四)操作方法

1.确定样点

(1)样点一定要有代表性。选取的样点一定要避开块头、地边、路边、粪底、缺苗断垄处及植株生长特殊的地方。同时还应避免人为的主观倾向性,以使调查数据尽量接近实际。

(2)样点数目。样点数目应根据田块大小而定。小区试验中,每小区取2～3个样点;大田调查中,1 hm^2 以下田块取样8个样点,1～3 hm^2 取8～20个样点,3 hm^2 以上取20～25个样点。

(3)样点面积。每个样点的面积可取1 m^2 或先确定若干行数的一定行长,按实际平均行距测定面积。小区试验中,样点总面积一般占小区面积的1%～3%;大田调查时,样点总面积一般为1%左右。

2.调查时间

叶面积系数调查一般在出苗(插秧)后收获前均可进行,具体因调查目的而异。也可与物候期的观察记载同时进行,多在返青期、拔节期、孕穗期、抽穗期、成熟期进行调查。

产量调查多在子粒形成后收获前进行。

3.调查方法

(1)定点调查法。从调查基本苗开始,对样点做出标记,固定不变,以后每次调查均在此样点内进行。因此,在操作时要特别注意不要损伤样点内和周围的稻苗,尽量保持自然状态。定点调查法所得数据比较准确,试验田中常采用此方法。

(2)选点调查法(不定点调查法)。每次调查都临时选样点,样点不固定。此方法的优点是随机性强,不会因多次调查而影响小麦的正常生长发育。但由于样点变动,调查所得数据前后一致性较差,选点调查法多用于大田生产。

4.具体方法

(1)先用皮卷尺量一定的宽度,再查出其中行数,计算出平均行距。

(2)用钢卷尺在确定的样点内量若干行长(一般为1 m长),查出所量行长内的穴数,算出穴距,再调查每穴的株数。

(3)计算出单位面积内的群体。

群体(万/666.7 m^2)=样点内穴数×平均每穴株数×666.7 m^2/样点面积(m^2)

或: 群体(万/666.7 m^2)=每米长平均头数×666.7 m^2/平均行距(m)

(4)逐株逐叶测量记录叶片长度、叶片宽度。单叶面积等于叶长乘以叶宽再乘以系数0.75(最好因品种给以矫正)。单株叶面积等于各叶片面积累加值。叶面积系数等于单株叶面积乘以单位(一般为亩)内总株数/单位面积。需要注意的是:叶长是指从叶片基部至叶尖,叶宽是指所测量叶片最宽处,对于未完全露出叶鞘的叶,叶长应该从包裹该叶片的叶鞘上端处量至叶尖。其他同前。

(五)作业与考核

1.作业

(1)如何调查叶面积系数? 意义是什么?

(2)根据调查体会简述水稻叶面积系数调查注意事项是什么?

2.考核标准

(1)正确选择样点。(10分)

(2)正确运用定点调查法。(25分)

(3)正确运用选点调查法。(25分)

(4)调查数据计算与整理。(40分)

三、玉米叶面积系数的测定

(一)目的要求

学会按定点调查法和选点调查法进行不同类型玉米田产量、叶面积系数调查和计算的方法。掌握田间调查结果和数据处理方法,了解群体动态变化的一般规律。

(二)技能内容

叶片是作物光合作用的主要器官,是植物利用太阳能生产有机物的工厂。玉米叶片面积的动态变化,与玉米的产量和品质均有着密切关系。及时调查和了解玉米田间叶面积系数变化动态也是拟定管理措施的重要依据。一般情况下,影响叶面积系数大小的因素有播种期、基本苗、品种特性、土地肥力等。从出苗以后开始,随着叶片不断增加,单株叶面积也不断增加。叶面积系数动态性不断变化。据试验播种后25 d,叶面积系数达到0.44左右,播种后30 d,叶面积系数达到0.67～0.7,播种后35 d,叶面积系数达到1.0～1.2,播种后40 d,叶面积系数达到1.7～2.1,播种后60 d,叶面积系数达到3.2～3.4,播种后75 d,叶面积系数达到3.2～3.4,抽雄期叶面积系数达到3.6～3.8。叶面积系数最大达到4时最佳,并尽可能使其维持较长时期。收获前叶面积为2.4左右。叶面积系数低不能充分利用光能，叶面积系数高则形成郁闭，叶片相互遮光而降低光合效率。

(三)技能准备

各类玉米田若干块，皮卷尺、钢卷尺、定点材料、小米尺、计算器、记载本。破坏性测定还要准备菜刀、剪刀。

(四)操作方法

1. 确定样点

(1)样点一定要有代表性。选取的样点一定要避开块头、地边、路边、粪底、缺苗断垄处及植株生长特殊的地方。同时还应避免人为的主观倾向性，以使调查数据尽量接近实际。

(2)样点数目。样点数目应根据田块大小而定。小区试验中，每小区取 2 个样点；大田调查中，1 hm^2 以下田块取样 8 个样点，1～3 hm^2 取 8～20 个样点，3 hm^2 以上取 20～25 个样点。

(3)样点面积。每个样点的面积可取 1 m^2 或先确定若干行数的一定行长，按实际平均行距测定面积。小区试验中，样点总面积一般占小区面积的 1%～3%；大田调查时，样点总面积一般为 1%左右。

2. 调查时间

叶面积系数调查一般在出苗后收获前均可进行，具体因调查目的而异。也可与物候期的观察记载同时进行。多在拔节期、大喇叭口期、抽雄期、成熟期进行调查。

产量调查多在子粒形成后收获前进行。

3. 调查方法

(1)定点调查法。从调查基本苗开始，对样点作出标记，固定不变，以后每次调查均在此样点内进行。因此，在操作时要特别注意不要损伤样点内和周围的玉米苗，尽量保持自然状态。定点调查法所得数据比较准确，试验田中常采用此方法。

(2)选点调查法(不定点调查法)。每次调查都临时选样点，样点不固定。此方法的优点是随机性强，不会因多次调查而影响玉米的正常生长发育。但由于样点变动，调查所得数据前后一致性较差，选点调查法多用于大田生产。

(3)具体方法：

①先用皮卷尺量 1～2 畦的宽度，再查出其中行数，计算出平均行距。

②用钢卷尺在确定的样点内量若干行长(一般为 1 m 长)，查出所量行长内的苗数。

③计算出单位面积内的群体。

群体(株/666.7 m^2)=样点内株数×666.7 m^2/样点面积(m^2)

或：　群体(株/666.7 m^2)=每米长平均株数×666.7 m^2/平均行距(m)

④测定叶面积系数的方法:测定既可在田间定点定株定期调查,也可随干物重测定取样测定。

a. 定点定株调查。定点定株调查时,在田间选有代表性地点,每点连续确定10～15 株,挂牌或用红油漆标记,供定期检查用。

b. 取样或定株调查期。一般在 3 叶期、拔节期、大喇叭期、吐丝期、授粉后15 d、授粉后 25 d,或授粉后 35 d 和成熟期进行,取样或定株调查次数也可根据生长发育时期和研究目的而定。

c. 调查叶面积。测定前,首先调查出单位土地面积上的株数,再取样调查叶面积。取样点要有代表性,点数依玉米田面积大小而定,每点取样 5～10 株,苗期取株数可多些,拔节后适当少一些。叶面积只计算绿叶的面积,叶片变黄部分超过50%时,即不予计算。逐叶测量叶片长度和最大宽度。用 L 表示叶片中脉长度(可见叶为露出部分的长度),W 表示叶片最大宽度,则单叶叶片面积的计算公式为:

$$LA=L\times W\times 0.75$$

式中:0.75 为校正系数,未展开叶的系数为 0.5。单株叶面积为全株单叶叶面积之和,单位土地面积上的总叶面积则为平均单株叶面积与总株数之积。叶面积的单位为 cm^2 或 m^2。

叶面积系数 LAI 的计算公式为:

$$LAI=LA(m^2)/GA(m^2)$$

式中:GA 为土地面积;LA 为该土地面积上的总叶面积。

逐株逐叶测量记录叶片长度、叶片宽度。单叶面积等于叶长乘以叶宽再乘以系数 0.75(最好因品种给以矫正)。单株叶面积等于各叶片面积累加值。叶面积系数等于单株叶面积乘以单位(一般为亩)内总株数/单位面积。需要注意的是:叶长是指从叶片基部至叶尖,叶宽是指所测量叶片最宽处,对于未完全露出叶鞘的叶,叶长应该从包裹该叶片的叶鞘上端处量至叶尖。其他同前。

(五)作业与考核

1. 作业

(1)如何调查叶面积系数?意义是什么?

(2)根据调查体会简述玉米叶面积系数调查注意事项是什么？

2. 考核标准

(1)正确选择样点。(10 分)

(2)正确运用定点调查法。(25 分)

(3)正确运用选点调查法。(25 分)

(4)调查数据计算与整理。(40 分)

四、棉花叶面积系数的测定

(一)目的要求

学会按定点调查法和选点调查法进行不同类型棉田产量、叶面积系数调查和计算的方法。掌握田间调查结果和数据处理方法，了解群体动态变化的一般规律。

(二)技能内容

叶片是作物光合作用的主要器官，是植物利用太阳能生产有机物的工厂。棉花叶片面积的动态变化，与棉花田的病虫害发生程度、棉花产量、品质都有着密切关系。及时调查和了解棉田叶面积系数变化动态又是拟定管理措施的重要依据。一般情况下，影响叶面积系数大小的因素有播种期、基本苗、品种特性、土地肥力等。从出苗以后开始，随着叶片不断增加，单株叶面积也不断增加。叶面积系数也不断发生着变化。现蕾期叶面积系数在 0.2～0.4 最适宜；初花期叶面积系数为 1.05～2.0；开花结铃盛期叶面积系数应达到 3.5～4.5，最高叶面积系数不超过 5 为最佳，并尽可能使其维持较长时期。叶面积系数低不能充分利用光能，叶面积系数高则形成郁闭，叶片相互遮光而降低光合效率。

(三)条件准备

各类棉田若干块，皮卷尺、钢卷尺、定点材料、小米尺、计算器、记载本。

(四)操作方法

1. 确定样点

(1)样点一定要有代表性。选取的样点一定要避开块头、地边、路边、粪底、缺苗断垄处及植株生长特殊的地方。同时还应避免人为的主观倾向性，以使调查数据尽量接近实际。

(2)样点数目。样点数目应根据田块大小而定。小区试验中，每小区取 2 个样点；大田调查中，1 hm^2 以下田块取样 8 个样点，1～3 hm^2 取 8～20 个样点，3 hm^2 以上取 20～25 个样点。

(3)样点面积。每个样点的面积可取 1 m^2 或先确定若干行数的一定行长，按实际平均行距测定面积。小区试验中，样点总面积一般占小区面积的 1%～3%；大田调查时，样点总面积一般为 1%左右。

2. 调查时间

叶面积系数调查一般在出苗后收获前均可进行，具体因调查目的而异。也可与物候期的观察记载同时进行。多在现蕾期、初花期、盛花期、吐絮期、吐絮盛期进行调查。

产量调查多在盛花期、吐絮期或收摘前进行。

3. 调查方法

(1)定点调查法。从调查基本苗开始，对样点作出标记，固定不变，以后每次调查均在此样点内进行。在操作时要特别注意不要损伤样点内和周围的棉苗，尽量保持自然状态。定点调查法所得数据比较准确，试验田中常采用此方法。

(2)选点调查法(不定点调查法)。每次调查都临时选样点，样点不固定。此方法的优点是随机性强，不会因多次调查而影响棉花的正常生长发育。但由于样点变动，调查所得数据前后一致性较差，选点调查法多用于大田生产。

4. 具体方法

(1)先用皮卷尺量 1～2 畦的宽度，再查出其中行数，计算出平均行距。

(2)用钢卷尺在确定的样点内量出若干行长(一般为 1 m 长)，查出所量行长内的苗数。

(3)计算出单位面积内的群体株数。

$$群体(株/666.7\ m^2)= 样点内株数\times 666.7\ m^2/样点面积(m^2)$$

或：

$$群体(株/666.7\ m^2)= 每米长平均株数\times 666.7\ m^2/平均行距(m)$$

(4)逐株逐叶测量记录叶片长度、叶片宽度。

棉花叶形复杂，并且因品种、生育时期、着生部位等不同而叶形有较大变化，所以测定的方法也比较复杂，现介绍几种常用的方法如下：

①求积仪法。将棉花取下压平放在白纸上，先用铅笔绘出叶片的大小形状图，然后用求积仪测量。此法准确率极高。但须取叶测定，仅一个处理点不能连续观测，而且速度慢，是其缺点。

②纸重法。即将棉叶取下，平展厚薄均匀一致的白纸上，用铅笔描绘出叶片的大小形状图再仔细照样剪下纸片，称重，以单位面积纸重换算出叶面积。此法比较

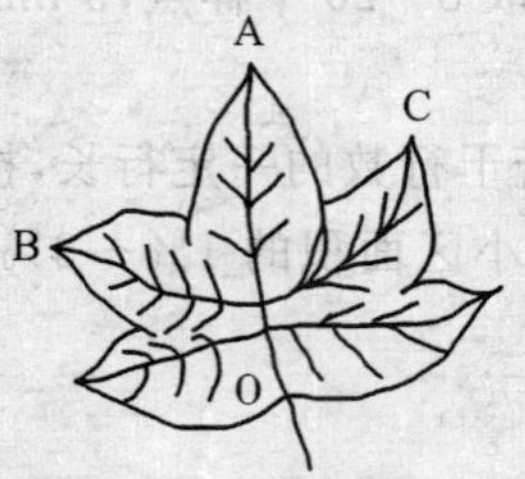

图 1-22 棉花叶片面积计算示意图

精确，但同样存在上述缺点。

③长宽系数法。以棉叶的长度和宽度的乘积，再乘以校正系数即得叶面积。此法的准确度稍低，但最大的优点是，可直接在田间测量出叶片的长宽，而不需摘叶毁株。校正系数随品种和叶形而异，需要事先求积仪测出。现在采用求叶面积近似值的简便方法是：叶面积(cm^2)＝$AO \times BC \times 0.73$，如图 1-22 所示。

式中：AO 为叶长；BC 为中裂两侧裂片尖端的距离。

$$叶面积系数=\frac{单株叶面积(cm^2)\times 每亩株数\times 15}{10(cm^2)}$$

注：单株叶面积为全株单片叶面积总和

单叶面积等于叶长乘以叶宽再乘以系数，系数为 0.72～0.77(最好因品种给以矫正)。单株叶面积等于各叶片面积累加值。叶面积系数等于单株叶面积乘以单位(一般为亩)内总株数/单位面积。需要注意的是：叶长是指从叶片基部至中裂叶尖的长度，叶宽是指所测量叶片上部二对称裂片叶尖之间的距离，对于不完全叶，叶长、叶宽应该以该叶片的最大值为准。其他同前。

(五)作业与考核

1. 作业

(1)如何调查棉花叶面积系数？意义是什么？

(2)简述棉花叶面积系数调查注意事项是什么？

2. 考核标准

(1)正确选择样点。(10 分)

(2)正确运用定点调查法。(25 分)

(3)正确运用选点调查法。(25 分)

(4)调查数据计算与整理。(40 分)

五、甘薯叶面积系数的测定

(一)目的要求

学会按定点调查法和选点调查法进行不同类型甘薯田叶面积系数调查和计算的方法。掌握田间调查结果和数据处理方法，了解叶面积动态变化的一般规律。

(二)技能内容

叶片是作物光合作用的主要器官,是植物利用太阳能生产有机物的工厂。甘薯田叶片面积的动态变化,与甘薯田的病虫害发生程度、产量、品质都有着密切关系。及时调查和了解甘薯田叶面积系数变化动态是拟定管理措施的重要依据。一般情况下,影响叶面积系数大小的因素有栽秧期、栽插密度、品种特性、土地肥力等。从栽苗成活后,随着叶片不断增加,单株叶面积也不断增加。叶面积系数也不断发生着变化。现蕾期叶面积系数 0.2～0.4 最适宜;初花期叶面积系数为 1.05～2.0;开花结铃盛期叶面积系数应达到 3.5～4.5,最高叶面积系数不超过 5 为最佳,并尽可能使其维持较长时期。叶面积系数低不能充分利用光能;叶面积系数高则形成郁闭,叶片相互遮光而降低光合效率。

单位面积产量由亩株数、株铃数、铃重、衣分率共同作用而构成。

(三)条件准备

各类棉田若干块,皮卷尺、钢卷尺、定点材料、小米尺、计算器、记载本。

(四)操作方法

1. 确定样点

(1)样点一定要有代表性。选取的样点一定要避开块头、地边、路边、粪底、缺苗断垄处及植株生长特殊的地方。同时还应避免人为的主观倾向性,以使调查数据尽量接近实际。

(2)样点数目。样点数目应根据田块大小而定。小区试验中,每小区 2 个样点;大田调查中,1 hm^2 以下田块取样 8 个样点,1～3 hm^2 取 8～20 个样点,3 hm^2 以上取 20～25 个样点。

(3)样点面积。每个样点的面积可取 1 m^2 或先确定若干行数的一定行长,按实际平均行距测定面积。小区试验中,样点总面积一般占小区面积的 1%～3%;大田调查时,样点总面积一般为 1%左右。

2. 调查时间

叶面积系数调查一般在出苗后收获前均可进行,具体因调查目的而不同。也可与物候期的观察记载同时进行。多在现蕾期、初花期、盛花期、吐絮期、吐絮盛期进行调查。

产量调查多在盛花期、吐絮期或收摘前进行。

3. 调查方法

(1)定点调查法。从调查基本苗开始,对样点作出标记,固定不变,以后每次调查均在此样点内进行。在操作时要特别注意不要损伤样点内和周围的棉苗,尽量保持自然状态。定点调查法所得数据比较准确,试验田中常采用此方法。

(2)选点调查法(不定点调查法)。每次调查都临时选样点,样点不固定。此方法的优点是随机性强,不会因多次调查而影响棉花的正常生长发育。但由于样点变动,调查所得数据前后一致性较差,选点调查法多用于大田生产。

4. 具体方法

(1)先用皮卷尺量1～2畦的宽度,再查出其中行数,计算出平均行距。

(2)用钢卷尺在确定的样点内量出若干行长(一般为1 m长),查出所量行长内的苗数。

(3)计算出单位面积内的群体株数。

$$群体(株/666.7\ m^2)= 样点内株数\times 666.7\ m^2/样点面积(m^2)$$

或: $$群体(株/666.7\ m^2)= 每米长平均株数\times 666.7\ m^2/平均行距(m)$$

(4)逐株逐叶测量记录叶片长度、叶片宽度。单叶面积等于叶长乘以叶宽再乘以系数,系数一般为0.72～0.77(最好因品种给以矫正)。单株叶面积等于各叶片面积累加值。叶面积系数等于单株叶面积乘以单位(一般为亩)内总株数/单位面积。需要注意的是:叶长是指从叶片基部至中裂叶尖的长度,叶宽是指所测量叶片上部二对称裂片叶尖之间的距离,对于不完全叶,叶长、叶宽应该以该叶片的最大值为准。其他同前。

(5)调查亩株数、株铃数、铃重,参考以往衣分、籽指计算理论(或实际)亩产量,实际亩产量=理论亩产量×85%。

$$理论籽棉亩产量(kg)= 单铃重(g)\times 株铃数\times 亩株数/1\ 000$$

$$理论皮棉亩产量(kg)= 衣分(\%)\times 单铃重(g)\times 株铃数\times 亩株数/100\ 000$$

(五)作业与考核

1. 作业

(1)如何调查棉花叶面积系数?意义是什么?

(2)如何调查测算棉花的皮棉亩产量?

(3)简述棉花叶面积系数调查注意事项是什么?

2. 考核标准

(1)正确选择样点。(10分)

(2)正确运用定点调查法。(25 分)

(3)正确运用选点调查法。(25 分)

(4)调查数据计算与整理。(40 分)

第五节　小麦灌浆速度的测定

一、目的要求

测定灌浆速度便于了解某个品种的灌浆特点及其对外界条件的敏感程度,了解某种气象条件和栽培技术对子粒灌浆的影响,这对制定提高粒重的栽培技术,特别是在高产麦田有重要意义。本实践就是要掌握小麦灌浆速度的测定方法,了解小麦子粒灌浆规律。

二、工具和材料准备

有色细绳、剪刀 、标牌、样本箱、烧杯、标签、分析天平、烘箱、镊子、精细量筒、米尺等。

三、技能内容

1. 样本选择

于抽穗始期在麦田选择生长正常、无病虫害、同一天抽穗,穗子大小、植株高低基本相同的植株 600 穗左右,用有色细绳或染色麻皮做出标记,扬花期再复查一次。只保留同一天抽穗,又同一天扬花的穗子 400 穗左右作为待测样株。

2. 测定时间

从开花后第三天开始测定,以后每三天测定一次;开花第十八天后每天测定一次,直到完熟为止。

3. 测定方法

(1)取样。每天上午 8 时取挂标记的麦穗 20 穗,从地面剪断,立即带回室内进行测定,尽量减少水分的散失。

(2)测总鲜重和穗鲜重。将取回的样穗分成两组,每组 10 穗,先分别称出其总鲜重。然后从穗节处剪断,称穗鲜重。先分别量出每个茎秆和各节间长度,然后将茎秆剪短,装入烧杯,贴上标签,置烘箱内烘干,有条件时可将各茎节、叶鞘、叶片等分别烘干称重,研究各部分的重量变化规律。

(3)测百粒鲜重及子粒长、宽、厚度。每穗用镊子夹取中部 6 个小穗。每个小穗取基部两粒种子,共 120 粒。从中数出 100 粒置称量瓶中,称记百粒鲜重,剩余的20粒分成两组，每组10粒，分别量记麦粒的总长、宽、厚度，记完后将这20粒放入剩余子粒中。

(4)测百粒体积。将称过鲜重的100个麦粒，倒入一个10 mL的精细量筒中，轻轻用指弹震筒壁，使麦粒全部被水淹没，并排出附在麦粒旁的气泡。记入总体积，减去水的体积，得出100粒麦子的体积，单位用cm^3表示。

(5)测10穗子粒鲜重、干重。将10个穗子上的剩余子粒全部取出，称鲜重。然后加上已称鲜重的100个子粒一起烘干，称重，并查出总粒数。

(6)测10穗麦糠干重。把10穗麦糠一起装入烧杯，烘干称重。

4.测定时应注意

(1)植株要有代表性，并且要整齐一致，特别是扬花期务必相同。

(2)要小心操作。特别是在灌浆前期，要注意不要捏破子粒。

(3)称重要准确。

四、作业与考核

1.作业

绘出子粒干重、鲜重、含水量的变化图。

2.考核标准

(1)熟练掌握实际操作方法。(40分)

(2)数据计算及整理。(20分)

(3)实验报告。(40分)

第六节 化控技术在棉花上的应用

一、目的要求

化控技术是以应用植物生长调节剂为主的化合物影响植物内源激素系统，调控作物生长发育朝着人们预期的方向和程度发展的新技术。通过实习，了解和掌握几种主要生长调节剂的应用技术。

二、技能内容

植物生长调节剂根据对作物生长的效应可分为生长促进剂、延缓剂和催熟剂三类，它们在棉花上有着不同的应用方法。

三、条件准备

1. 生长促进剂

NAA,802 和 ABT 生根粉等。

2. 延缓剂

缩节胺、矮壮素等。

3. 催熟剂

主要指乙烯利。

4. 喷壶等

四、操作方法

1. 生长促进剂

(1)NAA。在播种前用 10 mg/L 浸种 24 h,可促进种子萌发,提高发芽率;开花期用 10～20 mg/L 的 NAA 喷施 2～3 次可防止蕾铃脱落,促进生长。

(2)802。又名复硝钾,苗床施用 802 后,棉苗粗壮,根系发达,抗逆性强,移栽后缩短缓苗期 3～4 d;也可在移栽时用 3 000～4 000 倍液浇定根水。

(3)ABT 生根粉也能加快棉籽发芽出苗进程,提高出苗率,促进主根增长,使侧根增多。

2. 延缓剂

(1)缩节胺。又名皮克斯(pix),用 100 mg/L 缩节胺拌种,并堆放 6 h,可促进根系的生长发育;对地膜覆盖的高产棉田、水浇地棉田和旺长的棉田从现蕾开始使用,每次(1～3) g/667 m^2,约 4 周喷洒一次,可单独兑水喷施,也可和其他农药混合喷施,一般需喷施 3 次。对贪青晚熟棉田可于 8 月中旬到 9 月上旬喷施 100～150 mg/L 缩节胺,控制无效蕾及嫩枝叶生长,以利集中养分结铃。

(2)矮壮素(ccc)。有旺长趋势的棉田在蕾期用 10～20 mg/L,盛蕾初花期用 30～40 mg/L 矮壮素喷洒棉株顶部,即可抑制徒长。

3. 催熟剂

乙烯利应用于贪青晚熟的棉田,可增加棉花产量,提高棉花品质,同时提早 7～10 d 拔秆,一般每 667 m^2 用药 100～150 g,兑水 50 kg。

五、作业与考核

1. 作业

(1)整理出生长调节剂试验调查数据,分析调查结果。

(2)简述生长调节剂的类型和施用技术要点,如何改进?

2. 考核标准

(1)操作方法。(40 分)

(2)调查数据计算与整理。(30 分)

(3)调查报告。(30 分)

第七节 农作物田间估产方法

一、小麦田间估产方法

(一)目的要求

通过实习,使学生了解和掌握小麦田间测产的方法。

(二)技能内容

小麦产量由亩穗数、每穗粒数和千粒重三个因素组成。小麦灌浆后,前两个因子比较固定,蜡熟末期,粒重也固定。麦田测产一般可进行 2 次,一次在乳熟期,能测得穗数和每穗粒数,粒重可参照该品种常年千粒重推断;另一次在临收割前。

(三)条件准备

皮尺、钢卷尺、天平、瓷盘、计算器、烘箱、记载本、各种类型麦田等。

(四)操作方法

(1)掌握整个田块面积、地形及生育状况。

(2)选点取样。样点即小面积测产点,它的面积仅为大田的几十分之一。因此样点应具有高度的代表性,原则上样点数多则误差小,代表性强,但工作量大。通常面积在 1/3 hm^2 以上生长较整齐的麦田,可采取对角线选取四五个样点;面积再小可采取三点法取样,四周样点要距地边 1 m 以上。

(3)测量样点面积、穗数及穗粒数,然后计算产量。

$$每\ 667\ m^2\ 穗数=(样点内有效穗数\times 667\ m^2)/样点面积(m^2)$$

在每个样点内随机数 20 株的每穗结实粒数,求出平均每穗实粒数。如果在临近收获前测产,还需测定子粒千粒重。

$$理论产量(kg/667\ m^2)=[每667\ m^2穗数\times每穗结实粒数\times千粒重(g)]/(1\ 000\times1\ 000)$$

(五)作业与考核

1.作业

(1)简述麦田估产的实际意义。

(2)论述麦田估产技术要点。采取哪些措施可减少估产误差?

2.考核标准

(1)操作方法。(50分)

(2)调查报告。(50分)

二、水稻田间估产方法

(一)目的要求

通过实习,使学生了解和掌握水稻田间测产的方法。

(二)技能内容

在水稻收获前,根据被测产田水稻产量构成因素的差异将其划分为不同等级,再从各等级中选定具有代表性的田块作为测产对象,从各代表性田测得的产量,分别乘以各类田的面积,就可以估算所测地区的当季稻谷产量。

(三)条件准备

钢卷尺、米尺、剪刀、天平、瓷盘、计算器、烘箱、记载本、不同类型的供测产稻田等。

(四)操作方法

水稻单位面积产量是每667 m^2 有效穗数、每穗平均实粒数和粒重的乘积。选好测产田后,即取样调查,根据田块大小及田间生长状况选取样点,样点力求具有代表性和均匀分布。常用的取样点方法有五点取样法、棋盘式取样法和随机取样法等。

选好样点后,按下列步骤调查:

(1)每667 m^2 穴数。测定实际穴、行距,在每个样点上,测量21穴的横、竖距离,分别以20除之,求出样点的行、穴距,再把各样点的数值进行统计,求出该田的平均行、穴距，则求得：

$$每\ 667\ m^2\ 实际穴数=667\ m^2/[平均行距(m)\times 平均穴距(m)]$$

(2)调查平均每穴有效穗数，求每 667 m² 穗数。在每个样点上，连续取样 20 穴(每亩共调查 100 穴)，记数每穴有效穗数，统计出各点及全田的平均每穴穗数，则求得：

$$每\ 667\ m^2\ 穗数=每\ 667\ m^2\ 实际穴数\times 每穴平均穗数$$

(3)调查代表穴的实粒数，求每穗实粒数。

$$每穗实粒数=每穴总实粒数/每穴有效穗数$$

(4)理论产量的计算。

$$理论产量(kg/667\ m^2)=[每\ 667\ m^2\ 穗数\times 每穗实粒数\times 千粒重(g)]/(1\ 000\times 1\ 000)$$

$$实际产量(kg/667\ m^2)=理论产量(kg/667\ m^2)\times 85\%$$

(五)作业与考核

1. 作业

根据调查结果，结合栽培管理过程，评价被测稻田的栽培技术水平。

2. 考核标准

(1)选取样点准确。(20 分)

(2)操作方法基本正确。(30 分)

(3)调查报告。(50 分)

三、玉米田间估产方法

(一)目的要求

了解田间测产和单株生产效能的意义，掌握田间测产的基本方法。

(二)技能内容

玉米测产技术是玉米高产攻关、玉米育种和农业科技人员必需的基本技能之一，通过本次学习训练，要求重点掌握样点的选择方法、测产基本步骤、内容与技术要点，了解待测品种的特征特性，产量构成。掌握理论产量、实际产量的计算方法等。

(三)材料及用具

供测产玉米田、皮尺、天平、瓷盘、计算器、网兜、袋子、烘箱、记载本。

(四)操作方法

玉米产量的构成因素,即每 667 m^2 株数、单株结穗数、每穗粒数和千粒重。方法步骤如下:

1. 选取样点

玉米是大株作物,单株产量较高,选取样点和样点的代表性与测产的准确性关系很大。选点应根据随机和均匀分布的原则进行,选点数目随地块大小和生长情况而定。田块较大,地形复杂,生长不均匀的地块,应适当增加取样点数,反之可适当减少。一般大面积测产可用对角线五点取样法,小面积用斜线三点取样法。

2. 调查 667 m^2 株数

测出平均行距、株距,计算每 667 m^2 平均实收株数:

$$667\ m^2\ 株数 = 667\ m^2 \times 10\ 000\ /[平均行距(cm) \times 平均株距(cm)]$$

测平均行距:无论等行、宽窄行或间套作玉米,用 21 行的行间垂直距离,再除以 20,即得平均行距。行距不匀,可以把田块两头测得结果平均之。

测平均株距:每田块应选 4～5 行或更多,要求所选的行分布要均匀;也可以在选点取样时一并进行。每样点量 21 株的连续距离,再除以 20,即得平均株距。

3. 测定单株结穗数

在测定过平均株距的地段上,再数 20 株的总穗数,平均后即得单株结穗数。

4. 测定穗粒数

每点选取 20 个果穗,数其穗行数和行粒数,求出平均穗粒数。百粒重的测定可参考上年和常年该品种一般百粒重。

5. 理论产量

$$理论产量(kg/667\ m^2) = [每\ 667\ m^2\ 株数 \times 每株结穗数 \times 穗粒数 \times 百粒重(g)]/(100 \times 1000)$$

(五)作业与考核

1. 作业

根据调查结果,设计玉米高产攻关研究结果验收方案。

2.考核标准

(1)操作方法基本正确 。(40分)

(2)调查报告。(60分)

四、棉花田间估产方法

(一)目的要求

掌握棉花产量的测产方法,并为收花、晒花、交售和总结等工作做好准备。

(二)技能内容

识别棉花四大类型,观察目前推广利用的棉花品种的特征特性,三桃构成比例,果枝、叶片类型,果枝生长、现蕾、成铃、吐絮特点,初步识别并区分蕾、铃,比较各品种的优缺点,了解棉花产量结构和组成特点。掌握测产技术要点和步骤。

(三)条件准备

供测产棉花田、皮尺、天平、瓷盘、计算器、铅笔、实验记载本等。

(四)操作方法

首先选择高产、中产、低产三种类型的棉田练习测产技术。在各类棉田中选取样点,样点要有代表性,一般情况下,采取对角线五点取样法。

1.测定每667 m^2 株数

(1)平均行距。棉田若系等行距种植,每点取21行(包括垄沟),从第1行起量到第21行止,其测量距离除以20,即得平均行距。若系不等行种植,每点取4垄(包括4条垄沟),量其宽度以行数除之,即得平均行距。

(2)平均株距。选取样点,每点量21株的距离,除以20,即得平均株距。

(3)每667 m^2 株数=667 m^2×10 000 / [平均行距(cm)×平均株距(cm)]。

2.测单株成铃数

用5点取样,每点连续取10~20株,数其成铃数,然后平均即得单株成铃数。

3.测定单铃重

每点摘取30朵充分开裂的棉花称其重量,求出平均单铃籽棉重量,以g为单位。

4.结果计算

籽棉产量(kg/667 m^2)=[每667 m^2 株数×每株铃数×单铃重(g)]/ 1 000

（五）作业与考核

1. 作业

根据实地测产数据，计算结果，写出测产报告。

2. 考核标准

（1）熟练掌握调查方法。（40分）

（2）调查数据计算及整理。（20分）

（3）调查报告。（40分）

第八节　农作物标本制作与保存技术

一、目的要求

熟练掌握主要农作物标本的制作与保存技术。

二、技能内容

学会压制标本、浸制标本的制作，特别是保色标本的制作。熟悉标本夹、标本纸、浸制母液、浸制液的使用和配制，了解保色原理。

三、条件准备

（1）标本夹。是用来翻晒、压制标本的木夹。由两个对称的一些木条平行钉成的栅状板组成。

（2）标本纸。用于吸收标本的水分使标本逐渐干燥，一般用吸水性较好的草纸，此外，采集标本时还需要绳子、记录本和标签等。

（3）醋酸铜、冰醋酸、5%及10%福尔马林、硼酸、亚硫酸、酪胶、消石灰、酒精、标本瓶及有色鲜果实标本等。

四、操作方法

（一）标本的制作

农作物标本制作常用干标本制作，其主要方法为：

通常所说的蜡叶标本就是经过压制的干标本。把适于压制的农作物标本，分层压在标本夹中，放一层标本纸（每层3～4张）后放一层标本，每个标本夹的总厚度以 10 cm 左右为宜，用绳子将标本夹压紧后，经日晒使其干燥，干燥愈快愈能保持标本原有的色泽。夏季气温较高，标本容易发酵变色，换纸宜勤。一般前三四天应每天换纸一次，以后每二三天换纸一次，至完全干燥为止。在第一次换纸时，同时将标本整形，使其达到既美观又便于观察的要求。

压制干标本，除了自然干燥外，必要时可用人工干燥法，即在烘箱中烘干，其温度可提高到 35～50℃，使其快速干燥，但换纸要勤，至少两小时换一次。幼嫩的标本如嫩苗等可夹在两层脱脂棉中再压制。

(二)标本的保存

制好的标本，一般采用以下两种方法保存：

(1)把标本装在标本盒中，主要适用于教学示范标本和展览用标本。标本盒为具有玻璃面的纸盒，盒的大小可根据标本大小决定。装标本时，先在盒底撒一层杀虫剂或樟脑粉，以防止虫蛀标本。然后铺一层适当厚度的棉絮(或棉絮下面铺适量的纸屑，可节省不少棉絮)，在棉絮上摆好标本，并在左下角或右下角(位置应统一)放上标签，最后盖上盒盖，在标本盒的上端和下端侧面中部，各插入一枚大头针用以固定标本盒上下盖。并在下端侧面的右面加一标签注明标本的名称。

(2)先将标本封在适当大小的普通油光纸夹中，再将其置于牛皮纸袋或牛皮纸夹中，牛皮纸袋或牛皮纸夹的大小视标本大小而定。然后在牛皮纸袋或牛皮纸夹面上贴上标签，标签上的项目应包括采集人、鉴定人、采集日期及地点、采集编号等。

标本应放在专用标本柜中，标本柜应能防鼠。其内部结构以层式的为好，各层以活动板相隔，每层放一种标本。柜的扣壁内侧，应留有间距，使上下贯通，以便于熏蒸杀虫时毒气上下流通。柜的最下一层应做成抽屉式，以便于盛装熏蒸杀虫的药剂，标本室的防虫工作很重要，除经常注意外，应定期普遍检查，发现标本有虫应彻底消灭。防治标本害虫通常用氯化汞、溴甲烷、硫酰氟、磷化铝等药剂熏蒸，效果很好。标本室应设在阴凉干燥的房间，以防止标本受潮霉变。

(三)植物保色(浸制)标本的制作

1.绿色标本浸制保存法

(1)将醋酸铜结晶加入 50%冰醋酸中，直到不溶为止，以此作为母液，将一份母液加四份水，加热至 80～85℃后，把绿色植物标本放入并继续加热使温度保持在 80～85℃间(不超过 90℃)，可见植物标本由绿变褐，再变绿。取出用清水冲洗，然后保存在 10%福尔马林溶液或 70%酒精液中。

(2)比较薄嫩的植物不宜加热，如绿色蔬菜、苹果、梨及病虫标本等，可用饱和硫酸铜溶液 750 mL 加 40%福尔马林溶液 500 mL 加水 250 mL 混合后浸入标本，8～14 d 后，取出标本用清水洗净再浸入 5%福尔马林溶液中保存。

2. 红色标本浸制保存法

(1)硼酸粉 45 g 溶于 2 000 mL 水中，全溶后加入 75%～90%酒精 28 mL，静置沉淀后，过滤使用。此法适用保存红色花类、红色苹果、葡萄、橙色杏、柿子等。

(2)硼酸粉末 45 g 溶于 2 000 mL 水中，全溶解后加入 75%～90%酒精 20 mL。也可加入福尔马林 3 mL 过滤使用。此法适于红色番茄、苹果、枣等。

3. 黄色标本浸制保存法

(1)硫酸铜固定，黄绿色或黄色的甜瓜、南瓜、沙梨、金橘、马铃薯等，先用 5%硫酸铜固定 1～5 d，取出洗净，再用 2%亚硫酸与 1%～2%酒精并加入少量甘油进行保存(如遇标本过于透明，可减少甚至不用酒精)。

(2)黄色沙梨、马铃薯、慈姑等，可用 2%亚硫酸和 0.05%～0.1%甲醛混合液直接保存，药液浑浊时，需要及时换新药液。

4. 紫色标本浸制保存法

(1)福尔马林 450 mL 加酒精 2 800 mL 加蒸馏水 2 000 mL，静置沉淀后，过滤使用，适于草莓、深褐色梨、黑色及紫色葡萄等。

(2)福尔马林 500 mL 加饱和氯化钠溶液 1 000 mL 加蒸馏水 8 700 mL。静置沉淀后过滤使用，此法对黑色、紫色、红紫色葡萄效果最好。可保持天然色 3～5 年。

5. 浸渍植物的一般方法

(1)70%酒精浸泡。

(2)5%～10%甲醛液浸泡。

(3)70%酒精和 10%甲醛液混合浸泡。

6. 标本瓶封口法

(1)暂时封口法：用石蜡熔化封口。

(2)酪胶及消石灰各一份混合，加水调成糊状物进行封盖，干燥后，由于酪酸钙硬化而密封。

五、作业与考核

1. 作业

(1)简述怎样制作小麦幼苗标本。

(2)制好的标本如何保存?

(3)简述如何制作和保存有色鲜果实标本。

2.考核标准

(1)熟练掌握标本制作及保存方法。(20分)

(2)写出具体的标本制作实验报告。(30分)

(3)亲自制作小麦和水稻幼苗分蘖标本和紫、红、黄色玉米果实标本。(50分)

第九节 农田杂草类型和病虫害的识别

一、农田杂草类型的识别和调查

(一)目的要求

为了有效地防治农田杂草,必须识别杂草的类型及其特点。要求通过观察杂草标本或实地调查,了解当地农田杂草的类型及其主要种类和危害状况,了解农田杂草大的调查方法。

(二)内容说明

农田杂草的种类很多,根据杂草的寿命、发生的季节和繁殖特点等,一般分为下列几个类型:

1.一年生杂草

(1)一年生春性杂草。稗草、蟋蟀草、马唐、千金子、枣草、狗尾草、荆三棱、莓穗莎、辣蓼、春蓼、一年蓬、醴肠、马齿苋、苋菜等。

(2)一年生越冬杂草。看麦娘、早熟禾、棒头草、野燕麦、两草、荠菜、碎米荠、婆婆纳、猪殃殃、苍耳、繁缕、漆枯草、梗枯草等。

2.二年生杂草

益母草、飞帘、香蒿等。

3.多年生杂草

(1)直根类杂草:蒲公英、酸模、羊蹄等。

(2)须根类杂草:车前草、毛莨等。

(3)根茎类杂草:狗牙根、白茅、水苏、马兰、喜旱莲子草、小旋花、剪刀服、问荆。

(4)根芽类杂草:刺儿菜、田旋花、田蓟、苦菜、苦荚莱、苣荚菜等。

(5)匍匐茎类杂草:结缕草、连钱草、蛇莓等。

(6)球茎类杂草:香附子等。

(7)鳞茎类杂草：胡葱、绵枣儿等。

(8)块茎类杂草：半夏等。

此外还有寄生杂草，如菟丝子、列当、大猪鼻花等。水稻田由于生态条件特殊，有下列几个类型。

旱生型：荩草、狼尾草等。

湿生型：稗草、荆三棱、牛毛毡、千金子、飘拂草等。

沼生型：鸭舌草、雨久花、泽泻、香蒲、沼针草等。

水生型：眼子菜、水绵、小茨藻、田字萍、杏菜、绿萍等。

(三)条件准备

各类杂草植株标本(鲜活植株和蜡叶标本)、1/4 m^2 的木框、小土铲、标签、天平、铅笔等。

(四)操作方法、步骤

(1)在实验室识别各类杂草标本。

(2)选择不同生态条件的农田若干块，用样框随机取样，拔出全部杂草，区分类型和种类，分别统计株数，挂上标签，带回室内称重。如样框内种类少，则应在框外寻找不同种类的植株加以识别。

(3)记录田间调查结果，填入表 1-1。

表 1-1　农田杂草调查表

田间作物__________　调查日期__________　调查人__________

杂草种类名称	杂草类型	株数/框	鲜草重量(g)

(五)作业与考核

1. 作业

记录和整理不同生态条件下的农田杂草调查结果，作出必要的归纳说明，并指出农田中发生多、危害大的杂草类型和种类。

2.考核方法

(1)实习态度。(30分)

(2)调查方法。(20分)

(3)调查结果报告。(50分)

二、作物主要病虫害的识别

(一)目的要求

通过对主要作物的害虫形态特征和病害症状的实物观察,要求了解作物主要害虫的基本形态,认识主要病害的症状,能识别主要害虫和病害。

(二)内容说明

1.作物害虫部分

(1)昆虫的基本结构、体壁和气门。

①昆虫的基本结构。昆虫由头、胸、腹三个体段所组成。头部有口器和一对触角,一般有复眼和单眼。胸部有三节,分别称为前胸、中胸和后胸。一般胸部中、后胸各有一对翅。腹部一般有11节,尾部有尾须和生殖器,如图1-23所示。

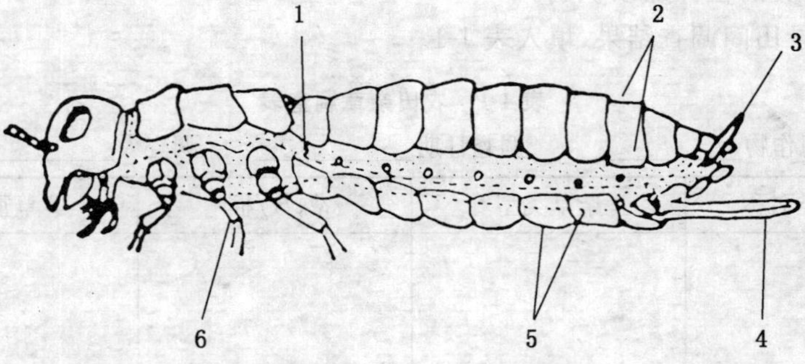

图1-23 昆虫体躯结构示意图

1.气门 2.背面解 3.尾须 4.产卵器 5.腹面 6.附肢

②昆虫体壁。昆虫体壁是包在整个昆虫体躯外的一个组织,它由表皮层、真皮细胞层和底膜三层所组成。

③昆虫的气门。陆生昆虫都靠气管系统呼吸。器官呈管状,有主、干两条主气管和许多分支气管。两条主气管纵贯全身两侧,分支气管分布全身各个组织和细

胞,供给氧气和呼出二氧化碳,气管向外的开口就是气门。

(2)昆虫的口器。昆虫的种类很多,但其取食的口器则为两类:一类为咀嚼式口器,由上颚、下颚、上唇、下唇和舌所构成,如图 1-24 所示。如蝗虫、粘虫和地老虎幼虫的口器。这类害虫可用胃毒杀虫剂和接触杀虫剂进行防治。另一类是吸收式口器,如蝉的口器。这类口器的害虫可用内吸胃毒杀虫剂和接触杀虫剂防治。

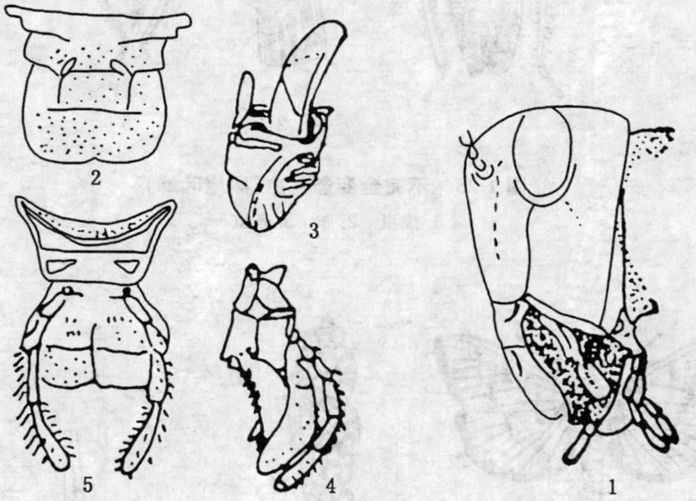

图 1-24　咀嚼式口器

1.头部侧面观　2.上唇　3.上颚　4.下颚　5.下唇

(3)昆虫的变态。每种昆虫完成一个世代的过程中都有 3～4 个形态。完全变态的昆虫如玉米螟、地老虎等,一个世代有成虫、卵、幼虫、蛹四个虫态。不完全变态的昆虫,如蝗虫、叶蝉、飞虱等,一个世代只有成虫、卵、若虫三个虫态,如图1-25和图 1-26 所示。

2.病害部分

(1)真菌病害。植物病害中真菌病害种类最多,如锈病、炭疽病、白粉病、黑粉病、霜霉病等。每类病害,由于作物不同,病原菌的种也可能不同。以锈病来说,有麦类锈病、花生锈病、蚕豆锈病、党参锈病等。同一类病害在同一种作物上也有许多不同的种。例如小麦锈病有条锈(图 1-27)、叶锈、秆锈等不同的种。

(2)细菌病害。植物细菌病害种类也很多,主要有水稻白叶枯病、水稻细菌性条斑病、棉花角斑病、马铃薯环腐病、十字花科蔬菜软腐病等。

(3)病毒病害。作物的病毒病害最主要的有:水稻病毒病、马铃薯病毒病、花生

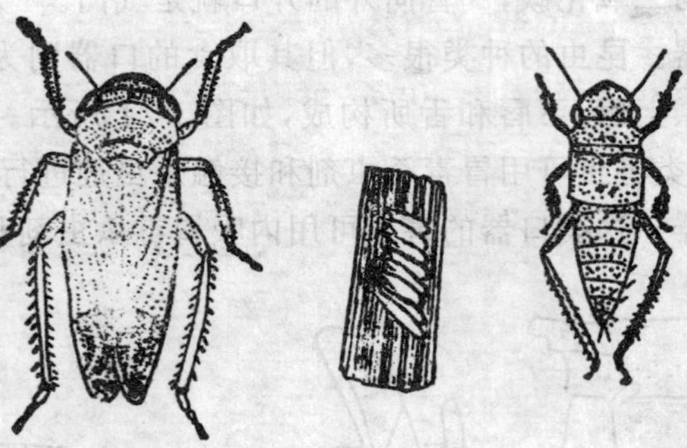

图 1-25　不完全变态昆虫(黑尾叶蝉)

1.成虫　2.卵　3.若虫

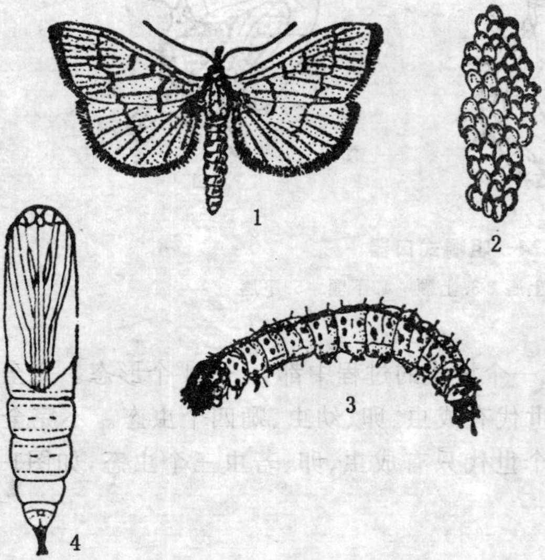

图 1-26　完全变态昆虫(玉米螟)

1.成虫　2.卵　3.幼虫　4.蛹

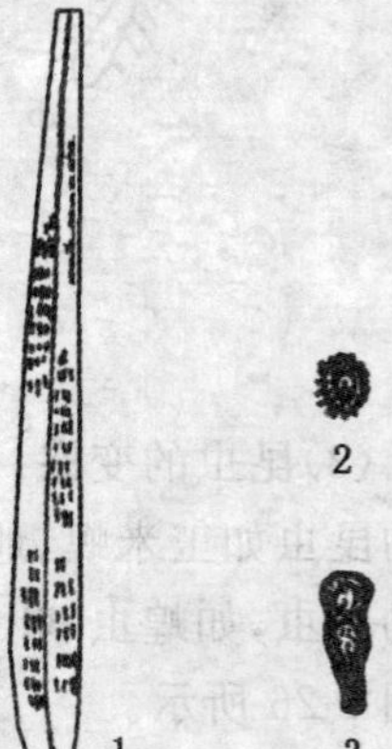

图 1-27　小麦条锈病

1.病叶　2.夏孢子　3.冬孢子

病毒病、大豆病毒病、十字花科蔬菜病毒病和烟草病毒病等。

(4)线虫病害。作物由线虫引起的病害，主要的有花生根结线虫病、花生根线虫病、小麦线虫病和大豆线虫病等。本实验以花生根结线虫病(或根线虫病)为材料。根结线虫危害花生入土的根和荚。花生主根开始生长时，线虫侵入根尖，使根尖膨大呈纺锤形或不规则形的虫瘿，初期乳白色，后变成黄褐色，如小米或绿豆大小。以后虫瘿上长出许多小须根，根尖又被线虫侵染形成虫瘿。其上又长出须根，又被侵染形成虫瘿，后形成虫瘿须根团。虫瘿表面粗糙，剖视虫瘿内部有白色沙粒状的雌虫。果壳上的虫瘿较大，褐色，呈疮痂状。根茎和果柄上的虫瘿呈葡萄穗状。被害植株矮小，叶片黄瘦，早期落叶，萎黄不长（图 1-28）。

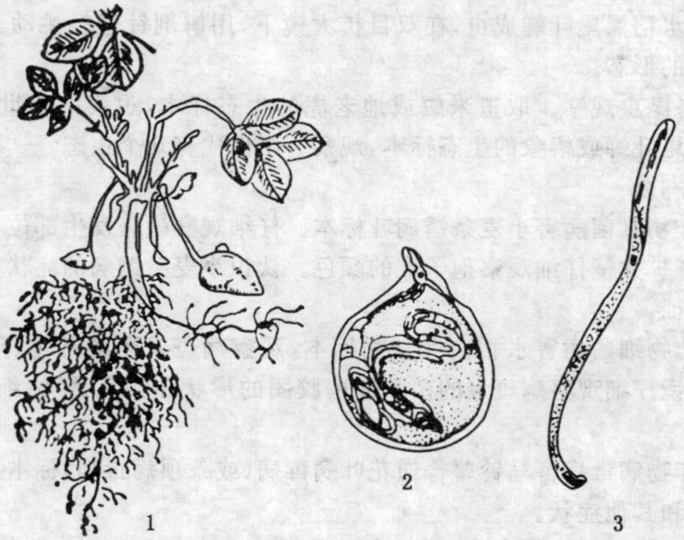

图 1-28 花生根结线虫病

1. 受害植株 2. 雌成虫 3. 雄成虫

（三）条件准备

1. 材料

病害标本：小麦条锈病，水稻白叶枯病，马铃薯普通花叶病毒病，花生根结线虫病等，或其他病害标本。

害虫标本：稻蝗（棉蝗或飞蝗）成虫标本，玉米螟生态标本，水稻黑尾叶蝉成虫标本或其他昆虫标本。

2. 用具

不锈钢镊子，手持扩大镜，解剖针，刀片，双目扩大镜，培养皿，载玻片。

(四)操作方法步骤

1. 昆虫部分

(1)昆虫基本结构观察。用镊子取蝗虫标本,观察蝗虫体躯由几部分组成,再观察头部鞭形触角,胸部的足和翅,身体两侧的气门等。

(2)昆虫口器观察。取蝗虫成虫,观察咀嚼式口器的形状和组成(由上唇、下唇、上颚、下颚组成)。然后用镊子取下上唇、下唇、上颚、下颚各个部分,并观察其形态。再取水稻黑尾叶蝉成虫,在双目扩大镜下,用解剖针轻轻挑动其口器,观察刺吸式口器的形态。

(3)变态昆虫观察。取玉米螟或地老虎的生态标本,观察一个世代有几个虫态。再取黑尾叶蝉或椿象的生态标本,观察一个世代有几个虫态。

2. 病害部分

(1)取作物真菌病害小麦条锈病叶标本。仔细观察病斑发生部位、孢子堆的形状,并用手持扩大镜仔细观察孢子堆的颜色。认识小麦条锈病的症状,了解真菌病害的一般特征。

(2)取作物细菌病害水稻白叶枯病标本,观察病斑发生的部位、形状、病斑颜色。用扩大镜仔细观察病斑上的菌脓或菌胶团的形状和颜色,了解细菌性病害的一般特征。

(3)取作物病毒病害马铃薯普通花叶病毒病(或条顶病毒病)标本,对光观察病毒病的花叶和其他症状。

(4)取花生根结线虫病(或北方根结线虫病)标本。观察根部和荚上虫瘿的形状、大小及颜色。然后取下1～2粒虫瘿,在培养皿内用水洗净虫瘿表面,放在载玻片上,用手持扩大镜观察虫瘿表面的光滑程度,然后用刀片切开虫瘿,用手持扩大镜观察沙粒状的线虫。

(五)作业与考核

1. 作业

(1)描述观测到的病害、昆虫。

(2)绘制大麦条锈病状图、玉米螟成虫图。

2. 考核

(1)作业。(50分)

(2)实习态度。(20分)

(3)田间病、虫观测。(30分)

第二章 作物育种技能

第一节 作物育种田间试验

一、作物育种田间试验计划书的制定

(一)目的要求

学习和初步掌握作物育种试验计划书的制定。通过参加或了解水稻、小麦、棉花等某一作物育种试验的播种前后准备工作，熟悉和掌握作物育种工作计划实施过程。

(二)技能内容

作物育种试验，首先要制定出详细的育种计划和实施方案，使各项工作提前有计划地进行，也便于按阶段或年度检查试验的执行情况。

(三)条件准备

水稻、小麦或棉花等作物育种过程中的播种材料、计划书等。

(四)操作方法

1. 田间试验计划书的制定

其内容应包括：

(1)试验名称。写明课题的全称，力求反映出试验的主要内容。

(2)试验研究的意义。试验依据及同类研究现状和存在问题。

(3)试验研究的目标。研究内容，拟解决的关键问题。

(4)试验研究的整体安排。

(5)试验支持的单位、协作单位、主持人、执行人等。

(6)年度试验要求。写明年度试验要求和所要解决的问题。

(7)供试材料。材料名称和数目。

(8)试验地的基本情况。试验地的位置、面积、土质、肥力、前作及水利条件等。

(9)试验的设计。试验设计、试验区面积、小区总数和小区面积(长度和宽度),田间种植方式等,并绘出田间种植示意图(附在试验计划的后面),注明地点和方位。

(10)试验材料的种植。播种方法、播种量、播种期、移栽期和种植密度等。

(11)试验地的田间管理。整地、施肥、中耕除草、灌溉、病虫害的防治及一些主要的栽培措施等。

(12)田间观察记载和室内考种项目。

(13)有关性状的理化分析。

(14)试验资料的统计分析。

(15)试验年限和预期效果。

(16)设备和经费预算。

试验计划书应备有副本,一本存档,一本用于田间试验的执行,并应妥善保存,以防遗失。试验记载必须用铅笔。

2.田间试验总体安排和规划

田间试验安排时,必须了解供本年度使用的试验地的总面积,应安排的试验项目、材料数量等,然后按计划进行各项试验的田间设计。

3.育种试验的播前准备

(1)种子袋的准备。所有参试种子,均须装入大小一致的纸袋内,纸袋除新启用的外,旧纸袋使用前必须重新逐个清理,尤其是纸袋上的旧编号、文字、符号等,必须擦净,纸袋内的残留种子也必须清理干净。

(2)种子准备。根据田间试验计划书中田间规划的要求,分别将种子装袋并用铅笔在种子袋右上角写上相应编号,按播种顺序排列,并准备好保护行种子,最后作一次检查核对以确保无误。并相应准备试验的编号标牌,一般每10行(区,或10的倍数)插一标牌,以便按编号播种。

(3)试验地规划。根据绘制好的田间种植图,用石灰和绳索等标记出小区、走道、保护行和行距等,并插上编号的标牌,以便播种。

4.播种准备

供试材料准备好后,按田间种植图先将种子分发在应种植的地方,待分发完毕核对无误后再按要求播种。每一小区种子播完后,纸袋仍放回原处,待整个试验播完后再核对一遍,如发现差错立即纠正或在记载本上改正,然后收回纸袋。

(五)作业与考核

1.作业

(1)参加或了解育种课题组当年播前准备、田间规划和播种移栽工作。

(2)根据所参加或了解的育种试验工作情况,试设计引入9个品种比较试验的育种计划书。

2.考核标准

(1)播前种子准备。(20分)

(2)田间标牌及规划。(20分)

(3)播种方法。(20分)

(4)画出完整的田间种植图。(40分)

二、小麦杂交育种程序参观

(一)目的要求

了解小麦的杂交育种程序及各试验圃的目的和主要工作内容。

(二)内容说明

选择一个规范的小麦育种基地,结合田间的种植情况,由育种家介绍小麦杂交育种的全过程,即从原始材料一直到品种示范推广,介绍每一环节的主要工作内容及意义。

1.原始材料圃及亲本圃

原始材料圃种植从国内外搜集的各种类型和品种,包括地方品种,选育品种,小麦的近缘属植物和人工创造的中间材料。把从原始材料圃选出的优良材料种植于亲本圃,为杂交提供亲本。栽培管理条件优良,使亲本植株生长发育健壮。根据不同亲本材料的开花期,一次或分期播种,使父母本花期相近。加大行、株距,以便杂交操作。

2.选种圃

种植杂交各世代以供选择。

(1)杂种一代(F_1)。按杂交组合排列,单行区,点播,逢20小区种一对照品种,每组合前种父、母本各一区。F_1主要淘汰不良组合,选拔优良组合,并对照父、母本剔除伪杂种。单交F_1一般不分离,不选株;复交F_1就有明显分离,要选株。

(2)杂种二代(F_2)。将F_1当选组合依序种植双行区,单粒点播,逢10区种一对照并相应播种父、母本。F_2 群体大小，主要依据组合优良程度而定，重点组合多种，一般组合少种。F_2 是性状强烈分离的世代，其主要工作是在优良组合中选择优良单株，并继续淘汰不良的组合。

(3)杂种三代(F_3)。将 F_2 代当选株种成单行区(或双行区)、稀条播(或点播)，每 20 区(或 10 区)种一对照。F_3 代主要工作是在优良组合中选择优良株行，并在优良株行中选优良单株。杂种四代(F_4)及以后各世代种植方式同 F_3，F_4，先选优良组合，再选优良系统群、优良系统和优良单株。

一般品种间杂交到四五代就基本稳定，将优良而又一致的株系混收，进入鉴定圃。

3. 鉴定圃

在近于大田生产条件下，全面鉴定各品系的农艺性状、抗逆性、抗病性、丰产性，评选出最优的，且较对照品种增产或具有某些突出特点的品种。一般采用随机区组设计，重复 3～5 次，试验地的耕作、播量、管理等作业要一致。

以后还要进行区域试验、生产试验、栽培试验等。品种通过审定后，方可在生产上推广种植。

(三)条件准备

规范的小麦杂交育种基地，包括各试验圃和育种材料。

(四)操作方法

(1)在原始材料圃及亲本圃内，观察不同小麦类型和品种特点，并指出各类优良材料的利用价值。

(2)观察 F_1 单、复交组合的群体表现，评选优良组合、一般组合和不良组合。

(3)观察各类组合 F_2 的分离情况，识别各种类型的优良单株。

(4)对 F_3 各组合观察比较，并就其主要性状进行综合分析评价。

(5)考察 F_4～F_6 代不同组合、不同系统群、不同系统间表现差异，并评选优良而又一致的系统(称为品系)。

(6)考察品系鉴定圃和品种比较试验的田间设计，分析各品种(系)及对照品种的主要优缺点，找出较对照品种显著优越的品种(系)。

(五)作业及考核

1. 作业

(1)比较品种试验中各参试品种的优劣，并找出较对照品种在农艺性状、抗逆性、抗病性、丰产性诸方面显著优越的品种。

(2)为什么复交 F_1 通常较单交 F_1 种植较大群体?

(3)为什么 F_1,F_2 多采用单粒点播而 F_3 以后各代种植密度加大?

2.考核标准

(1)品种比较试验中能够评价品种的主要优缺点。(30 分)

(2)选择圃中优良的单株或株系。(30 分)

(3)能回答育种程序和各环节的主要工作内容。(40 分)

三、小麦杂种后代田间单株选择技术

(一)目的要求

了解小麦田间性状观察的内容与标准,掌握单株选择的方法与技术。

(二)技能内容

准确有效地进行杂种后代的鉴定和选择,是杂交育种的一项最重要的环节,它既是一门科学又是一门艺术,通常须在遗传育种理论的指导下经反复实践才能逐渐入门、掌握。

品种间杂种后代的选择方法因选择对象和选择目的而异,一般可分为单株选择法和混合选择法。我国大部分育种单位采用单株选择法,从第一次分离世代开始选择优良单株,通过若干代连续选择,直至优良性状基本稳定。单株选择时除了考虑性状优良外,还应注意以下几个问题。

1.环境条件

表现型=基因型+环境。只有掌握或控制环境,最大限度地排除环境误差的干扰,才能根据性状表现差异准确鉴定选择优良基因型。为减轻环境误差的影响,可以采取如下措施。

(1)尽可能种植均匀,管理一致。

(2)近似环境条件下(如同在地头)比较。

(3)高株与矮株一起生长时,对高株的要求更严,对矮株的要求适当放宽。

2.群体水平

群体综合性状表现越好,优良单株出现的几率越高,选择的可靠性越高。选择的可靠性大小顺序是:杂交组合＞株系群＞株系＞单株。

3.性状遗传力

株高、生育期、穗长、粒形、千粒重及抗病性等遗传力较高的性状,可在低世代严格选择，而有效穗数、穗粒数、产量等性状的遗传力偏低，应在较高世代选择。

4.种植密度

在接近大田种植密度下，群体综合性状表现最充分，鉴定选择最可靠；在单粒点种条件下，个体单一性状表现最明显，选留标准要相应拔高。（参考性状列入表 2-1）

表 2-1 小麦各世代选择对象及可考虑的性状

性状	F_1	F_2		F_3		F_4		
	淘汰组合	淘汰组合	选单株	选株系	株系内选株	选株系群	选株系	株系内选株
返青迟早	√	√	√	√	√	√	√	
抽穗期	√	√	√	√	√	√	√	
抗寒性	√	√	√	√	√	√	√	
抗病性	√	√	√	√	√	√	√	√
株高	√	√	√	√	√	√	√	√
穗长			√	√	√	√	√	√
小穗数			√	√	√	√	√	√
千粒重			√	√	√	√	√	√
株穗数				√		√	√	√
穗粒重				√		√	√	√
株粒重				√		√	√	√
品质				√		√	√	

(三)条件准备

(1)材料。小麦品种间杂种及其分离世代。

(2)用具。米尺、吊牌、铅笔等。

(四)操作方法

1.确定选择的主要性状及标准

杂种后代所选性状及标准不尽相同，根据本地目前小麦育种的实际需要，主要涉及到如下性状：

(1)幼苗习性。一般幼苗直立，半冬性或弱春性。

(2)抗寒性。抗冬季低温和春季霜冻的能力强。

(3)分蘖力。分蘖力较强，分蘖早而集中。

(4)生长势。返青早，生长快而稳健。

(5)株型。株型紧凑,叶片直立或半直立。

(6)株高。80 cm左右,在抗倒伏的前提下,可以放宽株高。

(7)抗病性。高抗条锈病、叶锈病、白粉病、纹枯病等主要病害。

(8)熟相。根系活力强,耐高温,耐旱,成熟落黄好,活秆成熟。

(9)生育期。抽穗开花早,灌浆快,成熟较早。

(10)品质。子粒饱满,大小均匀,腹沟浅,亮白色,无黑胚,品质优。

2. 确定单株选择时间

确定选株时间的最基本原则是,在性状表露最明显时观察和选择。在小麦育种实际工作中,一般集中在苗期、返青拔节期、抽穗开花期、成熟期进行观察和选择。本实验可在苗期初选一次,在基本掌握选择方法后,重点放在成熟期进行选择。

3. 选择优良单株

(1)在指定的单交 F_2 或复交 F_1 群体中进行选择。

(2)熟悉亲本材料,了解主要目标性状,明确选择标准。

(3)在成熟期,按性状的综合表现进行选择,每个同学认真选择5株。

(4)在中选单株上,挂牌注明行号,记载株高、单株穗数及特殊性状。

(5)待成熟后,将当选单株拔起,用绳扎好,同组合打捆,带回室内以备考种。

(五)作业与考核

1. 作业

(1)指出所选单株的优良性状和不良性状,并综合比较分析单株优劣。

(2)如何提高单株选择的准确可靠性?

2. 考核标准

(1)小麦主要选择性状。(20分)

(2)田间区分小麦单株、株系、株系群和组合。(10分)

(3)小麦苗期选择方法。(30分)

(4)小麦成株期选择方法。(40分)

第二节　主要农作物种质资源及类型

一、小麦种质资源及类型

(一)目的要求

了解小麦种质资源的主要类型,掌握不同类型材料的形态特征、主要特点和利用价值。

(二)技能内容

1. 小麦及其近缘植物

普通小麦属禾本科小麦族(Triticeae)中小麦亚族(Triticinae)的小麦属的一个种(*Triticum aestivum* L.)。与小麦属同属小麦亚族的还有山羊草属(*Aegilops*)、黑麦属(*Secale*)、偃麦草属(*Agropyron*)等。与小麦属同属于小麦族的有大麦亚族(Hordeinae),其中有大麦属(*Hordeum*)、滨麦属(*Elymus*)等。

2. 小麦的分类

Croston 和 Williams(1981)在前人分类体系的基础上做了更全面的分类,为国际植物资源委员会(IBPGR)所引用,也为广大有关工作者所接受(具体分类见表 2-2),虽然其中列为"亚种"及"类"的小麦在习惯上往往仍作为"种"看待。(详细分类见表 2-2)

表 2-2 小麦的分类

(Croston Williams,1981)

二倍体 染色体组 AA	野生
乌拉尔图小麦种(*T. urartu* Tum)	野生
一粒小麦种(*T. monococcum*)	
野生一粒小麦亚种[subsp. *boeoticum*(boiss) MK.]	野生
栽培一粒小麦亚种 (subsp. *monococcum* L.)	栽培
四倍体 染色体组 AABB	
圆锥小麦种[*T. turgidum*(L.) Thell.]	
野生二粒小麦亚种[subsp. *dicoccm'*des(Korbn)Thell]	野生
栽培二粒小麦亚种[subsp. *dicoccum*(Sehrank.)Thell.]	栽培
考尔希小麦亚种[subsp. *paleocolchicum*(Men.)MK.]	栽培
波斯小麦亚种[subsp. *carthlicum*(Nevski)MK.]	栽培
圆锥小麦亚种(subsp. *turanidum* L.)	栽培
圆锥小麦类 (COBV. *turanidum* L.)	栽培
硬粒小麦类 [cony. *durum*(Desf.)MK.]	栽培
东方小麦[cony. *turanicum*(Jakubz.)MK]	栽培
波兰小麦类 [conv. *polonicum*(L.)MK.]	栽培
埃塞俄比亚小麦类(conv. *aethiopicum* Jakubz.)	栽培

续表 2-2

染色体组 AAGG 或 AABB	
提莫菲维小麦种(*T. timopheevii* Zhuk.)	
阿拉拉特小麦亚种［subsp. *araratwum*(Jakubz.) MK］	野生
提莫菲维小麦亚种(subsp. *timopheevii* Zhuk.)	栽培
六倍体　染色体组 AABBDD	
普通小麦种［*T. aestivum*(L.)Thell.］	
密穗小麦亚种［subsp. *compactum*(Host.) MK.］	栽培
莫迦小麦亚种［subsp. *macha*(Dek. andMen.)MK］	栽培
斯卑尔脱小麦亚种［subsp. *spelta*(L.)Thell.］	栽培
瓦维洛夫小麦亚种［subsp. *vavilovii*(Tum.)Jakubz］	栽培
普通小麦亚种［subsp. *vulgare*(Viii.)MK.］	栽培
染色体组 AABBGG	
茹可夫斯基小麦种(*T. zhukovs* AJiMen. and Er)	栽培

(三)条件准备

小麦不同类型的田间材料、尺子、记录本等。

(四)操作方法

根据小麦性状的田间调查方法，对不同类型的小麦种质资源进行性状调查、记录，比较不同类型之间的性状差异，特别是一粒小麦系、二粒小麦系、普通小麦等类型间的差异。

(五)作业与考核

1. 作业

(1)比较不同类型小麦之间的形态特征和主要农艺性状的区别。

(2)比较普通小麦与原始类型小麦的差异。

2. 考核

(1)描述不同类型小麦的不同点。(30 分)

(2)不同小麦类型的利用价值。(30 分)

(3)调查小麦的农艺性状。(40 分)

二、玉米的主要栽培类型

(一)目标要求

了解玉米的类型及利用价值。

(二)内容说明

植物学上,玉米属于禾本科(Graminae)玉米族(maydeae)、玉米属(*Zea*)、玉米种(*may*),玉米体细胞染色体 $2n=20$。

1. 玉米的类型

栽培玉米包括多种类型,依据玉米子粒形状、胚乳淀粉的含量与品质,子粒有无稃壳等性状,可将栽培玉米分为8个亚种或类型。

(1)硬粒型(*Zea mays* L. *indurata* Sturt)。果穗多呈圆锥形,子粒近似圆形,坚硬饱满,有光泽,子粒顶部及四周的胚乳皆为角质淀粉,仅中部有少量粉质淀粉,子粒有黄、白、红、紫等色。品质优良,食味好。植株适应性强,产量不如马齿型玉米高,但较稳定,需肥不多,成熟较早。目前多在生产水平较低的边远山区种植。

(2)马齿型(*Zea mays* L. *indentata* Sturtt)。植株较粗壮,果穗多呈圆柱形,子粒长大而扁平,粉质淀粉分布于子粒的顶部及中部,两侧为角质淀粉,成熟时粉质的顶部比角质的两侧干燥收缩得快,因而子粒凹陷成马齿状。子粒以黄、白色的最多,不透明,品质较差。一般表现产量较高,耐肥水,成熟较迟。晚熟杂交种大多数属马齿型,此类型是我国目前栽培面积最大的一种。

(3)糯质型(*Zea mays* L. *sinensis* Kulesh)。又名蜡质型,也有黏玉米之称。子粒胚乳全部为支链淀粉所组成,表面无光泽,呈蜡状,不透明。子粒有白、黄、杂色、乌紫、红和白血丝等色,品质好。要求水肥条件高,各地只有零星种植。

(4)粉质型(*Zea mays* L. *amylacea* Sturt)。又名软粒型,果穗及子粒形状与硬粒型的相似,唯胚乳几乎全为粉质淀粉,子粒无光泽。我国栽培较少。

(5)甜质型(*Zea mays* L. *saccharta* Sturt)。又名甜玉米,植株矮小,分蘖力强,果穗较细,子粒几乎全为角质胚乳,含糖量较高,胚较大,成熟时表面皱缩,半透明,较早熟。近年来在我国有所发展。

(6)爆裂型(*Zea mays* L. *werta* Sturt)。叶挺拔,每株结穗较多,果穗与子粒都较小。子粒几乎全由角质胚乳组成,硬而透明,遇热时有较大的爆裂性。按子粒形状又可分为两类,一类是子粒顶部尖,似米粒,为米粒型;另一类子粒较圆,为珍珠型。子粒以黄、白、红紫为主。全国各地均有零星种植。

(7)甜粉质型(*Zea mays* L. *amylacee-saccharata* Sturt)。子粒上部为甜质型,角质胚乳,下部为粉质胚乳。世界上很少见。

(8)有稃型(*Zea mays* L. *tunicata* Sturt)。子粒被较长的稃壳包着,稃壳顶端有时有芒状物,子粒坚硬,不易脱粒,穗轴很细,为原始类型。生产上无栽培,仅在科研、教学中作为一种类型进行研究和标本保存。

2. 中国玉米资源

(1)甜玉米。它是一种作为水果和蔬菜以及粮食用的兼用玉米,具有鲜、甜、嫩、脆、清香等特点,鲜果穗可煮熟食用,也可将子粒做成罐头。它含有多种维生素、游离氨基酸和赖氨酸,还含有蔗糖、葡萄糖、麦芽糖和植物蜜糖,是当今世界上流行的绿色蔬菜,营养十分丰富,商品率高,可以调节人民的食物结构。

(2)高赖氨酸玉米。这种玉米是受位于第 7 对染色体的基因 O_2 控制的突变体,其生理生化作用只在子粒的胚乳部分表达,受花粉直感的影响,当隐性基因 O_2 在纯合情况下,显示出暗淡不透明的粉质软粒,此类玉米子粒胚乳部分赖氨酸含量超过普通玉米 60%以上。据报道,世界著名高赖氨酸玉米品种奥帕克-2(Opaque-2)的赖氨酸含量为蛋白质的 3.39%,比普通玉米高出近 70%。

(3)糯玉米。中国糯玉米又称蜡质玉米或黏玉米,体细胞染色体数 $2n=20$。它是玉米引入中国后在我国形成的新类型,这已举世公认。糯玉米是一种宝贵的玉米遗传资源,中国有糯玉米品种 500 余个,子粒有白、黄、杂色、乌紫、红和白血丝等颜色。此类玉米的鲜食品质较好。

(4)特异资源。如抗病品种资源类型,抗除草剂品种资源类型,多穗品种,多行品种,大粒品种资源,耐冷品种资源,矮秆品种资源,耐旱品种资源等。

(三)条件准备

尺子、记录本等。

(四)操作方法

播种时,有计划地种植玉米的不同类型品种,在播种期、抽穗期、成熟期分别观测不同类型之间的差异,特别是与当地栽培玉米的区别;调查不同类型的品种形态、产量等主要性状指标;室内鉴定不同类型品种的子粒品质。

(五)作业与考核

1. 作业

(1)通过调查,比较当地栽培玉米与其他不同类型品种的形态差异。

(2)说出不同类型玉米的利用价值。

2.考核

(1)资源分类。(30 分)

(2)农艺性状调查。(30 分)

(3)描述资源的价值。(40 分)

三、棉花的栽培类型

(一)目的要求

1.熟悉四大栽培棉种的主要特征特性,掌握鉴定棉花类型和品种的方法。

2.识别目前河南省推广利用的主要棉花优良品种。

(二)内容说明

棉花属于锦葵科(malvaceae)的棉属(*gossyplum*)。棉属共有 39 个种。在我国栽培的共有 4 个种:陆地棉、海岛棉、亚洲棉(中棉)和非洲棉(草棉或小棉)。其主要形态区别见表 2-3。

鉴定与识别棉花品种时,可在棉花生育后期至叶片尚未枯萎前在田间及室内分别进行,主要根据株型、铃形、叶形、纤维和种子等方面来识别品种。

1.株型(株式)

根据果枝、叶枝生长的长短、强弱、紧凑和松散等特点,通常有:

(1)塔形。上部果枝最短,中部较长,下部最长,叶枝少,为早熟丰产的理想类型。

(2)筒形。上中下部果枝等长,中枝少,植株紧凑,成熟早,特别适于密植,一般短果枝品种都属于这种类型。

(3)矮丛性。植株茎部有较多数量强大的叶枝,高度与主茎相等,中部果枝较少,这种株型成熟迟,产量低,为不良株型。

2.茎

(1)茎色。分青、红两种。红茎中有深紫红、红、浅红的区别,如陆地棉多为红茎而其中的红叶棉为深紫红色,中棉各色都有。青茎中有油腺红,有的茎向阳面呈红色的叫日光红。

(2)油腺。棉花茎上都散布暗色或浓棕色的油腺(少数品种例外),油腺的形状及大小随棉种类型不同而不同,一般中棉茎上的油腺为长条形,且较多,而陆地棉为点状且较小;海岛棉介于二者之间。

(3)茸毛。茸毛的有无及多少，随棉种而异。海岛棉光滑无毛，中棉茸毛较少，陆地棉都有茸毛，但茸毛多少因品质而不同。

3.果枝

(1)第一个果枝着生部位。第一果枝离子叶节的高度和其间的节数。

(2)果枝长度。

有限型。只有一个节，节的顶端丛生几个棉铃，又称零式果枝。

无限型。条件适宜时，果枝可以不断延伸，产生新果节。通常有数个节间，又称多轴果枝。按其节间长短可分：

第一型，果枝节间很短，长 2～5 cm。

第二型，果枝节间较短，为 5～10 cm。

第三型，果枝节间较长，一般 10～15 cm。

第四型，果枝节间很长，在 15 cm 以上。

4.叶片

(1)叶片大小。测量叶长及叶宽，通常用叶长×叶宽表示。

叶长：从叶片基部至中裂片顶端的距离。

叶宽：叶裂片两侧最大裂片尖端的距离。

(2)叶形。

鸡脚叶：主要特征是裂片狭长，裂较深，裂口深约为叶长的 4/5。

普通叶：裂片较宽，裂较浅，一般不超过叶长的 1/2。

裂缺较深：裂口深达叶长的 1/2 以上者。

裂缺较浅：裂口不及叶长的 1/2 者。

鉴定品种时，常用 20 个样本的平均叶裂指数(裂口深度/中裂片长)和叶裂片指数(中裂片宽/中裂片长)表示。叶裂指数越大，裂口愈深；裂片指数越大，裂缺片愈宽(注：裂缺深度系指中裂片之长减去自叶基至第一右裂口之距离，中裂片宽系指中裂片的最大宽度)。

5.花

(1)花冠的大小。取棉株中部当天开放的花朵来测定其大小。

大：花冠长度超出苞叶长度。

中：花冠长度与苞叶等长。

小：花冠长度小于苞叶长度。

(2)花冠颜色。观察开花当天上午花瓣的实际颜色，有浅黄、乳白和白色等。

(3)花心颜色。依花瓣基部有无红斑等，用文字描述。

(4)苞叶。取中部棉铃苞叶进行测定。

苞叶大小:用苞叶宽度与长度(基部至中齿顶端之长)之比表示,如苞叶宽/苞叶长。

苞叶基部联合情况:分为分离与联合两类。

苞叶色泽:有绿、深紫、微紫等色,凡紫茎紫叶者呈红色,红茎及叶基部有红点者淡红色。

6.铃

(1)铃形。如尖形、卵圆形、圆形、尖锥形。

(2)铃的大小。单铃重,以 g 表示。

6.7~12.5 g 为大铃。

5.7~6.6 g 为中铃。

5.7 g 以下的为小铃。

(3)铃的室数。一般 4~5 室。

(4)开铃情况。

后翻:铃壳开裂时超出平张角度。

畅开:铃开裂时几乎为平张。

紧抱:开铃时展开不大。

7.种子

(1)短绒有无及籽色。有光籽、毛籽、端毛籽、灰毛籽、褐毛籽、绿籽、白籽等。

(2)籽形。有卵圆形、短圆形、圆锥形等。

(3)籽指。取 100 粒称重的克数。

8.纤维

(1)绒长。每瓤取中部子棉一粒,共取 20~50 粒,用左右分梳法测其长度,以 mm 表示。

(2)衣分。100 g 子棉中皮棉重量的百分比。

(3)衣指。100 粒子棉的皮棉重(g)。

(4)纤维色泽。按实际色泽用文字描述,如乳白色、白色、绿色、紫色、棕色等。

(5)细度。1 g 重纤维的总长度,以 m/g 表示。

(6)单纤维强度。一根纤维断裂时所用的拉力,每样取 50 根平均,以 g 表示 。

(7)断裂长度。纤维强度与细度的乘积除以 1 000,以 km 表示。

(8)整齐度。以绒长平均数加减 2 mm 范围内的种子数占总粒数的百分数表示。

表 2-3　四大棉花栽培种形态比较

棉亚属 棉 器官		美洲棉		亚、非洲棉	
		陆地棉	海岛棉	亚洲棉	非洲棉
茎		粗、有茸毛	粗、无茸毛	细、有茸毛	细、有茸毛或无
叶	大小	中或大	大	小、长大于宽	小、宽大于长
	裂片数	3～5，浅裂	5～7，深裂	5～7，深裂	3～5(或 7)，浅裂
	裂片形	宽三角形	长而渐尖	矛形	短矛形
	裂口基部	不收缩	稍收缩	稍收缩	稍收缩
	裂口深度	小于 1/2	大于 1/2	1/2～2/3	1/2，小于 1/2
	裂口处	稍有折叠	通常折叠	常有附生裂片	无附生裂片
	茸毛	较长	无	短	短
	叶柄	长	长	短	短
苞叶	形状	心脏形，长大宽	心脏形，长等于宽	微心形，长大于宽	微心形或三角形，宽大于长
	裂齿	尖长，7～12 个	尖长，10～15 个	全缘或具有粗齿 3～4 个	宽三角形，6～8 个齿
	基部	分离	分离	联合	联合
	围铃情况	紧密	紧密	紧密	向外反卷或不反卷而张开较大
	苞外蜜腺	有	有	无	无
花	花萼	上缘五个尖	上缘五个尖	上缘平	上缘平
	花瓣	乳白色	黄色	黄色	黄色
	花瓣基部	多数品种无斑	有红斑	有红斑	有红斑
	大小	大	大	大	小
铃	形状	圆、卵圆	较尖长	较尖长，有肩	圆或扁圆有肩
	铃面	平滑油腺不显	大凹点油腺明显	小凹点油腺不明显	平滑，油腺不明显
	室数(个)	4～5	3～4	3～4	3～4
	铃色	绿	暗绿	绿	绿
	大小	大	中	小	小
	开裂状况	畅	畅	畅	不畅
种子	大小	大	大	小	小
	光毛	毛子(光籽极少)	光籽或端毛	光或毛	光或毛
	纤维	较细长	细长	短而粗	短而细
单元染色体数(个)		26	26	13	13

(三)条件准备

棉花的四个栽培种及主要优良品种、米尺、记载表格等。

(四)操作方法

按上述标准对不同棉花类型和品种进行调查,并作记录,填表 2-4。

表 2-4 棉花主要品种识别表

品种代号		
品种名称		
株型		
茎	茎色	
	油腺大小及形状	
	茸毛有无及多少	
果枝	第一果枝部位	
	类型	
叶片	叶长	
	叶宽	
	叶形	
	叶裂口深	
苞叶	大小	
	连合	
花	花冠大小	
	花冠颜色	
	花心颜色	
棉铃	铃形	
	大小	
	室数	
	开裂情况	
种子	短绒有无	
	籽形	
	籽色	
	籽指(g)	

续表 2-4

品种代号		
品种名称		
株型		
纤维	绒长(mm)	
	衣分(%)	
	衣指(g)	
	细度(m/g)	
	强度(g)	
	整齐度(%)	
	色泽	
	断裂长度(km)	
	所属棉种	

(五)作业及考核

1.作业

(1)根据实地观察,你认为四大栽培棉种的主要形态差异有哪些?

(2)你认为识别棉花品种时应重点掌握哪些特征特性,为什么?

(3)某些棉花品种或品种的个别性状,如花苞叶、无蜜腺、鸡脚叶、红叶、毛茎、无油腺、芽黄等较为特殊性状,它们有何利用价值?

(4)每人鉴定河南省目前大面积推广的棉花品种 2~3 个,每品种选取样本 5~10 株,将测定结果填入表 2-4。

2.考核

(1)识别四大栽培棉种的主要形态差异。(30 分)

(2)识别棉花品种。(20 分)

(3)棉花特殊性状描述。(20 分)

(4)棉花品种调查。(30 分)

四、水稻籼亚种与粳亚种的识别

(一)目的要求

了解水稻类型,重点掌握籼稻与粳稻的区别。

(二)内容说明

1. 栽培品种分类

中国栽培稻属亚洲栽培稻，$2n=24$(AA 染色体组)。1957 年丁颖根据我国栽培稻起源、演变和栽培发展过程，系统地把我国栽培稻种分为籼亚种和粳亚种，早、中季稻和晚季稻群，水稻和陆稻型，粘稻和糯稻变种以及一般栽培品种共五级，其系统关系如下：

- 普通野生稻
  - 籼亚种(*O. s.* L. subsp. *hsien* Ting)
    - 晚季稻
      - 水稻
        - 粘稻—品种
        - 糯稻—品种
      - 陆稻
        - 粘稻—品种
        - 糯稻—品种
    - 早、中季稻
      - 水稻
        - 粘稻—品种
        - 糯稻—品种
      - 陆稻
        - 粘稻—品种
        - 糯稻—品种
  - 粳亚种(*O. s.* L. subsp. *keng* Ting)
    - 晚季稻
      - 水稻
        - 粘稻—品种
        - 糯稻—品种
      - 陆稻
        - 粘稻—品种
        - 糯稻—品种
    - 早、中季稻
      - 水稻
        - 粘稻—品种
        - 糯稻—品种
      - 陆稻
        - 粘稻—品种
        - 糯稻—品种

2. 籼稻和粳稻的演变

栽培稻在起源中心的复杂地势、土壤和气候条件下，经选择、分化，形成不同的种，向四周传播。籼、粳稻主要是因栽培地带的温度不同而分化形成的气候生态型。籼、粳稻的地理分布不同。籼稻适宜生长在高温、强光和多湿的热带和亚热带地区，在我国主要分布于华南和淮河以南地区，粳稻适宜生长在气候暖和的温带，在我国主要分布在华南热带和亚热带山区高地和温带海拔低的地区，如华东太湖流域及华北、西北、东北和西南等广大地区。

大多数籼、粳稻品种在植物学形态特征和生物学特性等方面有明显的差别，其主要区别列于表 2-5，但在古老的地方品种中多有例外。

(三)条件准备

(1)籼稻与粳稻的栽培品种。

(2)米尺、短尺等。

(四)操作方法

先由教师讲解水稻籼、粳亚种的区别,结合品种,学生调查不同类型品种的农艺性状,并记录。

(五)作业与考核

1. 作业

(1)籼稻和粳稻形态的主要区别是什么?

(2)说出籼稻和粳稻在我国的分布状况。

(3)调查籼稻和粳稻各 2 个品种,交记录表。

2. 考核

(1)描述籼稻和粳稻形态的主要区别。(40 分)

(2)农艺性状调查。(40 分)

(3)栽培水稻分类。(20 分)

表 2-5　籼粳稻的主要特征特性比较

性状		籼稻	粳稻
茎叶	叶色	淡绿	浓绿
	叶片	长、宽、薄	短、窄、厚
	叶毛	有或多	无或少
	剑叶角度	开度小	开度大
	分蘖力	强,一般较散生	弱,一般较集中
	株型	较松散	较紧凑
	茎秆	高	较矮

续表 2-5

性状		籼稻	粳稻
谷粒	芒有无	多数无芒或短芒	由长芒到无芒，芒略弯曲
	颖色	种类简单，以秆黄为主	种类较多，从秆黄到赤褐色
	颖毛	稀而短，散生颖面	密而长，集中颖脊上部
	谷粒形状	较细长或宽长，稍扁平，横切面近椭圆形或扁圆	粗短，宽厚，横切面接近圆形
	出米率	一般较低	一般较高
	碎米	多	少
	黏性	弱，直链淀粉较多	强，直链淀粉较少
	胀性	大	小
	饭性	松散	粘结
	石炭酸染色反应	变褐色至黑色	不着色至淡褐色
生理特性	脱粒性	容易	较难
	耐寒性	弱	强
	耐肥性	不耐肥，易倒伏(矮秆品种除外)	较耐肥，不易倒伏
	抗稻瘟病性	较强	较弱
	穗颈长短	较短	较长
	胚乳成熟速度	快	慢
	开花至成熟期	一般较短	一般较长
	最低萌芽温度	高	低
	高温下发芽速度	慢	快
	种子贮藏寿命	较长	较短

第三节 农作物杂交技术

一、常见作物花器结构及开花习性观察

(一)目的要求

通过观察常见作物的花器构造和开花习性，了解其繁殖方式，奠定杂交技术基础。

(二)技能内容

作物的繁殖方式及授粉方式与作物品种的遗传规律、育种方法和繁育特点有

着密切的关系。

(1)作物的繁殖方式。分有性繁殖和无性繁殖两类。

(2)作物的授粉方式。有性繁殖一般分自花授粉、异花授粉和常异花授粉三种授粉方式。还包括自交不亲和性和雄性不育性两种特殊授粉方式。无性繁殖作物在特定自然环境或人工诱发条件下,也可有性繁殖,并同样存在不同的授粉方式。

(三)条件准备

(1)材料。各类常见作物。

(2)仪器用具。放大镜、镊子、玻璃纸袋、标签牌等。

(四)操作方法

1.观察花器构造

(1)两性花与单性花。两性花即雌雄同花,有利于自花授粉。单性花有雌花和雄花之分,有利于异花授粉。两性花又分雌雄同株异花和雌雄异株。

(2)其他构造特点。有无蜜腺或香气、雌雄蕊长度、雄蕊发育情况等。

2.观察开花习性与传粉方式

(1)开花与闭花。花冠未开放前就已经散粉受精,为闭花受精,属于典型的自花授粉。花冠张开后才散粉的,则增加了异花授粉的机会。

(2)雌雄同熟与雌雄异熟。雌雄同熟有利于自花授粉,雌雄异熟有利于异花授粉。

(3)开花时间与开张角度。开花时间长或开张角度大有利于异花授粉,开花时间短或开张角度小不利于异花授粉。

3.测定套袋自交结实率

(1)检查花粉育性。检查雌雄同花作物的花粉是否正常,如果花粉不正常,则表明是雄性不育。

(2)套袋强迫自交。如果雌雄同花作物的花粉正常,可套袋使其自交,测定自交结实率,结实不正常者为自交不亲和。

4.测定天然异交率

(1)性状选择。选择受一对基因控制的相对性状作为标记性状,该性状最好为种子性状或苗期性状,以具有隐性性状的品种为母本,具有显性性状的品种为父本。

(2)材料种植。将父、母本等距、等量隔行种植,任其自由传粉结实。

(3)收获测定。收获母本植株上的种子,测定 F_1 苗期性状,或直接对种子进行测定,计算出显性个体所占的比率,即为该品种的天然异交率。

(五)作业与考核

1. 作业

(1)观察主要作物的花器构造、开花习性和传粉方式，分析其授粉方式。

(2)设计一个简单试验，测定玉米的天然异交率。

2. 考核标准

(1)正确描述作物的花器结构。(30分)

(2)正确描述作物的开花习性。(30分)

(3)正确测定套袋自交结实率。(20分)

(4)正确测定天然异交率。(20分)

二、小麦杂交技术

(一)目的要求

了解小麦的花器构造和开花习性，掌握小麦的杂交技术。

(二)技能内容

1. 小麦的花器构造(图2-1)

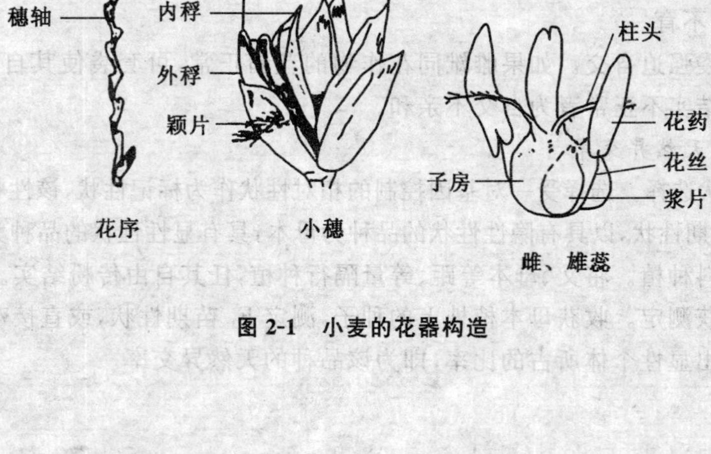

图 2-1 小麦的花器构造

2. 小麦的开花习性

在正常情况下，小麦通常在抽穗后 2～4 d 开始开花，开花迟早因抽穗早晚差异较大，大多数品种为开颖授粉，也有少数品种为闭颖授粉。小麦昼夜都能开花，以白天开花最多，白天开花有两个高峰，一般多在上午 8～11 时和下午 4～7 时。开花期间，如果雨水过多，日照不足，温度过低或过高，均不利于开花，特别是大风天气将造成花期大大缩短。

(三)条件准备

(1)材料。不同小麦品种田间植株。

(2)仪器用具。剪刀、镊子、玻璃纸袋、吊牌、回形针、铅笔等。

(四)操作方法

1. 选穗

(1)选取具有亲本典型性状且健壮无病虫害的植株作母本。

(2)在母本株上选取已抽穗但尚未开花、中部小穗的花药呈黄绿色的麦穗。

2. 整穗

(1)去掉上部和下部发育不良或过嫩的小穗，每穗留中上部小穗 5～7 排。

(2)用镊子夹去每个小穗中间的小花，一般只保留基部两朵小花。

3. 去雄

(1)剪颖。用剪刀逐一剪去小花上部 1/3～2/5 的颖壳。

(2)去雄。按照一定顺序，用镊子将小花中的 3 枚花药取出，不能遗漏。

(3)套袋。去雄后立即套袋，下端斜折，用回形针固定。

4. 授粉

一般采用捻穗授粉法(图 2-2)。

(1)选即将开花的父本穗，逐一将小花上部 1/3 的颖壳剪去。

(2)将母本穗的套袋上部剪开，将套袋充分张开，将父本穗倒置其上。

(3)父本穗伸出花药后，捻转父本穗，使花粉散落在柱头上。

(4)授粉完成后，用回形针将袋口封好。

5. 挂牌

在标签牌上写明父、母本名称，挂在杂交穗上，以备收获。

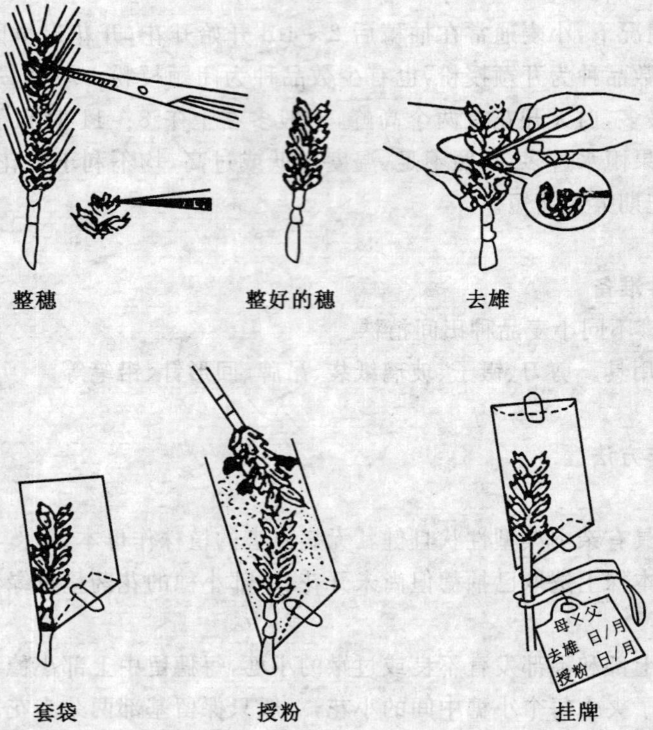

图 2-2　小麦杂交过程示意图

(五)作业与考核

1. 作业

(1)如何临时调节小麦的开花期,使父母本能够花期相遇?

(2)在小麦杂交过程中,应注意哪些问题?

2. 考核标准

(1)选穗。(10 分)

(2)整穗。(10 分)

(3)去雄。(50 分)

(4)授粉。(20 分)

(5)挂牌。(10 分)

三、玉米的自交和杂交技术

(一)目的要求

了解玉米的花器构造和开花习性，掌握玉米的自交和杂交技术。

(二)技能内容

1. 玉米的花器构造

详情见图 2-3。

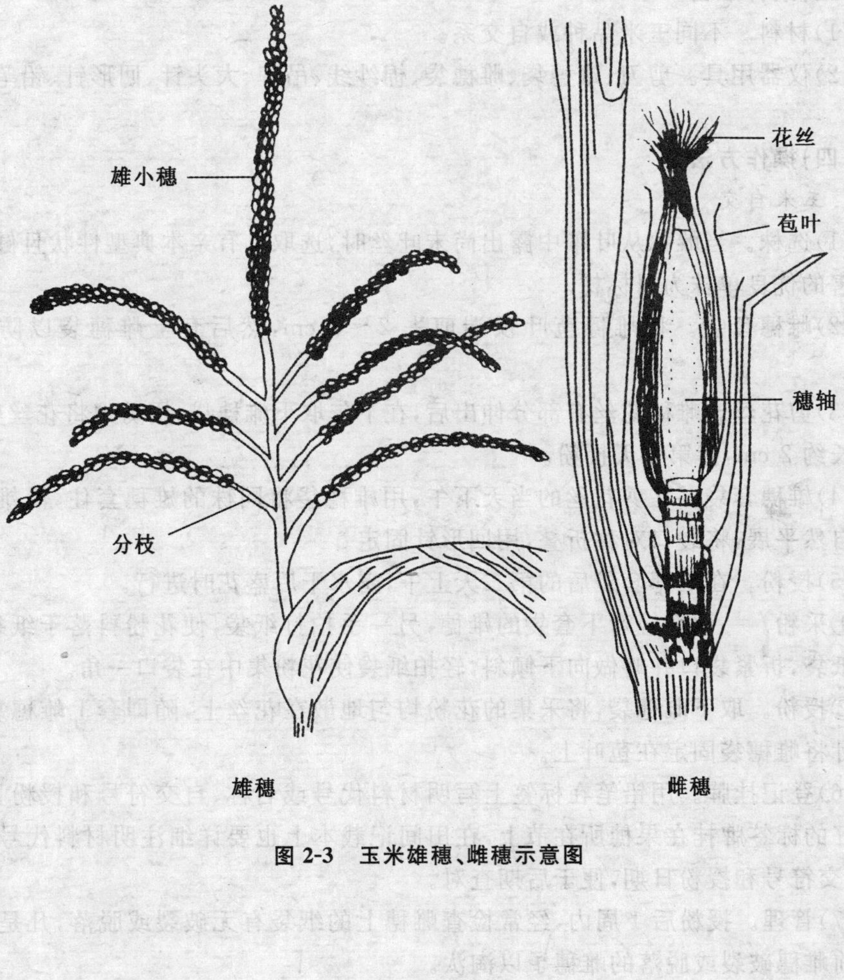

图 2-3　玉米雄穗、雌穗示意图

2. 玉米的开花习性

雄穗抽出后 3～5 d 即开始散粉，始花后 2～5 d 达盛花期，花期维持 7～10 d。开花顺序是先主轴后侧枝，主轴由中上部开始向上向下延伸，侧枝由上而下开放。一般上午开花多，7～11 时最盛，午后开花显著减少，夜间更少。一般雄穗散粉后 2～4 d，花丝开始外露，一般位于果穗中下部的花丝先抽出，然后向上向下延伸，以顶部花丝抽出最晚。花丝抽出后就有受精能力，以抽出后 2～3 d 受精结实能力最强，尚未受精的花丝色泽新鲜，剪短后还可继续生长，但受精后凋萎变褐。雌、雄穗构造见图 2-3。

(三)条件准备

(1)材料。不同玉米品种或自交系。

(2)仪器用具。剪刀、雄穗袋、雌穗袋、棉纱线、吊牌、大头针、回形针、铅笔等。

(四)操作方法

1. 玉米自交

(1)选株。当雌穗从叶腋中露出尚未吐丝时，选取具有亲本典型性状且健壮无病虫害的优良单株为目标株。

(2)雌穗套袋。将雌穗苞叶顶端剪去 2～3 cm，然后套上雌穗袋以防天然杂交。

(3)剪花丝。雌穗花丝有部分伸出后，在下午取下雌穗袋，用剪刀将花丝剪齐，留下长约 2 cm，待第 2 天授粉。

(4)雄穗套袋。在剪花丝的当天下午，用雄穗袋将同株的雄穗套住，使雄穗在袋内自然平展，将袋口对称折叠，用回形针固定。

(5)授粉。在雄穗套袋后的第二天上午，露水干后盛花时进行。

①采粉。一手轻轻弯下套袋的雄穗，另一手拍打纸袋，使花粉抖落于纸袋内，取下纸袋，折紧袋口并略做向下倾斜，轻拍纸袋使花粉集中在袋口一角。

②授粉。取下雌穗袋，将采集的花粉均匀地散在花丝上，随即套上雌穗袋，用大头针将雌穗袋固定在苞叶上。

(6)登记挂牌。用铅笔在标签上写明材料代号或名称、自交符号和授粉日期，将写好的标签牌挂在果穗所在节上，在田间记载本上也要详细注明材料代号或名称、自交符号和授粉日期，便于后期查对。

(7)管理。授粉后 1 周内，经常检查雌穗上的纸袋有无破裂或脱落，凡是花丝枯萎前雌穗破裂或脱落的雌穗予以淘汰。

2. 玉米杂交

操作方法基本同上，包括以下四个主要环节：

(1)母本雌穗套袋，见图 2-4。

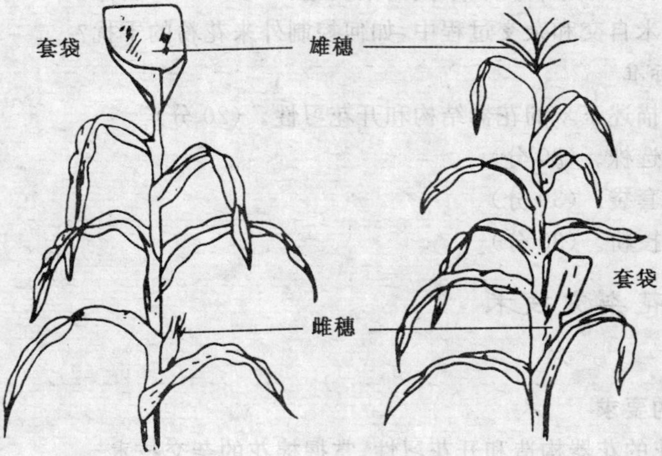

图 2-4　玉米雄穗、雌穗套袋示意图

(2)父本雄穗套袋。

(3)杂交组合的确定。

(4)双亲授粉杂交，见图 2-5。

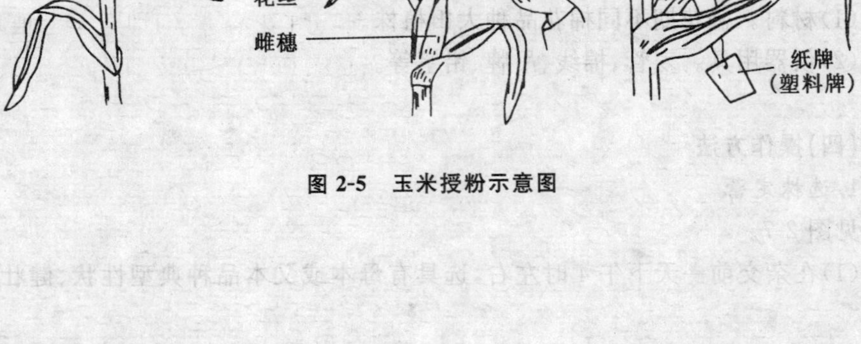

图 2-5　玉米授粉示意图

(五)作业与考核

1. 作业

(1)如何提高玉米自交和杂交的结实率?

(2)在玉米自交和杂交过程中,如何控制外来花粉的干扰?

2. 考核标准

(1)观察描述玉米的花器结构和开花习性。(20 分)

(2)正确选株。(20 分)

(3)正确套袋。(30 分)

(4)正确授粉。(30 分)

四、棉花杂交技术

(一)目的要求

了解棉花的花器构造和开花习性,掌握棉花的杂交技术。

(二)技能内容

1. 棉花的花器构造

见图 2-6。

2. 棉花的开花习性

棉花的开花顺序是,从第一果枝起,沿主茎由下而上、由内而外呈圆锥形螺旋式开放。一般情况下,花冠张开时,花药开裂散粉,以自花授粉为主,同时在昆虫传粉条件下也有一定程度的异花授粉,属常异花授粉作物。开花后,花冠逐渐变成红色。

(三)条件准备

(1)材料。盛花期不同棉花品种大田植株。

(2)仪器用具。麦管、棉线、吊牌、铅笔等。

(四)操作方法

1. 选株定蕾

见图 2-7。

(1)在杂交前一天下午 4 时左右,选具有母本或父本品种典型性状、健壮无病

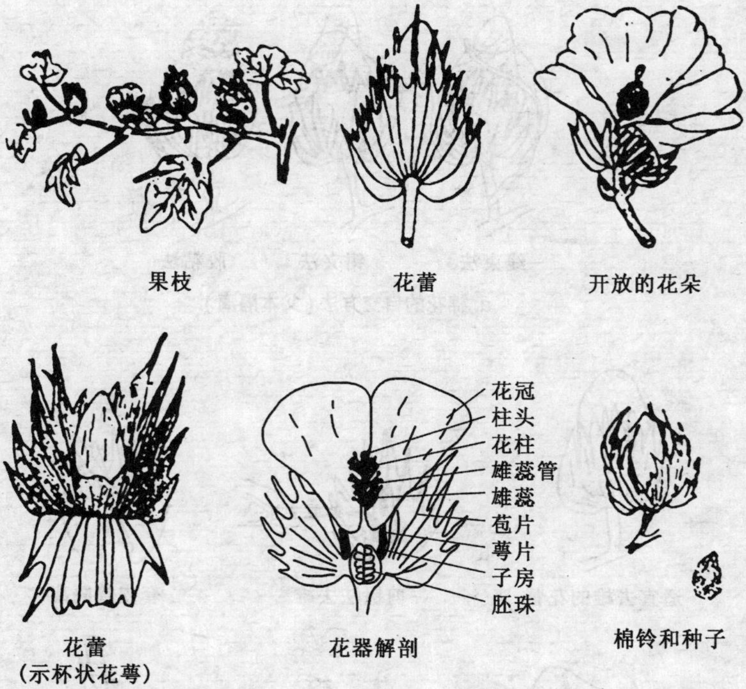

图 2-6　棉花花器构造示意图

虫害的植株。

(2)选取第 3～10 果枝的第 1～2 果节上估计次日将开放的花蕾，即花冠伸出苞叶 1.5 cm 以上、花冠仍折叠未开的花蕾。

2. 父本隔离

用棉线将选定的花蕾顶部扎住。注意扎得不要太紧，以免切断花冠；也不要太松，以免花冠张开，导致花粉混杂。该隔离措施也可作为棉花的自交方法。

3. 母本去雄

一般采用徒手剥冠法。

(1)拨开苞叶，从花萼基部撕开达子房表面裂口，用一手固定花朵，另一手顺裂口慢慢扭转，将花萼、花冠、雄蕊管一起剥下。注意勿伤柱头和子房，并留下苞叶保护雌蕊。

(2)选择粗细合适、上端带节的麦管，从柱头轻轻套下，麦管应高出柱头 1.5 cm 以上。

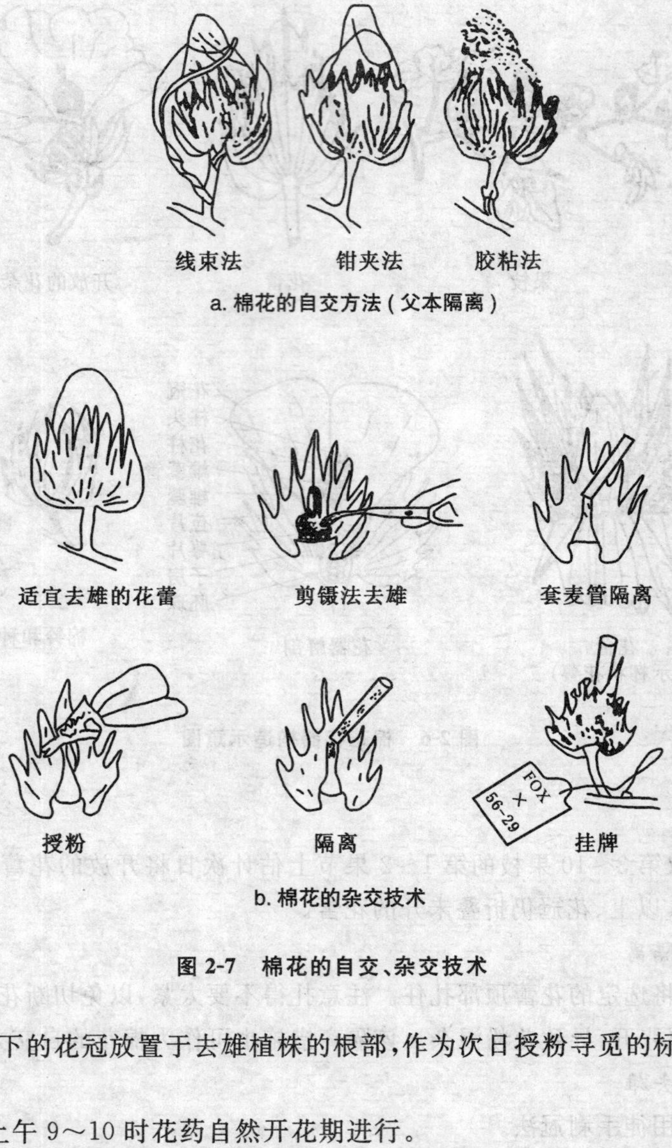

图 2-7 棉花的自交、杂交技术

(3)将剥下的花冠放置于去雄植株的根部，作为次日授粉寻觅的标记。

4. 授粉

一般在上午 9～10 时花药自然开花期进行。

(1)选取经隔离的父本花朵，剥开花冠，待花药开裂散粉时，取下母本柱头上所套的麦管，将父本花粉涂抹于母本柱头上后，再重新套上麦管隔离。

(2)授粉量大时，可以将隔离的父本花粉收集在玻璃皿中，用干净毛笔蘸父本花粉迅速均匀涂抹在母本柱头上。

5. 挂牌

授粉结束后，在花柄基部连同叶柄一起挂上标签牌，写明父、母本名称、杂交日期，并在田间记载本上注明，以备后用。

6. 管理

摘除杂交株上的老叶，整枝，打顶，摘边心和多余花蕾，改善通风透光条件和营养分配，提高结铃率和杂交种子数。

(五)作业与考核

1. 作业

(1)每人做杂交和自交各 10 朵花，并管理收获。

(2)在规定的 2 h 内，尽快完成去雄授粉、记载、挂牌，并田间管理，最后收获杂交种子，以此考核每个同学的操作熟练程度。

2. 考核标准

(1)正确选株定蕾。(20 分)

(2)正确父本隔离。(10 分)

(3)徒手去雄。(40 分)

(4)正确授粉。(10 分)

(5)授粉后管理。(20 分)

五、水稻杂交技术

(一)目的要求

了解水稻的花器构造和开花习性，掌握水稻的杂交技术。

(二)技能内容

1. 水稻的花器构造

见图 2-8。

2. 水稻的开花习性

一个稻穗的开花顺序是，上部枝梗的颖花先开，而后依次向下；同一枝梗上，由下而上开花。在自然条件下，水稻花粉的生活力只能维持 5 min 左右，柱头的生活力可维持 3～4 d，但开花当天或次日受精结实率最高。

(三)条件准备

(1)材料。不同水稻品种植株。

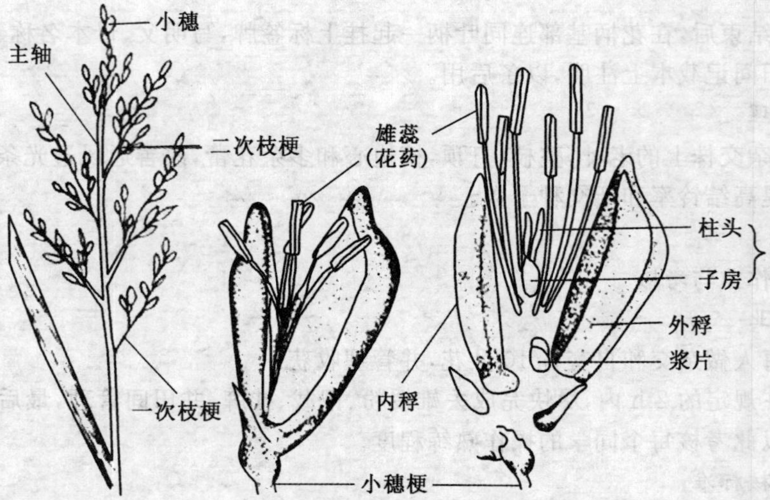

图 2-8 水稻的花器构造示意图

(2)仪器用具。剪刀、镊子、玻璃纸袋、标签牌、回形针、铅笔、广口暖水瓶、47℃左右温水、0～100℃温度计等。

(四)操作方法

1. 选穗

(1)选取具品种典型性状、生长健壮、无病虫害的植株。

(2)选取露出叶鞘 3/4 以上，已开过几朵花的稻穗，供去雄用。

2. 去雄

常用的去雄方法有以下两种。

(1)温汤杀雄。

①在自然开花前 1 h 左右，将广口瓶中的 47℃温水调节到 43～45℃，一般籼稻用 43～44℃，粳稻用 44～45℃。

②将母本穗倾斜进入暖水瓶温水中，持续 3～5 min，见图 2-9。

③取出稻穗，抖去穗上积水，待 5～10 min，即有部分颖花陆续开放。

④用剪刀剪去处理后未开放的花，留下已开颖的花。

⑤将已开放的颖花逐一斜剪去上端 1/3 的颖壳。

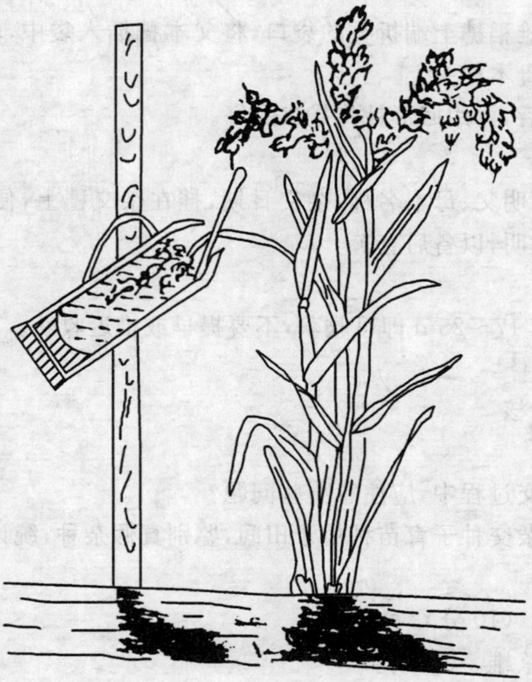

图 2-9　水稻温汤杀雄示意图

(2)剪颖去雄。

①整穗。一般在杂交前一天或杂交当天水稻开花前 1～2 h,选取露出叶鞘 1/2～2/3 的母本穗子,剥开叶鞘后疏花,即将上部已经开过的花和下部过嫩的花全部剪掉,留下中部预计次日能开的颖花(雄蕊长度达颖壳的 1/2 以上)。

②剪颖。将保留的颖花用剪刀逐一斜剪,剪去其上端 1/3 左右的颖壳。

③去雄。用镊子将 6 枚花药全部完整地夹出。

3.套袋

去雄后立即套袋,下端斜折,用回形针固定,以待授粉。

4.授粉

采用温水杀雄后,可以随即授粉。采用剪颖去雄,以当天授粉最好,也可在次日上午授粉。一般采用捻穗授粉法。

(1)选择性状典型、生长健壮的父本植株。

(2)剪下处于盛花的父本穗;或者选择当天开花较多的父本穗,逐一剪去每个颖花 1/2 的颖壳。

(3)打开已去雄稻穗上端折叠的袋口，将父本穗插入袋中，轻轻抖动和捻转几下，使花粉散落在母本柱头上。

(4)授粉完成后，再用回形针将袋口封好。

5. 挂牌

在标签牌上写明父、母本名称，杂交日期，挂在杂交穗上，便于收获时使用，并在田间记载本上注明，以备后查。

6. 收获

一般在杂交后 17～25 d 即可收获，不要提早或推迟收获。

(五)作业与考核

1. 作业

(1)在水稻杂交过程中，应注意哪些问题？

(2)将收获的杂交种子育苗种植于田间，鉴别真假杂种，统计杂交种的纯度。

2. 考核标准

(1)正确整穗。(10 分)

(2)正确温汤杀雄。(40 分)

(3)正确剪颖去雄。(20 分)

(4)正确授粉。(10 分)

(5)正确收获。(10 分)

六、甘薯诱导开花与杂交技术

(一)目的要求

了解甘薯的花器构造和开花习性，掌握诱导甘薯开花的方法和甘薯的杂交技术。

(二)技能内容

1. 甘薯的花器构造

见图 2-10。

甘薯的花多着生于叶腋，一般由多个花集生在花轴上成为聚伞花序，为雌雄同花。花萼通常为 5 片，花冠由 5 个花瓣联合成漏斗状，一般为淡红色，也有紫色或白色。雄蕊 5 枚，长短不齐，雌蕊 1 枚，柱头二裂，少数三裂，上有许多乳状突起。子房上位，2～4 室。

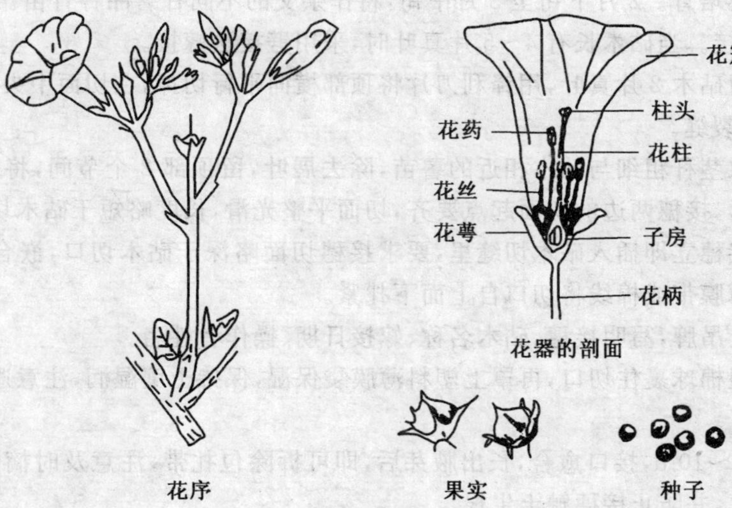

图 2-10　甘薯的花器构造

2. 甘薯的开花习性

甘薯现蕾后 25 d 左右开花，上午 5～8 时开花，午后花冠凋萎，次日早晨脱落。每朵花从花冠露出至花冠脱落需 48 h 左右。开花前部分花药开裂，花粉成熟，开花后 2 h 全部开裂。柱头傍晚枯黄，夜间脱落。甘薯的开花顺序是，先从茎蔓基部花序开起，逐渐向顶端花序开放。在同一花序上，中央主轴花先开，然后两边侧枝的花蕾交互开放。

(三)条件准备

(1)材料。供作砧木用的牵牛花，供作接穗用的甘薯品种。

(2)仪器用具。遮光箱、盆钵、剪刀、镊子、刀片、培养皿、塑料薄膜袋、塑料薄膜带、棉线、湿棉球、回形针、吊牌、铅笔等。

(四)操作方法

1. 诱导甘薯开花

采用嫁接与短日照处理相结合的重复诱导法，一般步骤如下：

(1)砧木和接穗的培育。

①砧木培育。选用牵牛花作砧木，4 月上中旬将种子分批播种在盆钵内。管理上掌握前促后练，使其粗壮，防止老化中空，保证适龄嫁接，提高成活率。

②接穗培育。2月下旬至3月中旬，将作杂交的不同甘薯品种育苗。

(2)嫁接。当砧木长有4～5片真叶时，采用劈接法嫁接。

①下留砧木2片真叶，用锋利刀片将顶部横向平行切掉，在切面中央向下直劈深约2 cm裂缝。

②切取茎秆粗细与砧木相近的薯苗，除去展叶，留顶部2个节间，将基部两边斜削成楔形，接穗两边的切面起点要齐，切面平整光滑，长度略短于砧木切口。

③将接穗立即插入砧木切缝里，要求接穗切面略深于砧木切口，嵌合紧密，然后用塑料薄膜带或棉线将切口自上而下扎紧。

④挂上吊牌，写明接穗、砧木名称、嫁接日期、操作者姓名。

⑤用湿棉球裹住切口，再罩上塑料薄膜袋保湿，保持土壤湿润，注意避风，置于自然光照下。

⑥经7～10 d，接口愈合，长出腋芽后，即可拆除包扎带，注意及时摘除砧木上萌发的枝芽，并防止接穗触土生根。

(3)搭架挂蔓。

①当接穗长到40～50 cm时，选择良好天气，移栽到大花盆内，每盆1株。

②当茎蔓伸长时，每株保留1～2个枝条，搭架挂蔓。

③中、后期适当保留砧木一些短枝条，防止砧木死亡。

(4)短日照处理。

①搭架挂蔓后，每天8～10 h的短日照处理，上午8时开始受光，下午4～5时后罩上遮光箱开始黑暗，连续处理，直至现蕾。

②如在7～8月份现蕾开花，尚处于长日照条件下，需要继续处理，以防停止现蕾开花。

③高温季节注意遮光箱内通风降温，低温天气注意保温防寒。加强培育管理，防止植株徒长瘦弱，以利保蕾。

2.甘薯杂交技术

(1)父本隔离。在开花前一天下午4时后，将选定的父本(花冠紧包，尚未开裂，长1.5～2 cm)用回形针夹住花冠顶部，或用棉线捆扎。

(2)母本去雄。对于自交不育的甘薯材料，一般不去雄，直接选次日将开花的花朵隔离待授粉即可。对于自交亲和的材料必须去雄，其方法如下：

①选母本主茎或第一、二侧枝上的花序，摘去花序上已开放的花朵和幼小花蕾，保留次日将开放的花朵去雄。

②用镊子在花冠一侧划开一条缝，以手指轻压花冠顶部，使其张开，用镊子从开口处伸入，夹出全部5枚花药。

③将花冠复原，用棉线扎住隔离。

④挂上吊牌，写明母本代号或名称、去雄日期和操作者姓名。

(3)授粉。

①拨开父本花冠，用镊子将花药取出，置于培养皿中。如父本花较多，可直接摘花置于培养皿中。

②拨开母本花冠，用镊子夹取培养皿中已开裂散粉的花药，轻轻涂抹在柱头上，或将采摘的父本花朵，翻卷花瓣，直接将花粉涂抹在母本柱头上。为了提高结果率，可在 0.5～1 h 内再重复授粉一次。

③授粉后复原母本花冠，扎上棉线继续隔离，并在吊牌上补写父本代号或名称和授粉日期。

(4)收获。授粉后 3～5 d，若子房保持正常绿色，并开始膨大，表明已受精结实。授粉后 1～1.5 个月，当果柄干枯，果皮变成枯褐色时，表明果实成熟，应及时收获，防止果实爆裂，种子脱落。

(五)作业与考核

1. 作业

(1)以牵牛花为砧木，薯苗为接穗，每人嫁接 5 株，并进行管理，并观察嫁接苗的成活率。

(2)待甘薯开花后，每人杂交 10 朵花，1 周后观察子房膨大情况。

(3)待甘薯开花后，选取不同甘薯品种的花朵套袋隔离自交，观察自交结实情况。

(4)如何测定甘薯的自交不亲和群？

(5)如何打破甘薯种子的休眠，培育实生苗。

2. 考核标准

(1)观察甘薯的花器结构和开花习性。(10 分)

(2)砧木和接穗的培育。(20 分)

(3)正确嫁接。(30 分)

(4)短日照处理。(30 分)

(5)去雄授粉。(10 分)

七、油菜的自交和杂交技术

(一)目的要求

了解油菜的花器构造和开花习性;通过练习,初步掌握油菜的自交和杂交技术。

(二)条件准备

(1)材料。不同甘蓝型油菜或白菜型油菜品种。

(2)仪器用具。喉头喷雾器、剪刀、镊子、培养皿、玻璃纸袋(10 cm×30 cm)、回形针、塑料牌、铅笔。

(3)药品试剂。70%酒精、10% NaCl。

(三)内容说明

1. 花器构造

油菜属十字花科芸薹属,常异花授粉(甘蓝型和芥菜型)或异花授粉(白菜型)作物。油菜的花序为总状无限花序,由主花序和分枝花序组成。在花序上互生许多单花,花由花柄、花萼、花冠和雌雄蕊等组成。花瓣 4 片与花萼 4 片互生,作十字形排列,称十字花冠。雄蕊 6 枚,侧面的一对为短花丝,中央的两对为长花丝,特称四强雄蕊。雌蕊由 2 心皮组成,由假隔膜(胚座框)将子房隔成两室。胚珠着生在心皮的边缘,为侧膜胚座(图 2-11)。

2. 开花习性

油菜的开花顺序是先主花序,而后第一分枝、第二分枝花序依次由上而下开放。同一花序的花朵无论是主花序还是分枝花序都是由下向上依次开放。油菜单株花期的长短因品种、气候和栽培条件而异,一般为 20～30 d,每天开花时间一般在上午 7～12 时,以 9～11 时开花最盛。油菜的开花散粉的最适宜相对湿度为 75%～85%,最适温度为 14～18℃。10℃以下开花数减少,5℃以下一般不开花。

油菜花的雌蕊较雄蕊先熟,且生活力较强,开花前后 7 天内柱头均具有受精能力,但以 2～3 d 内受精结实率最高。油菜的花粉落在柱头上 45 min 后即可发芽,经 18～24 h 完成受精过程。

3. 油菜的自交不亲和性

由于油菜的自交不亲和系具有自交不亲和基因,在开花前 1～2 d 柱头上可形

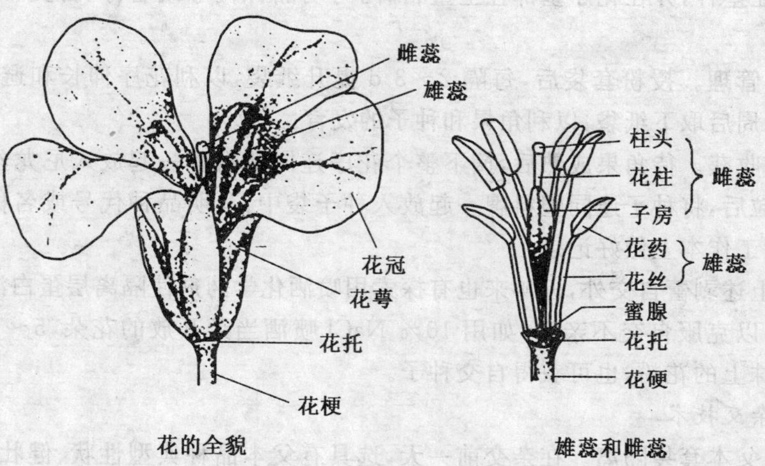

图 2-11　油菜的花器构造

成一种由特殊蛋白质组成的“隔离层”，它作为一种“感受器”能识别和阻止相同基因型的花粉发芽，一般套袋自交很难得到种子，因此，自交不亲和系的保持和繁殖，就必须在柱头未形成这类蛋白质的蕾期采用人工剥蕾授粉套袋自交或其他方法进行。

（四）操作方法

1. 自交技术

(1)选株隔离。在自交前一天，选具有该品种典型性状、健壮无病虫害的植株，用镊子摘除花序上已开放的花朵，然后套袋隔离。

于次日上午 9 时后，取下隔离纸袋，用镊子摘下主花序上当天开放的花朵，置于培养皿中，加盖，待授粉时使用。

(2)剥蕾授粉。

①整序。用镊子摘除同一株上将开放的、较大的花蕾和花序顶端的幼小花蕾，剩下开花前 2～4 d 的 15～20 个花蕾，供剥蕾授粉。

②授粉。用镊子将花瓣逐一剥开，使柱头外露(可以不去雄)，随即用镊子夹取培养皿中已开列散粉的花药，在剥开外露的柱头上轻轻涂抹授粉。

若有几个组合同时授粉，每授完一个组合用 70%酒精棉球擦手和镊子，杀死所蘸着的花粉。

(3)套袋挂牌。授粉后重新套袋，下端袋口斜折，用回形针固定，注意切忌将回形针夹住茎秆，并在花序基部挂上塑料牌，写明品种代号或名称、自交日期和操作者姓名。

(4)管理。授粉套袋后，每隔 2～3 d 提升纸袋，以利花序伸长和避免穿破纸袋，约 1 周后取下纸袋，以利角果和种子的发育。

(5)收获。待角果成熟后，摘下整个花序连同塑料牌一起放入尼龙丝网袋中，晒干脱粒后，将种子连同塑料牌一起放入种子袋中，写明品种代号或名称，妥为贮存，并在工作本上做好记录。

除上述剥蕾自交外，近年来也有探索用喷洒化学药剂使隔离层蛋白溶解、沉淀和变性，以克服自交不亲和，如用 10% NaCl 喷洒当天开放的花朵，5～10 min 后授以同株上的花粉，也可获得自交种子。

2. 杂交技术

(1)父本套袋隔离。在杂交前一天，选具有父本品种典型性状、健壮无病虫害的植株，用镊子摘去花序上已开放的花朵，然后套袋隔离，以供采粉。

(2)母本选株整序。在父本套袋隔离的同时，选具有母本品种典型性状、健壮无病虫害的植株，用镊子摘去花序上已开放的花朵和花序顶端的幼小花蕾，剩下次日即将开放(花萼已裂开、微露黄色)的 10～15 个花蕾供去雄。

(3)去雄。用左手固定花序和花蕾，右手用镊子分开萼片和花瓣，小心地将 6 枚雄蕊摘去，切勿损伤柱头和余留花药，如遇花药破裂，应将该花去除，并将镊子尖浸入酒精中，以杀死所蘸花粉。

(4)套袋挂牌。待所有花蕾去雄完毕后，立即套上纸袋，下端袋口斜折，用回形针固定。

(5)授粉。授粉于去雄后的当天或次日选晴朗天气进行。

①采粉。用镊子摘取事先已套袋父本花药已开裂的花朵，置于培养皿中，加盖。

②授粉。取下母本株上的纸袋，用镊子夹取培养皿中的花药，在母本柱头上轻轻涂抹授粉。授粉后立即套袋隔离，挂上塑料牌，写明组合代号或名称、杂交日期和操作者姓名，并在工作本上做好记录。

(6)管理收获和贮藏。授粉后的管理、收获和贮藏按自交步骤(4)、(5)进行。

(五)作业与考核

1. 作业

(1)每人做剥蕾自交和杂交各 2 个花序，每花序做 5～10 个花蕾，经 7～15 d 检查自交和杂交荚果数，统计结荚数和结实率。

(2)在油菜杂种优势利用中,如何利用自交不亲和性?

(3)除剥蕾授粉外,油菜的自交方法还有哪些?

2. 考核标准

(1)套袋隔离。(10 分)

(2)整序。(20 分)

(3)剥蕾。(40 分)

(4)去雄。(20 分)

(5)授粉。(10 分)

八、花生杂交技术

(一)目的意义

了解花生的花器构造、开花习性和下针结实的特点;通过练习,初步掌握花生的杂交技术。

(二)条件准备

(1)材料。不同花生品种。

(2)仪器用具。剪刀、镊子、培养皿、红塑料绳或小竹牌、塑料牌、铅笔。

(3)药品试剂。70%酒精。

(三)内容说明

1. 花器构造

花生为豆科蝶形花亚科落花生属,自花授粉作物。花序为总状花序,在花序轴的每个节上的苞叶叶腋中着生一朵花。花为蝶形花,其基部最外层有一长桃叶形苞叶,包围在花萼管基部的最外层,称外苞叶,其内有一片二叉状内苞叶。花萼基部连合成花萼管,其上部为 5 片花萼,其中 4 片连合,1 片分离。花冠由旗瓣以及翼瓣、龙骨瓣各两片组成,龙骨瓣两片连合一起向上方弯曲,内包雌雄蕊。雄蕊 10 枚,通常 2 枚退化,8 枚发育正常,着生在花萼管上方,花丝基部连合成雄蕊管,为单体雄蕊,8 枚花药中有 4 枚为长圆形,其中 3 个二室 1 个一室,成熟较早并先散粉;另 4 枚为圆形,一室,发育较迟,散粉慢。长、圆花药相间排列,形成上下两层。雌蕊 1 枚,花柱细而长,自花萼管中伸出到龙骨瓣内,柱头呈弯勾形,子房上位一室,内含 1～5 个胚珠(图 2-12)。

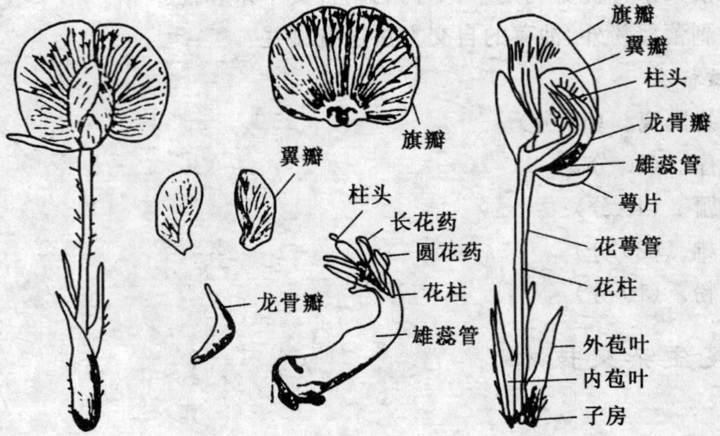

花的外观　　雄蕊管及雄蕊的柱头　　花的纵切面

图 2-12　花生的花器构造

2. 开花、下针及结实习性

连续开花型品种主茎展开叶 7～8 片时，交替开花型品种主茎展开叶 8～9 片时开花，前者在始花后 10～20 d 即可达到盛花期，后者在始花后 20～30 d 或 30 d 后可达盛花期。花生开花多集中在早晨 5～6 时，至当天傍晚凋萎。其开花顺序一般是从下部侧枝向上部侧枝，同一侧枝上的花则自内向外开放。花瓣开放前，长花药即可开列散粉，圆花药散粉较晚。温度低于 18℃或高于 35℃都不能受精。

花生的花期较长，但前期花不但有较高受精率，而且有较强的生活力，因此杂交时要采用前期花，在始花期 5～7 d 后开始杂交。花生在开花受精后 3～6 d 即可形成肉眼可见的子房柄，子房柄连同位于其先端的子房合称果针，果针入土(即下针)到一定深度后，子房柄停止生长，子房横卧发育成荚果。

(四)操作方法

1. 选株定花

(1)在杂交前 1 d 下午 4～5 时，选择具有母本品种典型性状、生长健壮无病虫害的植株。

(2)选取植株基部两对侧枝的基部 3 节的花朵。当第 2 对侧枝长出后，可将主茎去掉，以提高侧枝花朵的下针结实率。

(3)在选定的花节上，选花萼管已开始伸长(1 cm 左右)、花萼微裂、微露黄色花冠、次日早晨能正常开花的花蕾去雄。

2. 去雄

(1)用左手拇指和食指捏住花萼基部，右手用镊子将花萼的1个萼片轻轻拉开，再用镊子拨开旗瓣和翼瓣，并用左手拇指轻轻压住以免合拢，或轻压龙骨瓣的弯背处，使柱头和雄蕊露出，随后用镊子将8枚花药取出。

(2)去雄时应尽量保持花冠的完整，不要碰伤柱头和夹破花药。去雄后将旗瓣、翼瓣和龙骨瓣整理复原包住柱头，以免昆虫串粉混杂。

(3)最后将同一花序中未去雄的花朵全部摘除。一般每个花序只杂交1朵花。

3. 授粉

去雄后第2天早晨7时左右进行授粉。

(1)授粉前从具有父本品种典型性状的植株上选取当天开放的花朵，用镊子取出刚开裂散粉的花药，置于培养皿中。

(2)把已去雄的母本花朵拨开，用拇指轻轻压开龙骨瓣，使柱头露出，用镊子蘸取花粉或夹取散粉的花药，轻轻地涂在母本的柱头上，在柱头授到大量花粉后，再将龙骨瓣复原。

(3)最好每一母本株上的花朵只授1个父本的花粉(即做同一个组合)，一个组合授粉完毕后，将镊尖浸入70%的酒精中，以杀死所蘸花粉。

4. 挂牌

授粉完毕后，在杂交花所在节位上挂上塑料牌，写明杂交组合代号或名称、杂交日期、操作者姓名，如1株母本只做1个组合，则只需在侧枝上挂上塑料牌即可。

5. 果针的标记

若杂交成功，授粉后10 d左右，待果针伸出后入土前，应用红塑料绳套在伸出的果针上，或在果针入土处插上小竹牌，作为杂交果收获的标记，并在工作本上记录。

6. 管理

为使果针易于入土，发育成健壮的荚果，要保持植株下针结实范围内的土壤疏松透气，营养充足，对已入土的果针或开始结实的荚果，如发现露出土面，应立即埋入土中，以利正常结实。

7. 收获贮藏

一般约2个月后荚果成熟，此时应以组合为单位，根据果针上的标记收获杂交果，连同塑料牌一起单收单晒，晒干后妥善保存，以备下年播种。

(五)作业与考核

1.作业

(1)请指出连续开花型和交替开花型的差异。

(2)每人用1株母本杂株杂交5～10朵花,并于授粉1周后检查杂交花的果针是否伸出,统计杂交成功率。

2.考核标准

(1)选株。(10分)

(2)定花。(20分)

(3)去雄。(40分)

(4)授粉。(10分)

(5)挂牌。(10分)

(6)果针的标记。(10分)

九、大豆杂交技术

(一)目的意义

了解大豆的花期构造和开花习性。通过练习,初步掌握大豆的杂交技术。

(二)条件准备

(1)材料。不同大豆品种。

(2)仪器用具。剪刀、镊子、放大镜、塑料牌、铅笔。

(3)药品试剂。70%酒精。

(三)内容说明

1.花器构造

大豆属豆科,蝶形花亚科大豆属自花授粉作物。总状花序,着生在主茎和第一次分枝的叶腋内(腋生花序)或植株顶端(顶生花序)。通常花序有15朵花,但长花序品种多达30多朵花。大豆的花由花萼、花冠和雌雄蕊组成,花萼5片,位于花的最外层,基部连合成筒状。花冠呈蝶形,顶端较大的一片为旗瓣,两侧对称的两片为翼瓣,下面两片较小的为龙骨瓣,龙骨瓣弓形包被着雌雄蕊。雄蕊10枚,其中9枚的花丝连在一起成管状,1枚单生,为二体雄蕊。雌蕊位于雄蕊中央,花柱较长而弯曲,柱头球形,子房一室,内有1～4个胚珠(图2-13)。

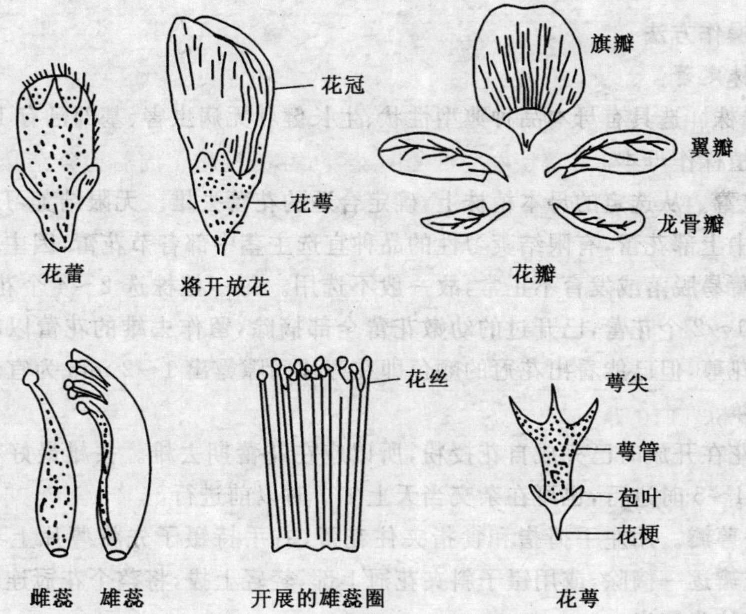

图 2-13　大豆的花器构造

2. 开花习性

大豆的开花顺序因结荚习性而异。无限结荚习性的大豆，其开花顺序是由内向外，由下向上，随主茎的生长而不断开放，一般不形成明显的顶端花序，花期较长，可达 30～40 d，结荚分散。有限结荚习性的大豆，主茎出现顶端花序较早并较发达，一般主茎中上部先开花，并往上下两个方向和由内向外呈螺旋式开放。花期集中且较短，一般为 15～20 d，同一花序中，基部的花先开，上下相邻两花序的花期相差 1 d，同一花序相邻花朵其花期也相差 1 d 左右。

从现蕾到开花一般需 3～7 d，雌雄蕊在开花前已成熟，当花冠展开时花药破裂自花授粉，所以其天然异交率一般仅为 0.5%～1%。大豆一般在上午 6～11 时开花，8 时左右开花最盛。始花后的 5～7 d 进入盛花期。开花的最适温度为 25～28℃，相对湿度为 80%左右。

在自然条件下，大豆的花粉生活力一般能保持 4 h，柱头的生活力可维持 2～3 d。大豆开花授粉后花粉在柱头上 2 h 内即发芽伸入柱头，经 8～10 h 便完成受精过程。

(四)操作方法

1. 选株定蕾

(1)选株。选具有母本品种典型性状、生长健壮无病虫害、基部已有1～2个花序开花的植株作母本。

(2)定蕾。从选定的母本植株上,确定合适的花蕾去雄。无限结荚习性的品种宜选主茎中上部花蕾,有限结荚习性的品种宜选主茎中部各节花蕾,因主茎基部和顶端的花蕾易脱落或发育不正常,故一般不选用。每一植株选2～4个花序,每一花序选留1～2个花蕾,已开过的幼嫩花蕾全部摘除,留作去雄的花蕾以花冠尚未完全伸出花萼,但已能看出花冠的颜色即在萼片间隙露出1～2 mm为宜。

2. 去雄

大豆花在开放时已完成自花授粉,所以应在花蕾期去雄。去雄最好在杂交前一天下午4～5时进行,也可在杂交当天上午7时以前进行。

(1)去萼瓣。用左手拇指和食指夹住花蕾,右手持镊子先将萼片上半部分摘除,再将花瓣逐一摘除,或用镊子斜夹花冠上部,轻轻上拔,将整个花冠连同雄蕊一起拔除,使柱头露出。

(2)不去萼瓣。如不去萼瓣,则用镊子将旗瓣和翼瓣分开,使龙骨瓣露出,再用镊子尖沿龙骨瓣的突起部位,将龙骨瓣剖开,用手指压住,使雌雄蕊露出。

(3)去雄。用镊子轻轻夹住花丝除去全部花药,尤应逐一去除易隐藏在柱头下面花丝较短的单体雄蕊的花药,必要时用放大镜检查去雄是否彻底。花药已成熟并已散粉或去雄时碰破花药,应将该花摘除,并将镊子尖浸入酒精杀死所蘸花粉。

(4)隔离。去雄后,采摘邻近的新鲜叶片复裹住整个去雄的花朵,并用叶柄扣好隔离。

3. 授粉

上午去雄后即可授粉,若前一天下午去雄的,则次日上午7～10时授粉。

(1)采粉。在具有父本品种典型性状的植株上,选摘花瓣未开、龙骨瓣尚未裂开的花朵。

(2)授粉。将采集花朵的萼片摘除,剥开花瓣,露出花药,如花药开裂散粉,则可打开包裹在去雄花上叶子,将花药轻轻地在柱头上涂抹授粉,授粉后再用新鲜叶片包裹整个去雄花朵,并用叶柄扣好隔离,这样既起隔离保护作用,又可保持一定湿度。

4. 去赘芽

授粉后,将花序基部发育较迟的花芽去除,否则杂交不易成功。

5. 挂牌

授粉完毕后，在杂交花的花柄上挂上塑料牌，写明杂交组合代号或名称、授粉日期及操作者姓名，并在工作本上做好记录。

6. 管理

授粉1周后，去掉杂交花上包裹的叶片，如杂交成功，则子房已开始膨大，并检查摘去杂交花旁新长出的花蕾。为提高杂交成荚率，应加强水分管理，如遇干旱，杂交圃要及时灌溉，保持土壤水分充足，田间小气候湿润。

7. 收获和贮藏

成熟后，按组合及时收获杂交豆荚，晒干脱粒后，将同一组合的杂交种子连同塑料牌一起装入种子袋中，妥为保存。

(五)作业与考核

1. 作业

(1)如何提高大豆的杂交结实率？

(2)每人作杂交10朵花，其中留2朵只去雄不授粉，以检查去雄效果，1周后统计结实花率。

2. 考核标准

(1)选株定蕾(10分)。

(2)去雄。(40分)

(3)授粉。(10分)

(4)去赘芽。(20分)

(5)挂牌。(10分)

(6)管理。(10分)

第四节　农作物抗性鉴定

一、小麦抗条锈病的田间鉴定

(一)目的要求

练习小麦锈菌注射接种技术，学习和初步掌握小麦条锈病的田间鉴定方法。

(二)技能内容

1. 小麦锈病的种类

小麦锈病分条锈、叶锈和秆锈三种，由于三种锈病要求的环境条件不同，因而它们的分布地区和危害轻重也各不相同。黄淮麦区以条锈病和叶锈病危害最重，秆锈极少见。在小麦抗病育种实际工作中，对条锈病和叶锈病均采用人工接种进行田间鉴定，但本次实验仅对小麦条锈病进行田间鉴定。

2. 抗条锈性分级标准

衡量小麦品种对锈病的抗性和发病程度，常用以下三个指标：

(1)反应型。指小麦植株受病菌浸染后有保卫反应。可以用过敏性坏死的有无及强弱，夏孢子堆能否形成，生长量的大小等来判断。目测评定，其反应型可分为 6 级(见表 2-6)。

表 2-6　小麦品种对条锈病反应型的分级标准

抗性级别	抗性程度	品种反应的症状
0	免疫	叶片健康，没有病害症状
0;	近免疫	叶片上有点滴叶枯斑和失绿反应，但无夏孢子堆
1	高抗	叶片夏孢子堆很小且很少，孢子周围有褪绿和枯死斑
2	中抗	夏孢子堆小到中等，较分散，周围有枯死和失绿现象
3	中感	夏孢子堆中等大小，数量较多，周围组织无枯死反应，但有失绿现象
4	高感	夏孢子堆大而多，连成条纹，串联成片，早期叶片既无枯死也无褪绿现象

(2)普遍率。指病害发生的普遍程度，即发病叶片数占调查总叶片数的百分率。一般用目测估计法观察记载，也可精确调查记载。

(3)严重度。指病叶上孢子堆占叶面积的百分率，表示病害发生的严重程度。严重度分级标准目前还不统一，但多数采用 7 级分级标准(见表 2-7)。

表 2-7　小麦品种抗锈性严重度分级标准

抗性级别	孢子堆占叶面积百分率(%)
0	无孢子堆
1	<5
2	6～10

续表 2-7

抗性级别	孢子堆占叶面积百分率(%)
3	11～25
4	26～40
5	41～65
6	>66

3. 锈菌接种方法

一般可用的接种方法有涂抹、注射、喷雾和喷粉等，最常用的方法是注射接种法。其方法是：

(1)试验田接种时间。应在日平均气温稳定通过 10℃(在毛白杨穗状花序下垂至柳树萌芽阶段)，此时接种发病快，效果好。

(2)菌液浓度。适宜浓度为 1 g 菌粉/1 000 mL 水。

(3)菌液配制。将 0.5 g 菌粉轻轻置入洁净干燥烧杯底，集中一处勿分散，用注射器滴 2～3 滴水，用玻璃棒端部充分研磨，至水滴消失，继而再滴水，再研磨，直至菌粉湿润黏结成油泥状，方可逐渐加水搅拌，稀释至 500 mL，制成均匀一致的孢子悬浮液。

(4)接种方法 用注射器吸取菌液，选择能成穗的大蘖，将针孔平面斜朝上方，于心叶交叉处刺入叶鞘中心，轻轻施压，使菌液沿叶鞘中孔上流，看到心叶交叉处将有水珠涌出即可。

(三)条件准备

(1)材料。诱发材料，待鉴定的小麦品种。

(2)仪器用具。0.5 g 条锈菌孢子粉、500 mL 烧杯、玻璃棒、5 mL 注射器等。

(四)操作方法

1. 菌液配制

(1)由教师示范菌液配制方法。

(2)田间锈病大发生后，采集部分菌粉，同学们练习菌液配制技术。

2. 注射接种

(1)练习接种技术。以清水代替菌液，认真练习注射接种技术，要求达到熟练操作。

(2)在诱发行上接种。诱发行种植的是高度感染条锈病的品种。选部分技术最熟练的同学，由教师指导，在诱发行上接种配制好的菌液。

3. 发病观察

(1)发病过程观察。接种后定期观察，记录诱发行开始发病时间和锈病盛发时间。

(2)区分条锈病和叶锈病。条锈菌夏孢子堆较小，黄色，排列成条状，与叶脉平行。叶锈菌夏孢子堆红褐色，圆形或近圆形，无规则散生。

4. 病情鉴定

在田间锈病发展到高峰时进行，每份材料逐个鉴定记载。

(1)鉴定小麦品种抗锈性的反应型，并目测鉴定普遍率和严重率。

(2)鉴定杂种后代的反应型。

(五)作业与考核

1. 作业

(1)动手实践，在田间锈病发展高峰期，采集条锈菌或叶锈菌，或两种混合菌新鲜孢子，配制孢子悬浮液。

(2)简述在注射接种过程中，应注意哪些问题。

2. 考核标准

(1)正确掌握田间接种时间。(10 分)

(2)掌握菌液配置技术。(20 分)

(3)掌握注射接种技术。(30 分)

(4)区分条锈病与叶锈病症状。(10 分)

(5)掌握条锈病与叶锈病记载标准。(30 分)

二、小麦抗蚜性鉴定

(一)目的要求

观察小麦蚜虫种类，初步掌握小麦抗蚜性鉴定方法和技术。

(二)技能内容

1. 小麦蚜虫的种类

在我国，为害小麦的蚜虫主要有麦长管蚜、麦二叉蚜和黍缢管蚜三种。蚜虫为多型性昆虫，但以无翅和有翅胎生雌蚜发生数量最多，出现历期最长，是主要危害蚜型。

表 2-8　三种麦蚜的无翅和有翅胎生雌蚜形态

种类	形态特征		
	无翅型、有翅型共同特征	无翅型	有翅型
麦长管蚜	触角长于体长。腹管长，多长过腹末。额瘤明显	体淡绿至深绿，腹背常有黑斑。复眼暗红色。腹管长筒形，黑色，端部具网状纹	前翅中脉 3 叉。腹管长筒形，黑色，端部具网状纹
麦二叉蚜	触角短于体长。腹管较短，多不超过腹末。额瘤不明显	体淡绿至黄绿，腹背中央有黄绿至深绿纵线。复眼紫黑色。腹管淡黄绿色，顶端黑色	前翅中脉 2 叉。腹部绿色，腹背中央有黄绿至深绿纵线。腹管绿色，端部色暗
黍缢管蚜	触角短于体长。腹管较短，多不超过腹末。额瘤不明显	体暗绿色至黑绿色。腹部腹管周围多为暗红色。复眼黑色，腹管亦黑色	前翅中脉 3 叉。腹部暗绿紫色，腹背两侧及腹管中间有黑色斑纹。腹管黑色

2. 小麦抗蚜性分级标准

小麦抗蚜性鉴定可分田间成株期鉴定和室内苗期抗蚜性鉴定，苗期抗蚜性和成株期抗蚜性间有明显的正相关。本实验采用田间成株期鉴定。我国对小麦抗蚜性的分级，目前尚无统一的标准，现介绍其中之一（见表 2-9）。

表 2-9　小麦田间成株期抗蚜性分级标准

抗性级别	抗性类型	单穗蚜虫量（头/穗）
1	免疫	0
2	高抗	1～5
3	抗	6～10
4	感	11～30
5	高感	＞30

（三）条件准备

材料准备。抗蚜性差异明显的小麦品种。

(四)操作方法

1. 材料种植

在适宜播期内,采用常规播量,每个品种2行区种植,随机排列,3次重复。鉴定田除不施农药外,其余各项管理与大田相同。

2. 蚜虫量调查

在小麦成株期的蚜虫盛发期,每个供试品种的各小区随机抽取5个单茎,分别记录单穗、旗叶上的蚜虫头数,调查应在一天内完成。然后统计单穗、旗叶、单茎平均蚜虫头数,并划分抗蚜性级别。

3. 蚜虫种类调查

在蚜虫量调查后,在每个供试品种的任一小区随机抽取5个单穗,分别调查麦长管蚜、麦二叉蚜和黍缢管蚜三种蚜虫数量,并统计其平均数。

(五)作业与考核

1. 作业

(1)根据鉴定结果,对各鉴定品种的抗蚜性作简要评价分析。

(2)在小麦孕穗期至灌浆期,分期调查蚜虫发生危害情况,初步分析总结本地区小麦蚜虫发生危害规律。

2. 考核标准

(1)区分麦长管蚜、麦二叉蚜和黍缢管蚜三种蚜虫。(50分)

(2)掌握小麦田间成株期抗蚜性分级标准。(20分)

(3)观察小麦蚜虫发生发展过程。(30分)

三、小麦抗旱性鉴定

(一)目的要求

学习小麦抗旱性的田间鉴定技术。

(二)技能内容

小麦所受的干旱有大气干旱、土壤干旱及混合干旱三种类型。小麦的抗旱性是指品种对于土壤干旱和大气干燥的抵抗能力和忍耐能力。小麦品种的抗旱性是由多种因素形成的较为复杂的综合性状,抗旱品种和不抗旱品种在生态、形态和生理等方面都存在着明显的差异,可作为小麦品种抗旱性鉴定的依据。鉴定小麦抗旱性方法有多种,本实验主要介绍两种。

1.田间直接鉴定法

当干旱来临时,小麦植株由于缺乏水分而开始受害,一般情况下会逐渐凋萎,叶片变黄而干枯。但在相同干旱条件下,不同小麦品种对干旱的反应不同,据此可采用下面5级指标评定品种的抗旱性。

1级:全株叶片均凋萎并干枯。

2级:植株上有一半以上的叶子凋萎,叶片显著变黄。

3级:植株上的叶子凋萎将近一半。

4级:有微弱的凋萎和叶片变黄现象。

5级:植株生长发育基本良好,没受干旱的明显影响。

2.抗旱系数比较法

小麦受旱产量与正常产量之比称为抗旱系数。抗旱系数越高,说明小麦品种的抗旱性越强,稳产性越好。

(三)条件准备

材料准备。抗旱性差异明显的不同小麦品种。

(四)操作方法

1.田间直接鉴定

(1)鉴定时期。孕穗到抽穗期是小麦需水的临界时期,此期干旱对产量影响很大,一般选择这个时期进行抗旱性鉴定。具体鉴定时期的选择,还主要取决于当时的天气条件,除孕穗到抽穗期外,也可选择开花到灌浆期。

(2)鉴定方法。小麦生育前期保持土壤适宜的水分,孕穗到抽穗期停止供水,对照继续供水。待干旱发生较重时,逐个观察鉴定各试验品种的抗旱性强弱。

2.抗旱系数测定

(1)处理方法。进入开花灌浆期直至成熟期,试验区仍不供水,保持土壤干旱,对照区继续供水。

(2)收获计产。成熟后及时收获,分别称量各品种试验区及对照区产量。

(3)数据计算。抗旱系数=试验区产量/对照区产量。

3.抗旱性分析

(1)性状调查。分别在各品种试验区及对照区,随机抽取20个单茎,统一调查株高、穗长、穗叶距、叶长、叶宽等性状,并计算群体平均值。

(2)综合分析。结合田间直接鉴定、抗旱系数测定和性状调查结果,分析各小麦品种的抗耐旱性强弱。

(五)作业与考核

1. 作业

(1)根据实际观察,你认为小麦抗旱品种一般具有哪些形态特点?

(2)请设计一种小麦抗旱性鉴定方法。

2. 考核标准

(1)结合实际情况分析小麦干旱类型。(10分)

(2)掌握小麦抗旱性记载标准。(40分)

(3)测定小麦品种的抗旱系数。(30分)

(4)观察抗旱小麦品种的形态性状。(20分)

四、小麦抗倒性鉴定

(一)目的要求

学习掌握小麦抗倒性的田间鉴定技术。

(二)技能内容

1. 小麦倒伏类型

小麦倒伏分为茎倒伏和根倒伏两种类型,生产上茎倒伏最为普遍,根倒伏也时有发生。倒伏是造成小麦减产的重要原因之一,而且倒伏对子粒品质也有很大影响。

(1)茎倒伏。由于茎基部机械组织不发达或第1、2节间细长,难以承载植株重量,使其茎秆弯曲或折断而发生倒伏。

(2)根倒伏。虽然植株茎秆坚韧,但由于根系不发达,在风雨交加或灌水后遇风条件下,使其茎秆倾斜而发生倒伏。

2. 倒伏程度分级

小麦倒伏程度分为四级。

0级:植株直立未倒;

1级:轻微倒伏,植株倾斜度0°~15°。

2级:中等倒伏,植株倾斜度15°~45°。

3级:严重倒伏,植株倾斜度45°以上。

3. 倒伏指数的测定方法

(1)植株重心高度(H)。茎秆基部至该茎(带穗、叶、鞘)平衡支点的距离。

(2)地上部鲜重(G)。带穗、叶、鞘的完整地上部单茎鲜重。

(3)茎秆抗折力(S)。取基部第二节间 5 cm(去叶鞘),在中部挂一沙袋,逐渐向沙袋内加沙,直至茎秆折断,所用沙和袋的重量。

(4)倒伏指数。植株重心高度(H)和地上部鲜重(G)的乘积与茎秆抗折力(S)之比。即倒伏指数$=H\times G/S$

(三)条件准备

(1)材料。抗倒性差异明显的小麦品种。

(2)用具。直尺、天平、沙袋、干沙等。

(四)操作方法

1. 记载倒伏程度

(1)鉴定时间。小麦在抽穗后至成熟前,该阶段如遇风雨,容易发生倒伏。

(2)鉴定次数。不同小麦品种倒伏时期不尽相同,应视情况鉴定 1~3 次。

(3)倒伏程度。目测各小麦品种各倒伏点的平均倒伏程度。

(4)倒伏面积。倒伏植株占全区的百分率。

2. 测定倒伏指数

(1)抽取样本。各品种每区随机抽取 20 个有代表性的单茎。

(2)测定项目。先测定植株重心高度(H)和地上部鲜重(G),再测定茎秆抗折力(S),最后计算各品种倒伏指数。

3. 倒伏原因分析

(1)倒伏时间。记录倒伏发生日期。

(2)气象记录。记录倒伏发生时的风力、雨量等。

(3)植株高度。测量地表至穗顶部高度。

(4)群体大小。调查各品种每区 1 m^2 的单茎数。

(5)恢复情况。观察各品种倒伏后恢复力强弱。

(6)倒伏类型。检查茎秆基部是否弯曲或被折断,区分倒伏类型。

(7)综合分析。结合倒伏程度、倒伏指数等相关因素,综合分析造成倒伏的主要原因。

(五)作业与考核

1.作业

(1)根据实际观察,综合分析主要小麦品种抗倒性强弱。

(2)调查不同小麦品种倒伏后病害流行情况。

(3)测定主要小麦品种倒伏后的减产情况。

2.考核标准

(1)结合田间实际分析小麦倒伏原因。(30分)

(2)正确判断倒伏类型。(20分)

(3)掌握倒伏记载标准。(20分)

(4)正确测定倒伏指数。(30分)

五、小麦抗寒性鉴定

(一)目的要求

了解小麦寒害类型,掌握小麦苗期抗寒性的鉴定方法与标准。

(二)技能内容

小麦寒害是黄淮麦区常见的重要自然灾害,它与品种、气候、栽培管理等都有密切关系,选育抗(耐)寒品种,是防止小麦寒害最经济有效的方法。

1.小麦寒害的类型

小麦寒害有冻害、霜害、冷害等。冻害是小麦越冬期间,气温下降到冰点以下使小麦体内结冰而引起的伤害。霜害是小麦拔节期间,天气突然降温引起伤害。冷害是小麦拔节后,遇到0℃以上低温而引起的伤害。

2.小麦寒害的表现

小麦遭受寒害后的症状表现形式多种多样,主要有单株叶片、幼穗及分蘖部分或全部死亡、小花败育不实和穗部畸形等。

3.小麦冻害的标准

主要依据叶片和分蘖受冻害的程度划分,一般分为以下5级(见表2-10):

表 2-10　小麦冻害的分级标准

分级	冻害症状
1	叶片无冻害
2	仅叶尖受冻
3	叶片冻死 1/2
4	整片叶冻死
5	整株被冻死

4. 抗寒性鉴定方法

小麦抗寒性鉴定方法有田间直接鉴定、人工气候模拟鉴定和实验室生理生化间接鉴定。本实验采用田间直接鉴定小麦越冬期冻害。

（三）条件准备

越冬期抗冻性差异明显的小麦品种的田间生长的幼苗。

（四）操作方法

1. 气象条件记载

记载越冬期间的最低温度及出现日期、降温幅度、低温持续时间等，以便分析研究。

2. 冻害观察记载

(1)原始材料。任选 20 份材料，观察记载其冻害等级。

(2)品种比较。在品种比较试验中，观察记载主要小麦品种的冻害级别。

（五）作业与考核

1. 作业

(1)结合冻害鉴定结果，简要分析评价主要小麦品种的抗寒性。

(2)观察不同生育时期小麦受寒害后的各种症状。

(3)小麦叶片受冻与生理黄叶有何异同?

(4)分析小麦抗寒性与冬春性之间的关系。

2. 考核标准

(1)观察总结各种小麦寒害的症状。(40 分)

(2)掌握小麦冻害的分级标准。(40 分)

(3)区分小麦冻害与生理性黄叶。(20 分)

第五节 农作物育性观察与鉴定

一、农作物育性的一般鉴定

(一)目的要求

学习和初步掌握作物育性鉴定的一般方法。

(二)技能内容

作物的育性通常指花粉育性。花粉育性鉴定有形态鉴定、自交和杂交测定、花粉染色鉴定、花粉发芽鉴定等方法。

1. 形态鉴定

主要检查有无花药,花药大小和形状,花药能否正常开裂,有无花粉,花粉多少,花粉形状等。

2. 自交和杂交测定

(1)套袋自交。通过套袋自交,检查结实情况。如果自交结实正常,表明雌蕊、雄蕊发育均正常;如果自交不结实或结实率低,可能是由于雄性不育或存在自交不亲合现象。

小花不育度=不育花数/总花数

(2)授粉异交。将试验花粉授于正常雌蕊,检查异交结实情况。如果异交结实正常,表明花粉可育;如果异交不结实或结实率低,表明花粉不育。

3. 染色鉴定

(1)I_2—KI 染色。正常花粉一般有较多的淀粉粒,遇 I_2—KI 呈紫黑色,不育花粉染色浅或不染色。

不育花粉率=不育花粉粒数/总花粉粒数×100%

(2)TTC 染色。氯化三苯基四氮唑(简称四唑或 TTC)可用于检查花粉呼吸过程中脱氢酶的活性。具有生活力的花粉中含有脱氢酶,它催化底物使脱下的氢与 TTC 结合,生成红色化合物甲腊。因此凡有生活力的花粉呈红色,生活力弱的呈浅红色,无生活力的不显色或呈黄色。

4. 花粉败育类型及育性分级

根据花粉形状、I_2—KI 染色情况和套袋自交结实情况,将不育系败育花粉分为 3 种类型(见表 2-11),将育性分为 5 级(见表 2-12)。

表 2-11　雄性不育系败育型花粉与正常可育花粉的比较

项目	碘败型	圆败型	染败型	正常可育
花粉形状	不规则形	圆形	圆形	圆形
碘反应	不染色	不染色或少量浅蓝色	蓝色	蓝黑色
套袋自交结实情况	不结实	不结实	不结实	结实

表 2-12　水稻育性分级标准　%

不育等级	全不育	高不育	半不育	低不育	正常育
不育花粉率	100	>95	94～70	69～50	<50
小花不育度	100	99～90	89～50	49～20	<20

(三)条件准备

(1)材料。T 型不育小麦、自交不亲合大白菜等。

(2)仪器用具。普通显微镜、载玻片、盖玻片、杂交袋等。

(3)药品。1% I_2—KI 溶液,Na_2HPO_4,KH_2PO_4,蒸馏水。

(四)操作方法

1. 雄蕊发育状况观察

(1)观察比较太谷核不育小麦、T 型不育小麦与正常小麦的雄蕊发育状况。

(2)观察比较自交不亲合大白菜与正常大白菜的雄蕊发育状况。

2. T 型不育小麦套袋自交结实调查

(1)整穗。选取 10 个麦穗,每穗保留中部发育良好的 5 排小穗,每小穗保留基部 2 朵小花,每穗共计保留 20 朵小花。

(2)套袋自交。不去雄,保留花药,使其自交。

(3)调查结实率。

结实率=结实粒数/处理小花数

3. 自交不亲合大白菜自交授粉异交结实调查

(1)套袋自交。选留 50 朵小花,套袋强迫自交结实,并计算自交亲合指数。

自交亲合指数=自交结实种子数/辅助自交花朵数

(2)授粉异交。将自交不亲合系花粉授于另一品种,杂交 50 朵小花,并计算异交亲合指数。

$$异交亲合指数=异交结实种子数/辅助异交花朵数$$

4. I_2—KI 染色鉴定花粉育性

(1)选取花粉。选取 T 型不育小麦与正常小麦的新鲜花粉。

(2)染色观察。在载玻片上滴 1 滴 1% I_2—KI 溶液,观察花粉是否染色和染色深浅情况。

5. TTC 染色鉴定花粉生活力

(1)试剂配制。

①Sorensen 磷酸缓冲液。称取 Na_2HPO_4 0.832 g,KH_2PO_4 0.273 g,溶于 100 mL 的蒸馏水中,pH 值 7.2。

②0.2%TTC 溶液。称取 0.2 g TTC,加上述磷酸缓冲液 100 mL,溶解后置暗处保存。

(2)TTC 染色。取已成熟的尚未开花的 T 型不育小麦与正常小麦花药各 5 个,切断花药两端,放入小烧杯中,加 0.2%TTC 溶液,使花药完全浸入反应液中,在 30℃左右温度下染色 30~60 min。

(3)压片镜检。取出花药,置于载玻片上,用解剖针压出花粉,去掉花药药壁组织,盖上盖玻片,镜检观察,取 5 个视野,统计花粉着色百分率。

(五)作业与考核

1. 作业

(1)T 型不育小麦的育性特点如何?

(2)大白菜自交不亲合系的育性特点如何?

2. 考核标准

(1)观察比较 T 型小麦不育系与保持系的育性特点。(20 分)

(2)观察大白菜自交不亲合系的育性特点。(20 分)

(3)掌握 I_2—KI 染色鉴定花粉育性。(30 分)

(4)掌握 TTC 染色鉴定花粉生活力。(30 分)

二、雄性不育系类型观察

(一)目的要求

观察雄性不育系的形态特征,了解雄性不育系的育性特点。

(二)技能内容

作物雄性不育是指雄性器官发育不正常,无花粉或虽有花粉但无受精能力的现象,而其雌性器官发育正常,能接受外来正常花粉受精结实。作物雄性不育主要包括质核互作不育、核不育两大类。目前,农作物杂种优势主要是利用不育系、保持系和恢复系三系配套,其次是光温敏雄性不育两用系,还有隐性单基因控制的核不育系,对显性单基因控制的核不育系也进行了较多研究。

(三)条件准备

(1)材料。水稻,小麦及玉米"三系",光温敏雄性不育水稻,棉花不育系,太谷核不育小麦等。

(2)仪器用具。普通显微镜、载玻片、盖玻片、杂交袋等。

(3)药品。1% I_2—KI 溶液。

(四)操作方法

1. 雄性不育系与保持系植株形态特征识别

见表 2-13 至表 2-15。

在不育系繁殖田或杂交制种田,对不育系及其保持系(或恢复系)进行逐行逐株观察,比较株型、株高、分蘖、叶色、抽穗开花时间,花药形态、颜色、开裂情况,颖壳张开时间、角度、花药柱头外露情况等。

表 2-13　水稻雄性不育系与保持系植株形态比较

性状	不育系	保持系
株型	较紧凑,植株较矮	较松散,植株较高
分蘖	分蘖力较强	分蘖力较弱
抽穗开花时间	较长,较分散	有明显高峰期
穗茎	有包茎现象	正常
花药形态、色泽和开裂情况	瘦小、干瘪,白色或淡黄色水浸状,不开裂	肥大、饱满,鲜黄色,开裂

表 2-14　小麦雄性不育系与保持系植株形态比较

性状	不育系	保持系
开颖角度	很大,外观显著	很小,外观不显著
开颖时间	可达 10 d 左右	很短

续表 2-14

性状	不育系	保持系
雌蕊柱头	伸出颖壳达数天	不伸出
花药外露情况	一般不外露	多数外露
花药形态、色泽	瘦小、空秕、箭头状、淡黄色	肥大、饱满、鼓囊状、黄色
花药开裂情况	不开裂	开裂
花粉数量	极少	很多，随花药开裂散出
花粉性状	空秕，三角形	饱满，圆球形
花粉内淀粉充实度	少甚至无	多
I_2—KI 溶液染色	不染色或染色较淡	染成棕黑色
套袋结实情况	不结实或极少结实	结实正常

表 2-15　玉米雄性不育系与保持系植株形态比较

性状	不育系	保持系
雄穗	不发达	发达，松散
小穗着生	在主轴上着生稀而扁平	饱满而个体大
颖花开放	关闭，不开放	开放，花丝伸长
花药形态	瘦小、干瘪，浅褐色，不伸出颖片外，不开裂	大而饱满，黄绿色，开花时伸出颖片，开裂散粉
花粉	无花粉或花粉败育，不散粉	花粉量大，散粉

2. 分期播种观察

(1)分期播种。将同一光温敏雄性不育水稻两用系分期播种，如在本地区可以考虑自 4 月 20 日首播，以后每隔 20 d 播种一期，直至 7 月 10 日为止。

(2)观察比较。观察各期种植的光温敏雄性不育水稻两用系的形态特征。

3. 育性遗传规律观察

(1)棉花不育系。观察比较棉花不育株与可育株的形态差别，调查不育株与可育株的分离比例。

(2)太谷核不育小麦。观察比较太谷核不育小麦群体中不育株与可育株的形态差别，调查不育株与可育株的分离比例。

(3)遗传规律分析。根据不育株与可育株的分离比例，可用遗传假设，如卡方测验，推测育性遗传规律。

(五)作业与考核

1. 作业

(1)简述光温敏雄性不育水稻的育性特点。

(2)试分析太谷核不育小麦的育性遗传规律。

2. 考核标准

(1)比较玉米雄性不育系与保持系植株形态差别。(30 分)

(2)观察光温敏雄性不育水稻两用系的育性转换特点。(40 分)

(3)调查分析太谷核不育小麦的育性遗传规律。(30 分)

第六节　种子生产技术

一、小麦原种生产技术

(一)目的要求

熟悉小麦原种生产的方法步骤,掌握提高原种纯度和产量的具体措施。

(二)内容说明

推广小麦优良品种是一项重要的农业增产措施。有了优良品种,还必须生产大量的高质量的种子,以满足生产需要和充分发挥其增产效益。但从目前小麦良种的利用情况来看,现有良种退化比较严重,致使经济性状衰退,产量降低,品质变劣,易感染病害,抵抗不良环境条件的能力减弱,因此迫切需要做好小麦原种生产工作。小麦原种生产的方法最常用的是“二级穗行选优提纯法”。此法的优点主要是生产原种所需的时间较短,简便易行,且效果较好。

(三)条件准备

材料:穗行圃、原种圃等。

用具:小剪刀、细麻绳、纸牌、铅笔、种子袋等。

(四)方法步骤

二级穗行选优提纯法生产原种的一般程序是:选单株(单穗选择)、穗行比较和混合繁殖原种。并建立相应穗行圃和原种圃。具体方法、步骤和技术操作规程如下。

1. 单穗选择

一般在小麦蜡熟后期，从所确定要生产原种的某小麦品种的原种圃、种子田或纯度高的生产大田内，选取与原品种典型性状一致的穗子。选穗数量依种子生产规模确定，一般一亩穗行要选 1 000～1 500 穗。从当选穗的穗下节剪断，分扎成捆，挂牌并注明品种名称。晒干后，以穗为单位（不编号）脱粒，分别用纸片包好，装入布袋后置于阴凉干燥处贮藏，并在布袋外撒少许 1%的 DM 粉防虫。

在脱粒的过程中，可根据种子的颜色、形状、饱满度等性状，淘汰非本品种穗子。

2. 穗行圃

(1)穗行圃整地播种。按生产规模所定面积，选择土壤肥沃、均匀、地势平坦、排灌方便的地块，施足底肥，干旱时尚需浇底墒水，将地整平，耙到上虚下实后再耱平，打埂做畦，畦宽 2～3 m，按 40 cm×20 cm 宽窄行或等行距，开沟条播（或点播），每行种一包种子，播种均匀，覆土深浅一致，再用铁耙将地面整平。播后应编号、挂牌，以便观察记载。

(2)田间观察记载，淘汰劣穗行。这是选好原种的关键，必须按照规定项目认真观察记载。此项工作一般分几次进行，苗期观察记载幼苗生长习性（或冬春性）、叶色、叶形、冻害级别等；抽穗扬花期观察记载抽穗迟早、整齐度、叶形、叶姿和病虫害等；成熟期应观察株高、株型、芒型、穗型、穗头大小和整齐度、熟相等。在每次观察记载中都要进行，同时应注意行间比较以及与对照品种（本品种的原种）比较，将行内有分离或不符合原品种典型性状的劣行剔除。剔除的穗行应在记载本上注明并在田间做标记。收获时，先收淘汰的穗行，割掉全部带出田外，然后混收选留的穗行并单独运、脱、晒、藏，严防与其他品种种子混杂。

在观察鉴定时，如发现有优异穗行，则可另做标记，单独收藏，作为育种材料处理或作为优系繁殖。

(3)原种圃。视上年穗行圃生产纯种的数量，本着稀播扩大繁殖的原则，选择土地肥沃、旱涝保收的地块，稀播，并加强田间管理，以提高单株生产力，扩大繁殖系数。抽穗到成熟期间，根据植株的高矮、穗型、芒型、穗色和成熟期等进行严格的田间去杂去劣，然后混合收割脱粒，晒干后妥善保存作原种用。

（五）作业与考核

1. 作业

(1)结合对穗行各生育期的观察记载，试描述某小麦品种的典型特征特性。

(2)小麦品种田间去杂去劣时,应注意哪些问题?

(3)如何保证所生产原种的纯度?

2. 考核

(1)小麦种子生产的程序。(30 分)

(2)原种生产与育种的区别。(30 分)

(3)田间穗选。(40 分)

二、玉米杂交制种技术

(一)目的要求

掌握玉米制种的方法和关键技术。

(二)内容说明

目前生产上种植的玉米杂交种都是单交种,增产效果十分显著。但通常只能用其杂种一代的种子,故须年年杂交制种,供大田生产使用。生产纯度高、数量足的杂交种子,是玉米杂交制种的中心任务。

玉米杂交制种有以下几个特点:一是设置隔离区;二是使父、母本花期相遇良好;三是亲本自交系的纯度要高;四是母本要人工去雄。

(三)条件准备

父、母本自交系,大豆或绿豆种子,皮尺,纸袋,锄头等。

(四)方法步骤

1. 选择隔离区

玉米是异花授粉作物,容易串粉杂交。因此,不论是繁殖亲本自交系,还是配制杂交种,都必须设置隔离区,常用的隔离方法有以下 4 种:

(1)空间隔离。一般规定自交系繁殖区四周的隔离距离不少于 500 m,单交种制种区应不少于 400 m,配制顶交种、三交种和三双交种等,应不少于 300 m。同时,还应注意风向和地势,如果制种区设在大田玉米的下风口或设在地势低处,还应适当加大隔离区的距离。

(2)时间隔离。将制种田的玉米提前或推迟播种,使与四周玉米的开花期错开。一般来说,夏玉米区可实行春播制种。若附近有套种玉米,制种田应比套种玉米早播 30 d 以上。大田春、夏玉米混作区,一般错期时间可在春玉米播后 30 d,夏玉米播前的20～25 d,这样才能与春、夏玉米开花散粉期错开,达到安全隔离的目的。

(3)自然屏障隔离。利用山岭、河堤、树林、果园、村庄等自然屏障,挡住外来的玉米花粉。

(4)高秆作物隔离。在空间隔离不符合要求,或时间隔离不够安全的情况下,可在制种田四周种植高粱、麻类等高秆作物,作为一种辅助性的措施,以达到安全隔离的目的。高秆作物的种植行数不宜太少,一般种50～80行。同时还应适当早播,使其在玉米开花时高于玉米,阻止外来花粉的传入。

为了隔离安全,有时把几种隔离方法混合使用。

2. 规格播种

(1)按比例播种父、母本,适当增加密度。玉米制种田里,父、母本要相间种植,种植比例主要根据父本花粉量的多少而定,在保证有足够的父本花粉的前提下,应尽量增加母本行数,以提高制种产量。配制单交种时,一般可采用4∶2(母∶父)的比例。如父本花粉量大,可采用6∶2或5∶1的比例。

为了便于识别父、母本行,可在父本行的行头种几棵大豆或绿豆作标志,防止去杂去劣、去雄授粉时和收获时错乱。

为了方便花期相遇不良时的人工辅助授粉,应在制种田附近安排采粉区,最好是在上风头。采粉区一般比制种田的父本晚播5～7 d。

制种田播种以东西行向较好,因为玉米开花季节多南风,可借助风力传粉,提高结实率。另外,自交系一般植株较矮,生长势弱,应注意增加种植密度。一般每667 m^2 留苗4 000～4 500株。

(2)调节父、母本播种期。父、母本花期能否相遇是玉米杂交制种的成败关键。如果母本的吐丝盛期正好与父本的散粉盛期相遇,表明花期相遇良好,不遇则意味失败。确定播种期,首先应了解父、母本的开花期。如母本的吐丝期比父本的开花散粉期晚3～4 d,母本应早播7～8 d。调节父、母本播种期时,应掌握母本"宁早勿迟","宁可母等父,不能父等母"的原则,最好使母本的吐丝期比父本散粉期略早1～3 d。

3. 花期的预测与调节

玉米从播种到开花的天数一般比较稳定,但也受环境条件变化的影响。因此,除准确掌握播种期外,在生育期间还要注意观察亲本的生长势、叶片数、雌雄穗的发育等,以预测开花期。一般母本比父本早抽出最后一、二片叶,花期可相遇。若发现两亲本生长不协调时,可采取以下措施进行补救。

(1)苗期两亲生长速度相差太大时,定苗时可对生长快的亲本留小苗,生长慢的留大苗。

(2)生长中发现父、母本生长速度相差太大时,可结合田间管理,偏水偏肥促进生长慢的亲本,并可深中耕或适当断根控制生长快的亲本。

(3)母本抽丝比父本散粉晚 3～4 d 时,可剪短母本雌雄苞叶 3～5 cm(以不伤穗轴为准),一般可提早抽丝 3 d 左右。将母本提早去雄,也可促进花丝快长。

(4)母本花丝已抽出很长,父本尚未散粉,可剪短母本花丝。

(5)父本早散粉时,可进行人工辅助授粉,以增加结实率。

(6)若父本提早抽雄 5～7 d,用其他措施已无法挽救时,可将父本全部去雄,改正交为反交。虽降低了制种产量,但不至于造成无收。

叶片检查预测花期的具体方法是:在制种田内选择地力均匀、幼苗生长正常的父、母本各 3～5 个点,每个点选取有代表性的植株 10～20 棵,用红漆标记其第十片叶(为使标记准确,应先在第五片叶标记一次),以此为基础,经常观察父、母本叶片出现的速度。如果父本叶片生长速度比母本最后一片叶落后 2 片叶左右,表明父、母本花期能够相遇良好;如果父、母本叶片生长速度不能保持这样一个差距,就要及时采取上述措施实施补救。

4. 去杂去劣

去杂工作要贯穿整个制种过程的始终,结合每次田间作业,见杂就去,并在抽雄散粉前彻底完成去杂工作。一般集中分三次进行:第一次在苗期,结合间苗、定苗,根据自交系幼苗的叶色深浅,叶鞘颜色、叶片宽窄和叶片弯曲程度等,拔除杂苗和劣苗,如白苗、黄苗、花苗、畸形苗、弱苗、杂种苗和怀疑苗等。第二次在抽雄前,这是最关键的一次。这次去杂要看得准、拔的狠,因为如果漏掉一棵杂株,让其抽雄散粉后,就将引起一大片杂交种子混杂,危害后果相当重。这次主要根据株高、株型、叶片宽窄、叶片生长角度、茸毛多少、雄穗形态、颖花和花丝颜色等拔除不符合典型特征的异型植株。第三次在收获后脱粒前,根据穗形、穗大小、粒形、粒色、穗轴色等,淘汰不像本自交系的穗子,对于典型穗上的杂色粒,也应剔除。

5. 母本去雄

在制种工作中,对母本严格去雄,是保证杂交种质量的关键。去雄时应该做到及时、彻底、干净。所谓及时,指出雄就拔;所谓彻底,指全田一株不漏;所谓干净,指不留一个雄穗分枝。

6. 加强人工辅助授粉

一般在花期相遇不好,父本严重缺苗,或因气候反常等影响,造成花粉不足时,要辅助人工授粉。授粉时间,一般在上午 8～10 时露水干后,散粉最盛时进行。同时要边采粉边授粉。如能逐株进行,效果最好。人工辅助授粉一般要进行

2～3 次。

在制种面积较大而采粉又受条件所限时，可以采用摇动父本植株的方法，以助散粉授粉。

7. 分收分藏

(五)作业及考核

1. 作业

(1)完成玉米田的播种工作。

(2)描述所配制杂交种的双亲自交系特征及其主要经济性状和指标。

2. 考核

(1)叙述玉米制种的程序。(30 分)

(2)制种田的播种。(30 分)

(3)杂交去雄。(40 分)

三、水稻、小麦种子的田间检验

(一)目的要求

学习和初步掌握稻、麦种子的田间纯度检验方法。

(二)内容说明

品种纯度是指品种在形态特征、生理特性方面典型一致的程度，即供检样品中本品种的株(穗)数占供检该样品总株(穗)数的百分率。它是种子质量的重要指标之一，是评定种子等级的主要依据。

品种纯度检验分田间检验和室内检验，田间检验以品种纯度为主，同时检验异作物、异品种、杂草、病虫感染率、作物生长发育情况等。田间检验是以作物植株高度、叶片、穗部、芒、子粒、护颖的形状和颜色，以及成熟期等差异为依据，进行分析鉴定。

田间品种纯度检验时期，以品种特征、特性表现最明显的时期为宜。稻、麦可分别于幼苗期、抽穗开花期和蜡熟期检验。如果条件有限，至少应在蜡熟期检验一次，苗期检验结果供定级参考用，花期、成熟期的检验结果作为定级依据。如三次结果不同，要按最低的一次检验结果定级。

(三)条件准备

(1)材料。水稻或小麦繁育的种子田。

(2)用具。尺、计算器、记录本等。

(四)方法步骤

1. 掌握被检品种的主要性状

检验品种纯度，首先必须掌握被检品种的性状，才能正确鉴别出本品种和异品种。鉴定品种纯度的性状因作物而异，水稻、小麦品种的主要性状大致如下。

(1)茎秆性状。株高，粗细，色泽。

(2)叶片性状。基部叶鞘色，叶色深浅、长度、宽窄，茸毛多少，着生姿态，剑叶长短、宽窄，剑叶与穗的主轴角度，小麦叶鞘蜡粉的多少。

(3)穗部性状。穗伸出度、穗长、穗型(或穗形)、着生密度(或小穗密度)、穗的颜色。

(4)芒的性状。芒的有无及长短、芒色。

(5)子粒性状。子粒形状、大小、颖尖色及麦粒色泽。

(6)护颖性状。水稻的护颖长短、护颖色；小麦的护颖、颖肩、颖脊、颖嘴形状及颖嘴长度。

2. 了解情况

在掌握被检品种的主要性状后，还应了解供检品种的田块面积、种子来源、繁殖世代、上代纯度、良种繁殖田的前作及繁殖技术、隔离等情况。

3. 划分检验区和选择代表田

了解情况后，在田块多、面积大的情况下，凡同一品种，田块连片，繁育地段，其种子来源、繁殖世代、繁殖技术相同的田块可划成一个检验区，但每个检验区的面积不得超过 33.33 hm^2。在划定的检验区中选择代表田，每个检验区的代表田一般是 3～5 块田地，至少占总面积的 5%，原种繁殖田、亲本繁殖田和杂交制种田则应加倍或逐块取样检验。

4. 设点取样

在确定的代表田中设点取样，设点位置、数量和每点取样数，应根据田块面积、作物田间生长情况和纯度高低等因素确定。取样点数和每点取样数原则上既有代表性，又不可太多，一般面积在 0.67 hm^2 以下的取 5 点，0.73～6.67 hm^2 取 8 点，6.73～13.33 hm^2 取 15 点，每点取样 500 株(穗)。取样点的分布方式与田块形状和大小有关，常用的有：

(1)梅花形式。在田块四角和中心共设5个取样点。适宜面积较小的方形或长方形田块。所设点至少距田边5 m左右。

(2)对角线式。取样点分布在一条或两条对角线上,等距设点。适用于面积较大的方形或长方形田块。

(3)棋盘式。在田块的纵横每隔一定距离设一点。适用于不规则田块。

(4)大垄取样法。适应以种植为主的田块。

5.检验与计算

取样点选定后,应根据被检品种的主要性状,逐点、逐株(穗)地分析鉴定,将本品种、异品种、异作物、杂草、感染病虫株(穗)数分别记载。田间检验时,应背向阳光,避免光线直射而发生错觉和误差,然后计算百分率。

田间品种纯度用本品种株(穗)数占供检本作物总株(穗)数的百分率表示。

$$品种纯度=\frac{供检试样种子数-异品种的种子数}{供检试样种子粒数}\times 100\%$$

其他项目也可用百分率表示。

异品种率=异品种株(穗)数/供检本作物总株(穗)数×100%

异作物率=异作物株(穗)数/供检作物总株(穗)数×100%

杂草率= 杂草株(穗)数/供检本作物总株(穗)数×100%

病虫感染率=感染病虫株(穗)数/供检本作物总株(穗)数×100%

在检验点以外,有零星发生的检疫性杂草、病虫感染株,要单独记载。

6.填写田间检验结果单

分析鉴定完毕后,将每个检验点的各个检验项目的平均结果,填写在田间检验结果单(表2-16)上,并提出建议或意见。凡不符合规定的田块,一律不能作种子用。

表2-16 田间检验结果单 字第 号

繁种单位			
作物名称		品种或组合	
繁殖面积		隔离情况	
取样点数		取样总株(穗)数	
品种纯度(%)			
异品种(%)			
异作物(%)			

续表 2-16

杂草(%)	
病虫感染(%)	
田间检验结果	
建议或意见	

检验单位(盖章)

检验日期　年　月　日　　　　　　　检验员:

(五)作业与考核

1. 作业

(1)按规定程序进行小麦或水稻的田间纯度检验,检验完毕,填写田间检验结果单,并提出建议或意见。

(2)田间检验的主要技术环节有哪些?

2. 考核

(1)田间检验技术。(40 分)

(2)田间检验结果单。(30 分)

(3)叙述田间检验的基本程序。(30 分)

第三章　土壤测定与耕作技能

第一节　土壤测定技能

一、土壤样品的采集与处理

(一)目的要求

土壤样品的采集是土壤分析测定工作的一个重要环节,是关系到土壤分析结果和由此得出的结论是否正确的一个先决条件。要认识到正确采集与处理土壤样品的重要性;通过土壤样品的采集与处理,要掌握采集与处理土壤样品的基本方法和技能。

(二)技能内容

(1)选定土壤采样的时间。

(2)熟悉采样工具的使用方法。

(3)掌握选点与布点的方法。

(4)掌握采土的方法。

(5)掌握土壤样品的处理方法。

(三)条件准备

(1)仪器与工具。小土铲、管形土钻和普通土钻 、铝盒、烘干箱、1/100 天平、钢卷尺、木板、木棒、塑料布、土壤筛(18 号筛、60 号筛、100 号筛)、广口瓶。

(2)待测田块。

(四)操作方法

1.采样时间与方法

土壤中有效养分的含量,随季节的改变而有很大的变化。分析土壤养分供应情况时，一般在晚秋或早春采样。同一时间内采集的土样分析结果才能相互比较。

采样方法因分析目的不同而异：土壤剖面样品用于研究土壤基本理化性质，必须按土壤发生层次采样；土壤物理性质样品用于土壤物理性质的测定，须采原状样品；土壤盐分动态样品用于研究盐分在剖面中的分布和变动时，自地表起每 10 cm 或 20 cm 采集一个样品；耕层土壤混合样品，用于评定土壤耕层肥力或研究植物生长期内土壤耕层中养分供求情况。

2. 选点与布点

根据土壤类型、地形、前茬以及肥力状况，选择典型地块采取混合土样，不可在肥料堆或路边选点。混合样品实际上相当于一个平均数，借以减少土壤差异，提高样品的代表性。

混合样品的点数：从理论上讲，采样点愈多，构成混合样品的代表性愈高，但工作量大。一般小区试验可以考虑 3～5 个点混合，为制定大田合理施肥为目的的采样，地块面积小于 0.67～2.67 hm^2（10～40 亩），取 5～15 个点；面积大于 2.67 hm^2 取 15～20 个点混合构成混合样品，

布点方法：按正确的蛇形取样法（图 3-1）进行采样。

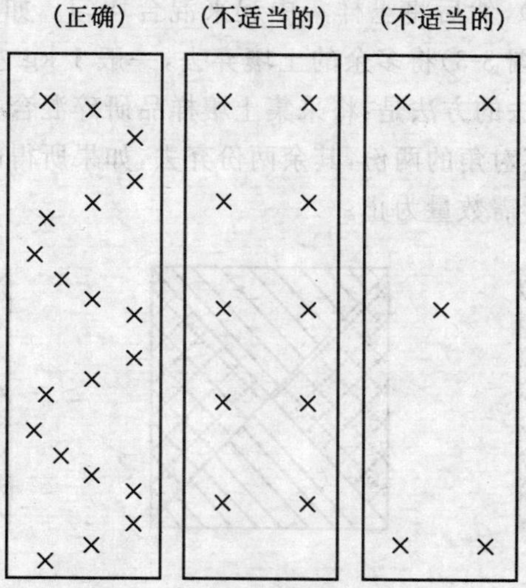

图 3-1　土壤采样的样点分布式

3. 采土

采取混合样品时，每一点采取的土样深度要一致，上下土体要一致。采土时要除去地面落叶杂物，采样深度一般取耕作层土壤 20 cm 左右，最多采到犁底层的土

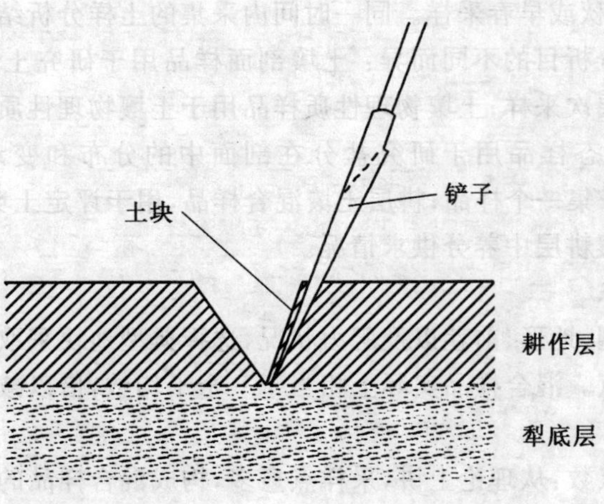

图 3-2　用小土铲采样的方式

壤。对作物根系较深的土壤。可适当增加采样深度。采土可用土钻或小土铲进行。打土钻时要垂直插入土内。如用小土铲取样,可用小土铲斜着向下切取一薄片的土壤样品(图 3-2),然后将土样集中起来混合均匀。如果采来的土壤样品数量太多,可用四分法(图 3-3)将多余的土壤弃去,一般 1 kg 左右的土样即够化学、物理分析之用。四分法的方法是:将采集土壤样品研碎混合并铺成四方形,划分对角线分成四等份,取其对角的两份,其余两份弃去,如果所得的样品仍然很多,可再用四分法处理,直到所需数量为止。

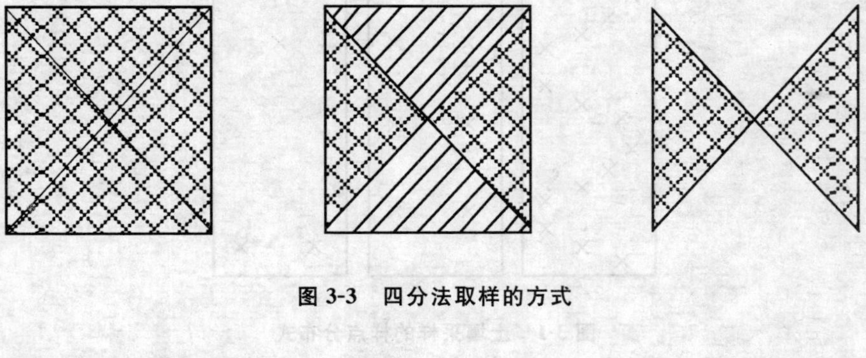

图 3-3　四分法取样的方式

4. 土壤样品的处理

土壤样品处理的目的是:挑出植物残茬、石块、砖块等,除去非土样的组成部分;适当磨细、充分混匀,以减少称样误差;对于全量分析项目,样品研磨细,以使样品的反应能够完全和匀致;使样品可以长期保存,不致因微生物活动而霉坏。

(1)风干和去杂。从田间采回的土样应及时风干。方法是将土壤样品放在阴凉干燥通风又无特殊的气体(如氯气、氨气、二氧化硫等)、无灰尘污染的室内风干,把样品全部倒在干净的木板或塑料布、纸上,摊成薄薄的一层,经常翻动,加速干燥。切忌阳光直接曝晒或烘烤。在土样半干时,将大块捏碎,样品风干后,拣出枯枝落叶、植物残根、残茬、虫体等和石块结核。如果石子多,要将拣出的石子称重,记下所占的百分数。

(2)磨细、过筛、保存。进行物理分析时,取风干土样 100～200 g,放在木板上用圆木棒碾碎,放在有盖有底的 18 号筛(孔径 1 mm)中,使之通过 1 mm 的筛子,留在筛上的土块再倒在木板上重新碾碎,如此反复多次,直到全部通过为止。不得抛弃或遗漏,但石砾切勿压碎。留在筛上的石砾称重后须保存,以备石砾称重计算之用。同时将过筛的土壤样品称重,以计算石砾重量百分数,然后将土样充分混匀后盛于广口瓶中,作为土壤颗粒分析及其他物理性质测定之用。

化学分析时,取风干土样 100～200 g,用木板和圆木棒将土样碾碎,使其全部通过 18 号筛。这样的土样可供速效性养分、pH 值等项目的测定。分析水解性氮、全氮和有机质等项目时,可取通过 18 号筛的土样 20 g,进一步研磨,使其全部通过 60 号筛(孔径 0.25 mm)为止。如需测定全磷、全钾,还应通过 100 号筛(孔径 0.149 mm)。把研磨过筛后的土样混匀后,装入广口瓶中。

(3)样品编号和保存。取土样 1 kg 装入广口瓶中,瓶上应贴上标签,记明土样号码、土类名称、采样地点、深度、日期、孔径、采集人等。样品编号可用序号,也可用有一定含义的号码编号,如 06-8-R-15-1,代表 2006 年 8 月采集的红壤第 15 号,经过了 1 mm 筛子处理。土壤样品的摆放和造册最好按年代和土壤类型排列,保存在样品架上,避免日光、高温、潮湿或酸碱等气体的影响,要在瓶内加一张有编号的塑料标签,以防瓶上的标签丢失或无法辨认。

(五)作业与考核

1. 作业

(1)采集土壤样品。

(2)处理土壤样品。

(3)编写实践报告。

2. 考核

(1)土壤采样的时间适宜。(10 分)

(2)能熟练使用采样工具。(20 分)

(3)会正确选点与布点。(20 分)

(4)采土方法正确。(20 分)

(5)能正确处理土壤样品。(20 分)

(6)报告编写认真,态度端正。(10 分)

二 土壤含水量的测定

(一)目的要求

土壤含水量的多少,直接影响土壤的固、液、气三相比。通过测定土壤含水量,可以了解田间土壤的实际含水量情况,以便及时进行播种、灌排、保墒、土壤耕作措施,以保证作物的正常生长;还可联系作物长相长势及耕作栽培措施,总结作物丰产的水肥条件。通过本实践,要掌握土壤含水量测定的基本方法。土壤含水量的测定方法很多,如烘干法 、酒精燃烧法、中子法、4 射线法和 TDR 法等。其中烘干法是目前国际上土壤水分测定的标准方法。本次实践采用烘干法测定土壤水分含量。

(二)技能内容

(1)掌握测定土壤含水量的步骤。

(2)掌握土壤含水量的计算方法。

(3)熟悉测定土壤含水量的注意事项。

(三)条件准备

(1)仪器与工具。铝盒、烘箱、干燥器、天平(0.01 g)、土钻、小刀。

(2)待测田块。

(四)操作方法

1. 操作步骤

(1)取一干净铝盒在 1/100 天平上称重(A),记录铝盒号码。

(2)在田间用土钻钻取有代表性的土样(0～20 cm),用小刀刮去钻中浮土,挖取土钻中部土样 20 g 左右,迅速装入铝盒中,盖好盒盖,带回室内(注意铝盒不可倒置)在天平上称重(B),每个样品至少重复测 3 份。

(3)将打开盖子的铝盒(把盖子放在铝盒旁或平放在盒下)放入(105±2)℃的恒温箱中烘 6 h。

(4)待烘箱温度下降至50℃左右时，盖好盖子，置铝盒于干燥器中30 min左右，冷却至室温，称重。如无干燥器，也可将盖好的铝盒放在磁盘中，待不烫手时称重。

(5)启开盒盖，再烘3 h，冷却后称重，一直到前后两次称重相差不超过0.05 g时为止。

2. 结果计算

$$土壤含水量(重量\%)=\frac{B-C}{C-A}\times 100\%$$

式中：A为铝盒重(g)；B为铝盒加湿土重(g)；C为铝盒加烘干土重(g)。

3. 注意事项

(1)烘箱温度以(105±2)℃为宜，温度过高，土壤有机质碳化散佚，在烘箱中一般烘6 h即可至恒重，质地较轻的土壤烘的时间可较短，5～6 h即可。

(2)干燥器内的干燥剂(氯化钙或变色硅胶)要经常更换或处理。变色硅胶在干燥时呈蓝色，吸湿后呈红色，如呈红色后，需重新放在烘箱中烘到蓝色后再放回干燥器使用。

(3)计算时以烘干土重为基数。

(4)本法需进行三次平行测定，取其算术平均值，以一位小数(%)表示，其平行差值不得大于1%。

(5)本法测定本身的误差取决于所用天平的精确度和取样的代表性。所以，在田间取样时，要注意取样的代表性，在大范围内测定时需多点重复。

(五)作业与考核

1. 作业

(1)完成测定操作。

(2)计算测定结果。

(3)编写实践报告。

2. 考核

(1)能利用天平准确称重。(20分)

(2)能按要求的温度、时间烘干和冷却。(40分)

(3)计算结果正确。(30分)

(4)报告编写认真，态度端正。(10分)

三、土壤田间持水量的测定

(一)目的要求

灌溉或降水后,田间土壤被充分浸润,多余的水由于重力作用而向下渗漏排出,被土壤吸持的水分就相当于田间持水量。土壤田间持水量反映了土壤的持水性能。在进行农田灌溉时,灌水量以使根系活动层的土壤水分等于田间持水量为宜。如果超过田间持水量,就会有一部分水向下排出,在土壤透水性不好时,这部分水不能被迅速排出而暂时滞留在非管孔隙中,不仅浪费灌溉用水,在平原地区还可能造成地下水位抬高甚至产生次生盐渍化。测定土壤的田间持水量,有利于确定合理的灌水定额以及鉴定土壤水分性质。通过土壤田间持水量的测定,要掌握田间持水量测定方法,并能利用测定结果对土壤水分性质进行评价。

(二)技能内容

(1)计算测定前的灌水量。

(2)测定土壤田间持水量。

(三)条件准备

(1)仪器与工具。铁锹及其整地工具、水桶、干草或青草、塑料布 6 m^2、铝盒、烘箱、干燥器、天平(0.01 g)、土钻、小刀、环刀、环刀托、剖面刀、小土铲、土钻、木板。

(2)待测田块。

(四)操作方法

1. 选择地块

在要测定的地段上划出 2 m×2 m 的面积,像平常整地一样加以平整。在这块地的四周筑起一道土埂高 15 cm,底宽 30 cm(土要紧实)。在这块地中间划出 1 m×1 m 的面积,周围同样筑上埂(图 3-4)。中间这 1 m^2 的地块是计算地块(测区),在这里面进行田间持水量的测定,而外面的地块则是保护地块,防止计算地块(测区)里的水流向外边。

2. 估算灌水量

(1)1 m 深土体内土壤原有蓄水量的计算。

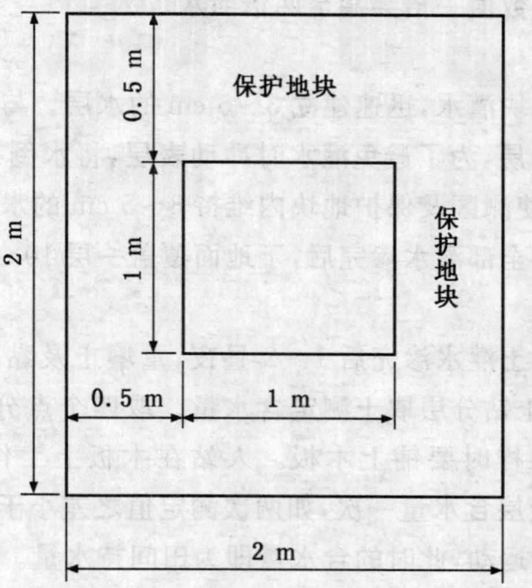

图 3-4 田间持水量测定区示意图

公式：$$CH = W \times P \times H \times S$$

式中：CH 为 H 米深土体中土壤原有蓄水量(kg)；W 为在侧区附近地块实测求得的土壤含水量(%)，测定方法见实践二；P 为在侧区附近地块实测求得的土壤容重(kg/m^3)，测定方法见实践五；H 为土层厚度(m)；S 为土地面积(m^2)。

如在 1 m 深以内包括好几个土层，则原有蓄水量(CH)由下式计算

$$CH = S(W_1 P_1 H_1 + W_2 P_2 H_2 + W_3 P_3 H_3 + \cdots + W_n P_n H_n)$$

(2)计算 1 m 深土体内全部土壤孔隙充满水所需的水量。

$$DH = S \times H \times r$$

式中：DH 为 H 米深土体内全部土壤孔隙充满水所需的水量(kg)；H 为土壤厚度(m)，此处为 1 m 深；S 为土地面积(m^2)；r 为土地孔隙率(%)。

(3)灌水量的计算。

1 m 深土体内部全部土壤孔隙充满水所需水量与土壤原有蓄水量的差值即为需要补充的灌水量。

公式：$$EH = DH - CH$$

式中：EH 为需要补充的灌水量(kg)。

按以上的计算数值一倍半甚至两倍灌水。

3. 田间测定

首先向保护地块灌水，迅速建立3～5 cm的水层。与此同时也向测区内灌水，建立3～5 cm的水层，为了避免灌水时冲动表层，将水倒在一张席子或一束草上，以后不断地加水，使测区及保护地块内维持3～5 cm的水层，直至全部计算出的应灌的水量耗尽。在全部灌水渗完后，于地面覆盖一层10～20 cm的草，然后再加一层油布或塑料布。

沙壤土及轻壤土灌水渗完后1～2昼夜，重壤土及黏土于灌水渗完水后3～4昼夜，在测区内用土钻分层取土测定含水量。取四个点分别测定，取土完毕，仍将地面覆盖好。在取样时要铺上木板。人站在木板上工作，不要踩坏测区。再过1～2 d重测各个土层含水量一次，如两次测定值之差小于土壤含水量的0.5%，即认为水分已经停止运动，此时的含水量即为田间持水量。

(五)作业与考核

1. 作业

(1)测定灌水前土壤含水量、土壤容重。

(2)计算测定前的灌水量。

(3)测定土壤田间持水量。

(4)编写实践报告。

2. 考核

(1)会计算测定前的灌水量。(20分)

(2)会正确整理测定区。(20分)

(3)能正确灌水、取样、烘干、称重。(25分)

(4)测定结果正确。(20分)

(5)报告编写认真，态度端正。(15分)

四、土壤黏结性、黏着性和塑性的测定

(一)目的要求

土壤黏着性是指土壤在湿润状态黏附外物的能力，以 kg/cm^2 表示。金属盘或其他材料做成的盘在一定的压力下与土壤接触黏着后，把盘拉离土壤所需要的力即为土壤的黏着力。土壤黏着力的大小决定于当时的水分张力和在接触物上形

成水膜附着的面积,随着土壤含水量的减少而减少。土壤黏着力对农机具行走的阻力、犁耕速度、选择宜耕期、提高耕作质量都有很大的影响。

土壤黏结性是指土壤抵抗机械破碎的性质,也称土壤黏结力,它是由土粒之间物理化学的机制所产生的黏结土粒的力,以 kg/cm^2 表示。用同一插环插入土壤,由于插环内的抓土机械,把一定面积的土体抓往拉离土体所需要的力,就是土壤的黏结力。黏结力大的土壤会增加犁耕阻力,影响犁耕质量和土壤的其他物理机械性质。通过本实践,要掌握土壤黏着力、黏结力、塑性的测定方法;并对不同条件下土壤黏着力、土壤黏结力和土壤塑性进行比较。

土壤在水湿的状态使其变形的外界作用停止后,仍能保持这种形状的性质称为塑性。土壤过湿或过干都不具有塑性,塑性只能在一定的湿润范围内呈现出来。塑性与土壤的颗粒组成、矿物组成以及形成土壤的颗粒形状有关。

通过本实践,要掌握土壤黏着力、黏结力、塑性的测定方法。并分析不同技术措施条件下,水田或旱地土壤黏着力和黏结力不同及不同土类的塑性差异。

(二)技能内容

(1)测定土壤黏着力。

(2)测定土壤黏结力。

(3)测定土壤塑性。

(4)比较不同农业技术条件下的黏着力、黏结力的不同。

(5)比较不同土类条件下的土壤流限和塑限的不同。

(三)条件准备

(1)仪器与工具。黏着力、黏结力测定仪,铝盒,烘箱,干燥器,天平(0.01 g),土钻,小刀,游标卡尺,LX-I 型流限仪。该流限仪的结构及部件(图 3-5)分为锥体、盛土碗和底座三部分。锥体底角为 30°,距锥尖 10 mm 处有环状刻度。盛土碗直径 40 mm,深 20 mm,底座附有易于装拆的平稳座子。另有仪器箱便于存放和携带。

(2)待测土壤。

(四)操作方法

1.测定土壤黏着力、黏结力

(1)黏着力的测定。测定仪器由测盘、保护筒、反映土壤黏着力和黏结力大小

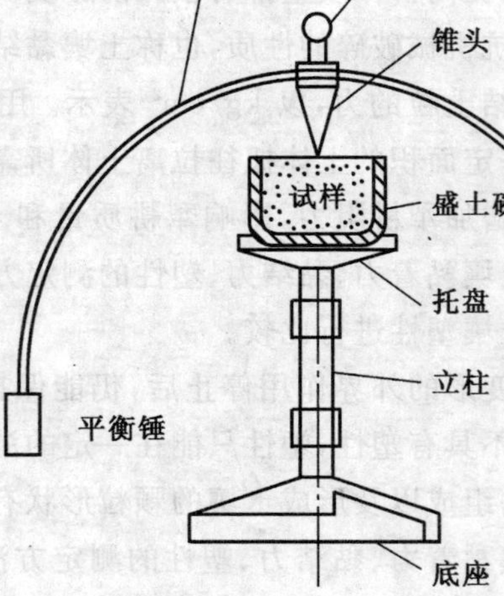

图 3-5 LF-I 型流限仪结构示意图

的拉簧和反映所施加的压簧、压力杆等组成。定位圈可移动调变所需要的压力。测定黏着力时，装上相应的测盘，调整定位圈，使其下平面在加压杆刻度上指示所欲施加的压力。将仪器放在土壤表面上，大致保持垂直。用双手握住把手并下压，至感到定位圈与盖相碰为止，保持约 3 s，放松双手，然后将仪器缓缓提起，活动指针盖右侧刻线所指读数，即在所加压力下表层土壤对这种材料的黏着力数值，单位为 g/cm^2。

(2)测定土壤的黏结力。装上测环，将仪器放在相应土壤表面，大致保持垂直，用双手握住把手下压，使测环插入土内，至其上部大致与土层表面相齐为止，然后用双手将仪器缓缓提起，活动指针盖，左刻线所指读数，即为该层土壤的黏结力，单位为 kg/cm^2。

2. 测定土壤塑性

土壤因含水量不同，由干到湿的整个过程中，可以分别处于固体、半固体、可塑和流动等状态。土壤流限(流性下限或塑性上限)是指黏性土壤呈可塑态时的上限含水量。土壤含水量超过流限时，水膜变厚，土粒间黏结力迅速下降，土壤呈流动状态，所以流限是土壤的流动状态和可塑状态的界限含水量，常称为塑性上限。

土壤塑限(塑性下限)是指土壤呈可塑状态时的下限含水量。当土壤的含水量低于塑限时，就进入半固体状态，所以它是土壤可塑状态和半固体状态的界限含水量，常称为塑性下限。塑性指数则表示土壤呈可塑状态时含水量的变化范围。它代表土壤可塑性的程度，其数值等于流限和塑限之差，土壤的可塑性愈强，其塑性指数愈大，土壤的宜耕期愈短。因此，测定土壤的塑性指数，对掌握土壤的宜耕期，提高机耕效率及质量等有重要意义。

(1)流限的测定。

①取通过 0.5 mm 筛孔的风干土样 50 g 左右，放入蒸发皿中。

②用小吸管取蒸馏水，慢慢湿润土壤，用调土刀细心调匀至不粘刀，且能将土塑成任意形状为止。

③用调土刀将已调匀的土样分层填入流限仪杯中，装填时勿使土样内留有空隙和气泡。用刮刀将多余土样刮去，使其与杯口齐平。

④在锥体上抹一层极薄的凡士林，提住锥体上端的手柄，使锥体垂直于试样中部的表面，当锥体与土表面接触时，慢慢松手，令锥体借自身的重量沉入土样中。

⑤若锥体经 15 s 后，其沉入深度＞10 mm 或＜20 mm，则表明土样含水量高于或低于流限，此时必须将全部土样取出，并除去粘有凡士林的样品，然后重新调匀，重复上述第 3、第 4 步骤，进行测定。

⑥当锥体经 15 s 时，沉入土中恰好等于 10 mm，则表示土壤含水量等于流限值。取出锥体，除去粘有凡士林的土样，用调土刀挖取锥体孔附近试样 10 g 左右，测定土壤含水量，此含水量即为土壤的流限值。

(2)塑性的测定。塑性含水量是指土壤能用手搓成直径为 3 mm 的土条，产生裂纹并断列为 6 mm 时的土壤含水量。

①取流限试验后的土样若干，用于揉捏成团。然后从土团中取少量土样，搓成椭圆形长条，捏尖两端，放在毛玻璃上轻轻滚搓。

②土条滚搓成直径恰为 3 mm 时产生裂缝。如果不产生上述现象就须重新滚搓。

③收取断裂直径为 3 mm 的合格土条 10 g 左右，测定土样含水量，此含水量即为塑性含水量。

④重复测定 2～3 次，求其平均值。（把测定计算结果填入表 3-1）

表 3-1 土壤塑性测定实验记录计算表

项 目	流 限		塑 限		塑性指数
重复	1	2	1	2	平均值
铝盒重					
湿土 ＋ 铝盒重					
烘干土＋铝盒重					
含水量					

(五)作业与考核

1.作业

(1)测定土壤黏着力。

(2)测定土壤黏结力。

(3)测定土壤塑性。

(4)根据测量的结果,分析不同技术措施条件下,水田或旱地土壤黏着力和黏结力状况。

(5)根据测量的结果,分析不同土类的塑性状况。

2.考核

(1)会测定土壤黏着力。(20 分)

(2)会测定土壤黏结力。(20 分)

(3)会测定土壤塑性。(20 分)

(4)能根据测量的结果,分析不同条件下土壤黏着力和黏结力以及塑性状况。(25 分)。

(5)完成实践报告。(15 分)

五、不同农业技术条件下耕层构造的分析

(一)目的要求

耕层构造是在耕作土壤保持田间原状的条件下,使土壤含水量达到毛管饱和状态时的土体固相、液相和气相三者的比例关系。它是土壤肥力的主要条件。不同耕作栽培条件下,耕层构造不同,不同作物在不同的生育时期对耕层构造状况的要求也不完全一致,但一般要求耕层构造是:固相体积在 50%以下,总孔隙度(包括毛管孔隙和非毛管孔隙)大于 50%,这样才能使土壤保持一定的疏松状况。在

总孔隙度中，非毛孔隙要求在50%～20%，这样可以协调土壤中水分和空气的矛盾，土壤中同时有水有气，可供水供肥。

通过本实践要了解不同耕作方法和农具对耕层结构状况的影响，作物不同生育时期耕层构造的变化，掌握耕层构造的测定方法。

(二)技能内容

(1)熟悉取样地段和选择点方法。

(2)掌握田间采集土壤样品的技术。

(3)掌握室内测定方法。

(4)掌握固相、液相、气相计算方法。

(5)不同农业技术条件下耕层构造的评价方法。

(三)条件准备

(1)仪器与工具。环刀、切土刀 、小土铲、粗天平(0.5～500 g)、阻力天平(0.01～100 g)、吸水槽、铝盒 、干燥箱、米尺、滤纸 、纱布、橡皮筋、玻璃板、干燥器、坩埚钳等。

(2)试验田。

(四)操作方法

1.采集土样

检查环刀或其他定容取土器，测量其容积并记录取土器号码。在不同农业技术措施条件下的对比地段自上而下分层取出一定深度(表层、中层、犁底层)的土壤。要注意在田间采集结构和构造没有受到破坏的原状土样若干(应分层取样)，样土必须完全充满取土圆筒，达一定容积，清除筒外附着的泥土，并加盖，带回室内。切勿使样土散落。

2.土样吸水饱和

除去环刀盖子称重，裹好纱布，放在吸水槽内吸水，使其达到毛管饱和。但不应使水面高达土样底部，而利用滤纸的毛细管作用吸水。吸水时间视土样高度和土壤质地而不同，一般可在开始吸水后的第二天开始称重，每天称一次到达恒重时为止(若土样体积块大应削去高出环刀的土样再称重)，即为水分饱和土样重。称重时必须除去纱布并擦干，不使土样有任何散失。

3.测定土壤毛管水含量和土壤容重和比重

倒出毛管水饱和的土样，充分混合取小土样20 g左右放入预先烘干称重的铝盒内，再马上将装有小土样的铝盒称重，然后放入烘箱，在105℃的条件下将小土样烘至恒重，求毛管含水量和容重。

土壤比重可由教师告知。

4. 计算结果

土样体积：即环刀内缘体积(V)，单位为立方厘米(cm^3)。

毛管水含量为小土样失去的重量与烘干土重之比，液相体积为全环刀干土重乘土壤含水量。

$$毛管水含量=\frac{铝盒加湿小土样重+铝盒加干小土样重}{铝盒加干小土样重-铝盒重}\times 100\%$$

$$土样干重\ W(g)=\frac{环刀加湿土重-环刀重}{1+毛管水含量}$$

$$土壤容重(g/cm^3)=\frac{土样干重}{土样体积}$$

$$土壤固相体积=\frac{土壤容重}{土壤比重}\times 100\%$$

$$气相体积=1-固相体积比-液相体积比$$

(五) 作业与考核

1. 作业

(1)记录所取土样的田间状况和全部实验数据等，填入表3-2。

(2)整理分析测定并评定不同技术条件下的耕层构造。

表3-2 耕层构造测定记录表

处理 / 深度(cm)	处理地段			对比地段		
	固相	液相	气相	固相	液相	气相
表层						
表层						
犁底层						

2. 考核

(1)熟悉选择地段和样点的方法。(10分)

(2)能正确采集土壤样品。(20分)

(3)能够正确称重、吸水、烘干、记录。(25分)

(4)掌握固相、液相、气相计算方法。(25分)

(5)能对测定结果对比分析和评价。(20 分)

第二节　土壤耕作质量检查与土壤养分平衡分析方法

一、土壤耕作质量检查

(一)目的要求

土壤耕作是一项重要的农业技术措施。通过土壤耕作质量检查,要记录土壤耕作状况,客观评价耕作质量,及时纠正不符合土壤耕作技术要求的操作。对不正确的土壤措施所造成的不良后果及时采取弥补措施。

(二)技能内容

(1)耕地质量检查项目与方法。

(2)耙地质量检查项目与方法。

(3)耕、耙质量的评价。

(三)条件准备

(1)仪器与用具。土壤水分速测仪、测深尺、直尺、皮卷尺、木框、钢卷尺。

(2)实验田。选择正在进行土壤耕作的田块进行检查。

(四)操作方法

1. 耕地质量检查方法

(1)耕地时期检查。根据本地区、本单位计划的耕地日期与实际耕地日期来评定,最好按规定日期进行,一般要求在 2～7 d 内进行完毕。

(2)土壤宜耕性鉴定。具体的耕地日期要在土壤宜耕状态时进行。可用土壤水分速测仪测定土壤含水量,也可用手握法进行测定。用手扒去 2 cm 表土,取一把土,能握之成团,有湿润感,而土不粘手,平举手臂让土团自由落地后能散碎,即为宜耕状态。如土壤虽能握之成团,由于土壤过湿,土稍粘手,甚至出水,土团落地后不易散碎,或由于土壤过干,握之不成团,这两种情况均为非宜耕状态。

(3)耕深的测定。最好在耕地的同时进行测定。用专制的测深尺(犁沟尺、垄沟尺)或两根直尺进行。方法是沿着未耕地一侧的沟墙,清除松土至犁底,并轻轻清除散落在未耕地表的浮土,然后将测深尺的三角尺部分,垂直安放在未耕地面,让游尺沿沟墙自由落至犁底，这时游尺上端指示的刻度即为耕深数值。测定次数：如检查面积为 1 hm^2 时，应做 10 次测定；检查面积超过 10 hm^2 时，应做 25 次或 25 次以上的测定。测定时应在地块两头和地中间分别布置测定点，计算出深度平均数，以示耕深。

如在耕地完毕后测定耕深时，可沿着地块对角线布点（数量同上）测定。用木制和钢制的具有刻度的直尺，垂直插入已耕地的土壤中，直至犁底部，即得耕松深度数值，或由表土挖坑至犁底。用上述两种测深方法的一种进行测定，如果测定是在耕后 7～10 d 内，而又未下大雨，应将测得的耕松深度数值乘以 0.8（即减去 20%的土壤膨胀松高度数值）；如在下雨后进行，应将测得的耕松深度数值乘以 0.85～0.9，这样求得实际耕深的近似值。

(4)耕深均匀度的测定。与耕深测定结合进行，一般是利用每次测定的耕深值计算均匀度。必要时可以补充若干测点。耕深均匀度是以每次测定的耕深数值与平均耕深数值的偏差数来表示。在耕地过程中，检查各犁铧的耕深是否一致，其方法也可采用清除已耕过的松土，观察犁底是否平整。

(5)膨松程度的测定。在测定实际耕深的同时，结合测定膨松耕深，即从膨松土面到沟底的深度。膨松程度以膨松系数表示，即耕松平均耕深与实际平均耕深之比：

$$\text{膨松系数} = \frac{\text{耕松平均耕深}}{\text{实际平均耕深}}$$

(6)漏耕的测定。可用目测法沿着对角线直接检查沟垄是否端直，该法常常是帮助我们发现漏耕的重要方法。此外，在机耕条件下，要注意地头起落线是否整齐，地边三角地带和分区耕地的接头地带有无漏耕，往复接垄处是否平整。发现漏耕，量出面积，统计漏耕总面积，计算出漏耕百分数：

$$\text{漏耕} = \frac{\text{漏耕面积}}{\text{检查的耕地面积}} \times 100\%$$

(7)土块数的测定。用专制的长方行框测定。木框每边长 1 m 或 0.5 m。并用细铁丝网成 10 cm^2(2 cm×5 cm)的小格，从小格中去检查整个木框中大于 5 cm 的土块数。测定的次数视检查的面积而定。一般 10～25 次。

(8)平整度即垡片情况的检查。一般用目测法进行。可分为三级，即垡片呈疏松平整的复瓦状为优；垡片不够疏松平整但犁垄不显著为良；有明显的犁垄为劣。同时注意有无立垡和回垡现象。

(9)残茬、杂草等覆盖质量检查。观察地表，根据残留于地表的杂草、残茬或肥料的多少来评定覆盖质量。沿耕地对角线观察翻埋情况，记录未被埋没的点数，用尺或步测量其面积，从而推算出 1 hm^2 地上被埋没的数量。以 1 hm^2 记，未被埋没点数无者为优，少于 5 处为良，5 处以上为劣。杂草翻埋的情况可用 1 m^2 的木框测定。计算其未埋没的株数。

2. 耙地质量检查

(1)耙地时间的检查。以规定的耙地日期与实际耙地日期天数之差来表示。一般不要比规定日期超过两天，在干旱地区的保墒耙地不得超过 0.5～1 d。

(2)土壤宜耕性检查。方法与耕地相同。

(3)碎土情况检查。在已耕地上任选 10 点，将木框置于选点上，计算其中直径大于 5 cm 的大土块。

(4)平整程度的测定。任选三点，用地表平度尺或 1 m 长的米尺横向测量耙过的地面。每距 5 cm 测量由米尺至地面的距离，所测距离之和与米尺长度之比值，称为该地的平整系数，平整系数接近 1 时为标准的耙地作业质量。

(5)耙深检查。在已耙地上沿对角线取 10 个样点，将松土拨开。用米尺测定松土深度，然后平均，并评定耙深是否一致。同时检查未耙层是否有暗坷垃和架空。

(6)漏耙检查。沿对角线观察有无漏耙，估计漏耙面积。

(7)杂草、残茬切割情况。沿对角线目测。

(五)作业与考核

1. 作业

(1)记载并评价耕地质量。

①检查日期________；地块号________；前作________。

②土地面积________________公顷。

③耕地日期：规定日期________；实际日期________；相差________天。

④宜耕程度________________。

⑤耕深________；均匀度________；膨松系数________；每平方米土块数________。

⑥漏耕面积________________，________________%。

⑦有无立垡________________；有无回垡________________。

⑧土地平整程度________________________________。

⑨覆盖情况________________________________。

⑩耕地质量评价____。

(2)记载并评价耙地质量。

①检查日期____________。地号____________,耙地前的土壤耕作措施____________。土地面积____________ hm²。

②耙地方法:____________方法;农具____________。

③耙地日期:规定日期____________;实际日期____________。相差____________天。

④宜耕程度____________________________。

⑤耙地深度____________;平均耙深____________。土块数____________个;平均____________个/m²。

⑥平整程度____________。漏耕面积____________公顷;占____________%。

⑦杂草、残茬切割情况____________________________。

⑧耙地质量的评价____________________________。

2.考核标准

(1)对耕地质量检查指标理解、运用正确。(10分)

(2)对耙地质量检查指标理解、运用正确。(10分)

(3)对耕地质量检查、测量正确。(25分)

(4)对耕耙质量检查项目记载完整,数据准确。(25分)

(5)对耕耙质量正确评价。(15分)

(6)认真完成耕耙质量检查与评价报告。(15分)

二、土壤养分平衡分析

(一)目的要求

农田土壤养分和有机质平衡状况,涉及到农作物能否持续高产、稳产。通过土壤养分平衡分析,要掌握分析方法,进一步认识不同种植方式对维持土壤养分平衡和维持地力的作用。为正确选择合理的种植方式和养分投入方式提供依据。

(二)技能内容

(1)掌握农田土壤养分平衡分析的基本方法。

(2)熟悉不同种植方式土壤养分平衡状况的评价方法。

(三)条件准备

有机肥的有机质含量以15%计,有机质含氮0.55%,含碳58%,含P_2O_5 0.25%,含K_2O 0.6%;农作物秸秆以干重计,含碳44%,含氮0.55%,含P_2O_5 0.2%,含K_2O 1.6%;氮肥以硫氨为标准,含氮20%。磷肥以过磷酸钙为标准,含P_2O_5 18%;钾肥含K_2O 50%;各种肥料的损失率(%)如表3-3所示。

表3-3　各种肥料的损失率　%

肥料种类	N	P_2O_5	K_2O
有机肥	30	25	25
秸秆	30	25	25
氮肥	30	—	—
磷肥	—	50	—

生物固氮量:春大豆49.5 kg/hm^2,夏大豆33 kg/hm^2。不同作物的养分含量见表3-4。

表3-4　不同作物的养分含量　%

作物	器官	养分含量		
		N	P_2O_5	K_2O
小麦	子粒	2.08	0.7	0.5
	茎叶	0.5	0.2	0.6
玉米	子粒	1.28	0.6	0.4
	茎叶	0.78	0.4	0.6
大豆	子粒	5.09	1.0	1.3
	茎叶	1.07	0.3	0.5
甘薯	块根	0.96	0.5	2.5
	茎叶	1.65	0.25	2.5
水稻	子粒	1.4	0.6	0.3
	茎叶	0.6	0.1	0.9
棉花	子粒	3.7	1.1	1.1
	茎叶	0.6	1.4	0.9

续表 3-4

作物	器官	养分含量(%)		
		N	P_2O_5	K_2O
花生	子粒	4.4	0.5	0.8
	茎叶	3.2	0.4	1.2
谷物	子粒	1.6	0.6	0.4
	茎叶	0.5	0.2	0.6
绿肥	鲜	0.5	0.1	0.4
木材		1.0	0.2	0.5
水果		0.03	—	—
肉类		2.7	1.0	0.3

(四)操作方法

1. 有机质平衡分析

有机质平衡分析是指一个种植方式对农田土壤有机质积累与消耗量的平衡值，一般把有机肥料、根茬等的投入计算为积累量，土壤有机质的矿化量作为消耗量，然后作平衡分析。

$$R_{(H)}=\frac{H_{(I)}\times r}{W\times E\%\times R}$$

式中：$R_{(H)}$为有机质平衡值，大于1时，平衡为正，土壤有机质增加，反之，土壤有机质减少；$H_{(I)}$为投入的有机质总量；r为有机质腐殖化系数(一般为0.2～0.4)；W为耕层土壤总重量(一般按150 000 kg计)；$E\%$为土壤有机含量；R为有机质矿化系数(一般为1%～3%)。

2. 氮、磷、钾平衡

氮的投入包括有机和无机肥料中所含的氮，作物的自生固氮与共生固氮，降水所含的氮。移出的氮主要是随产品移出的氮，淋洗和反硝化作用使土壤损失的氮。为了简便计，可只计算肥料中的含氮量，共生固氮量及随产品移出的氮量。其他项目可忽略不计。磷、钾的投入主要是肥料，移出主要是随产品的移出(表3-2)。

$$氮平衡\ A=\frac{(施入的肥料含氮量+共生固氮量)/肥料利用率}{随产品移出的氮}$$

$$磷(或钾)平衡\ A=\frac{施入化肥的含磷(或钾)量/肥料利用率}{随产品移出的磷(或钾)量}$$

3. 氮、磷、钾投入产出分析

设投入矩阵 $A=(a_{ij})_{mn}$，系数矩阵 $B=(b_{ij})_{nm}$，产出矩阵 $C=(c_{ij})_{mm}$。氮、磷、钾等营养元素的投入产出平衡可表示为：$[A]\times[B]=[C]$

$$\begin{vmatrix} a_{11} & a_{12} & \cdots & a_{1n} \\ a_{21} & a_{22} & \cdots & a_{2n} \\ \vdots & \vdots & & \vdots \\ a_{m1} & a_{m2} & \cdots & a_{mn} \end{vmatrix} \times \begin{vmatrix} b_{11} & b_{12} & \cdots & b_{1m} \\ b_{21} & b_{22} & \cdots & b_{2m} \\ \vdots & \vdots & & \vdots \\ b_{n1} & b_{n2} & \cdots & b_{nm} \end{vmatrix} = \begin{vmatrix} c_{11} & c_{12} & \cdots & c_{1m} \\ c_{21} & c_{22} & \cdots & c_{2m} \\ \vdots & \vdots & & \vdots \\ c_{m1} & c_{m2} & \cdots & c_{mm} \end{vmatrix}$$

上式中 $A=(a_{ij})_{mn}$，其中 $i=1,2,\cdots,m$，表示有 m 个投入项目。$j=1,2,\cdots n$，表示计算几年的资料，如计算一年的资料，则矩阵 A 是一个行向量。

$B=(b_{ij})_{nm}$，$i=1,2\cdots n$；$j=1,2\cdots m$，表示第 i 个投入项目，第 j 个元素的投入系数。

若只考虑氮磷钾三种元素，则 $j=1,2,3$。$C=(c_{ij})_{mm}$ 中，$i=1,2\cdots m$，$j=1,2\cdots m$，表示第 i 个产出项目第 j 个元素产出的量。利用矩阵 C，就可以得到某一项投入增加或减少土壤中某一元素的数量。进而进行平衡分析。

投入产出矩阵方法，可以借助计算机进行多年多个投入产出项目多个元素的平衡分析。

(五)作业与考核

1. 作业

(1)根据表 3-3 至表 3-5 中的资料用表格法进行养分平衡分析。

(2)根据下列资料用矩阵法进行养分投入产出分析。

2. 考核标准

(1)选用参数正确，计算结果正确。(20 分)

(2)用表格法分析，能正确填制养分平衡分析表。(20 分)

(3)用矩阵分析，能正确利用矩阵计算养分投入与产出状况。(20 分)

(4)能对计算结果提出合理的评价。(20 分)

(5)能认真完成分析报告(20 分)。

表 3-5　不同种植方式的作物产量与施肥量

熟制	种植方式	产量(kg/667 m²)				施肥量(kg/667 m²)		
		子粒		秸秆		标准化肥	标准磷肥	有机肥
		单季	全年	单季	全年			
一年二熟	冬小麦	437	907	557	1 057	85	50	1 500
	—							
	夏玉米	470		500				
	冬小麦	450	921	621	1 172	75	50	1 500
	/							
	夏玉米	471		551				
	冬小麦	437	546	557	781	45	50	1 500
	—							
	大　豆	109		224				
一年一熟	冬小麦		437		557	45	50	1 500
	春玉米		471		738	70	50	1 500
	春大豆		178		337	20	50	1 500

注:“/”表示套作;“—”表示接茬复种。

第三节　农作物立体种植技术

一、作物组合与田间配置技术

(一)目的要求

农作物立体种植是一项技术性很强的农业综合技术。要分析了解复合群体内种间的相互关系,合理组配作物组合,正确配置田间结构,同时,要合理安排立体种植的时间结构。

(二)技能内容

(1)立体种植历的拟定。

(2)立体种植田间配置方式的设计。

(3)立体种植的田间操作。

(三)条件准备

(1)测量、记录用具。皮尺、钢卷尺、细绳、记录表、标牌。

(2)播种、管理工具。铁锹、锄、水桶、喷雾器、地膜。

(3)实验田及种苗。对小麦田套种其他作物的田块,要按设计要求预先种好小麦;对于玉米或棉花间作其他作物的田块,要预先按要求种植棉花或玉米;对于裸地,要预先施肥,浇水,耕作,整地。

(四)操作方法

(1)分析、了解小麦/玉米,小麦/棉花,玉米/草菇(薯类),棉花/西瓜(绿豆)等种植方式中,各主要作物对环境条件的要求。了解种间竞争、互补关系。为设计田间配置方式和制定种植历提供依据。

(2)依据不同作物的株高,对养分水分的要求,共生期长短等因素,设计出合理的田间配置形式,并用示意图表示。

(3)对于计划采用的立体种植方式,绘制出种植历图或表。种植历表、历图的绘制可参照表 3-6 和表 3-7。

表 3-6 不同种植方式的作物历表

种植方式	作 物	播种日期(月/日)	收获日期(月/日)
例:小麦—玉米	小 麦	10/6	6/2
	玉 米	6/10	9/13

(4)田间操作

①按种植历的要求,适时播种或育苗移栽。

②按田间配置方式的要求,在田间按设计的行距、株距、间距等规格播种或移栽。

③根据设计要求,适时盖地膜、灌水、施肥、喷洒植物生长调节剂和除草剂等。

(5)对以上各项操作及作物生长情况进行记录。

(五)作业与考核

1. 作业

(1)完成立体种植设计说明书,主要包括作物生态适应性分析,田间配置形式的优化方案、种植历以及主要技术措施、预计效益等。

(2)完成立体种植的关键技术操作。

表 3-7 不同种植方式的作物历图

月份 / 种植方式	1	2	3	4	5	6	7	8	9	10	11	12
例:小麦—玉米		冬小麦				玉 米				冬小麦		

2. 考核标准

(1)正确设计立体种植田间配置方案。(20 分)

(2)正确制定种植历。(20 分)

(3)认真编写设计说明书。(20 分)

(4)正确应用田间操作方法。(40 分)

二、不同种植方式的田间小气候观测

(一)目的要求

农田小气候的改善是间套作增产的基础。通过实践操作,测定不同种植方式的光照、风速、温度、湿度状况,并对比分析,了解间套作群体对改善田间小气候的效果。为选择合理的种植方式提供依据。

(二)技能内容

(1)确定农田小气候的测点和测定时间的方法。

(2)各种仪器的使用方法。

(3)测定结果的分析、整理方法。

(三)条件准备

(1)材料与用具。照度计、热球式电风速计、遥测通风干湿表、半导体温度计、地温表、烘箱、取土钻、天平、铝盒、钢卷尺、皮卷尺、测杆、支架、木箱、细绳、记录表等。

(2)实验田。预先为观测准备好实验田,要包括间作、套作、混作和对照等处理。

(四)操作方法

1. 测点设置

测点要力求代表性,各测点距离不宜太大,既能客观反映所测农田小气候特点,又不受周围环境影响,特别要防止人为因素干扰,测点数目根据观测点的要求、人力和仪器设备情况来确定。

测点高度要根据作物生长情况、待测气候要素特点和研究目的来确定。通常田间温度和湿度观测取 20 cm,2/3 株高和 150 cm 三个高度。20 cm 处代表贴地层情况,2/3 株高处作为作物主要器官所在部位,也是叶面积指数最大部位,150 cm 处是便于与大气候观测资料比较。高秆作物观测高度和层次应适当增加。

光照强度观测层次要密些,可等距离分为若干层。自上向下,再自下向上往返测一次。无论分几层测定,株顶高度一定要测定,以便分析比较。

风速测定可每隔一定距离均匀设点,在农田中一般测定 20 cm,150 cm,200 cm 高度。但应着重观测 2/3 株高处的风速。

土壤温度观测一般取 0 cm,5 cm,10 cm,15 cm,20 cm 五个深度。水田水温可取水面和水泥交界面两个部位。

2. 观测时间的确定

一般依观测目的和作物生长阶段而定,如要观测间套作复合群体的田间小气候的变化,须在不同作物的共生期进行。具体观测的时期可结合作物生育期选择典型气候(晴天、阴天等)来确定。

如要了解间套作条件下小气候的日变化或某要素的变化特征,可在作物发育期的关键时期，选择典型天气，每隔 1 h 或 2 h 全天候连续观测，也可采用 2:00，8:00，14:00，20:00 四次观测值作为日平均值，以便与气象台站观测数据比较。

在观测过程中，各处理、各项目、各高度的观测时间都要统一。

3. 测定仪器安置

各测点仪器的安置，要根据仪器特点，参照气象仪器安置的一般要求，按观测程序安排。仪器间应相互不影响通风和受光。应把仪器排列在同一作物行间。安置仪器及测定过程中要尽可能保持作物行间原来的自然状态。

4. 观测方法

(1)光照强度的测定。测定光照强度所用的仪器是各种类型的照度计。观测使用前调整电流表指针，使其正指在零位上，然后将罩有减光罩的减光探头线插入电表孔内，把减光罩水平放在测定部位，打开减光罩，即可从电表上读出指示值。

由于田间透光率不匀，在每个观测部位上均应水平随机移动测量数次，以其平均值代表该部位的光照强度，测定时可用数台仪器，在各测点同一部位同时进行。可用其中一台测定自然光照，以便计算主观部位的透光率。

$$\text{透光率}=\frac{\text{某一部位光照强度(lx)}}{\text{自然光照强度(lx)}}$$

注意事项：

①在任何情况下不得将感光探头直接暴露于强光下，否则会老化感光元件，降低照度计灵敏度。

②感光探头要准确水平放置在测定位置，使光电池与入射光垂直，并将电流表放平，以保证读数可靠。

③每一次测定均应遵循从高档(×100)到低档(×10 ，×1)的顺序。

④每次测定完毕应立即将量程开关拨在“关”的位置，并将光电池盖上。

(2)温度、湿度测定。温湿度观测常用的仪器有观测空气温、湿度的玻璃液体温度计，机动通风干湿表，遥测通风干湿表，自记温湿计等，观测土壤温度的有直管和曲管地温表，遥测土壤温度表，测定植物温度的有半导体温度计等。一般用烘箱法测定土壤水分含量。利用遥测通风干湿表测空气温度和湿度，先把感应部分的保护盒取下，通过其底架上的固定孔，用螺针平衡安装在被测部分的中心位置，随后把防护罩一端的电缆线插好，引出与指示箱连接。感应器的水盒中注入蒸馏水(若在负温时，测量温度可在储水箱中用 33%酒精和蒸馏水来保证)。打开指示器盖，置电表锁紧器至各点位置(松开位置)，再调整零点平衡，将通风开关置于“接”的位置上，通风 2～3 min 后即可读数。读数前先将干湿球开关置于“干球”位置上，再按当时气温，估计拨动零上或零下开关，之后旋转开关到"初测"位置，调节×10℃，×1℃的温度读数旋钮，使电表的指针在零附近摆动，此时"温度"开关不打开。在完成初测后，随即将"初测"开关置于"精测"位置上，再仔细调节×10℃，×0.1℃ 的温度读数旋钮，使电表指针完全平衡地指在零上，拨开"初测"，"精测"控制开关于中间空挡位置，记下温度旋钮读数，即×10℃＋1℃＋0.1℃加调整值，即为欲测的空气温度值。

湿球测定操作方法同上，只是把"干球"开关扳至"湿球"位置上，根据观测的干湿球温度，再查表计算核对湿度。

注意事项：

①仪器使用前后，指示箱上的通风开关和控制开关都应还原。

②在观测数较多时，指示器电桥发现拨动×℃，偏转减少时，应立即更换电桥的电池。

③铜电阻温度表使用一年后或停用一阶段再使用时应重新鉴定和矫正，以确保其测定精度。

(3)风速测定。风速测定使用的仪器为热球式电热风速计。

①使用前观察电表的指针是否指于零点，如有偏移可轻轻调整电表的机械零螺丝，使指针回到零点的位置。

②"矫正开关"置于"零位"的位置，慢慢调整"粗调"及"细调"两个旋钮，使电表指在零点的位置。

③将测杆插在插座上，上端的螺塞压紧使探头密封，"矫正开关"旋至"满度"位置，慢慢调整"满度调节"旋钮，使电表针指在满刻度的位置上。

④然后再拨动"矫正开关"置于"零位"的位置，慢慢调整"零位粗调"和"零位细调"旋钮，使电表指针回到零点位置上。

⑤经以上步骤后，轻轻拉动螺塞，测杆探头露出，即可进行观测。测定时，使探头上的红点面对风向，从电表上读出风速的大小。因风是阵性的，指针左右摇动，所以定出所需测定的时间内读数次数(一般在 1～2 min 内读十个数)，再取平均数，最后根据所得的平均数查仪器所附的矫正曲线，得出被测风速。

⑥测定若干分钟(10 min)后必须重复以上③、④步骤一次，使仪器内的电流得到标准化。

注意事项：

(1)风速测定中，无论测杆如何放置(垂直向上、倒置或水平位置)，探头上的红点一边必须面对风向，在"满度"，"零位"调整时，测杆必须处于向上放置。

(2)杆引线不能随意加长或缩短，如导线有变动，仪器须重新校对后方可使用。

(3)敏感部件——热球上有粉尘，可将探头在无水乙醇中轻轻摆动，去掉粉尘，切不可用刷以及其他用具清洗，以免损坏热球及使热球位置改变，影响测量的准确性。

(4)土壤湿度测定。用取土法或目测法。

(5)整理观测资料。

在完成各个测点及各项观测内容后，首先将多项观测记录进行误差订正和查算，并检查观测记录有无陡升或陡降的现象，找其原因决定取舍，然后计算读数的平衡值，最后查算出各气象要素的值。

为了从测点的小气候特征中寻找它们的差异，必须根据实验任务对各测点资料进行比较分析。在资料统计中，对较稳定的要素(如温度或湿度)可用差值法统计，而对易受偶然因素影响或本身变化不稳定的要素(如光照强度和风速)宜用比值法统计。这样得出的数据说明问题，又利于揭示气象要素本身的变化规律。此外，应根据资料情况用列表法将重点项目反映在图纸上。当平行资料不多或时间又不连续的时候，用列表法比较合适，但在资料长而时间的连续性又显著的情况下，应力求用图示法来反映重要的变化特征。

(五)作业与考核

1. 作业

(1)认真填写观测记录。

(2)完成分析报告。

2. 考核标准

(1)正确选择观测点。(5分)

(2)正确选择观测时间。(5分)

(3)正确安置仪器。(10分)

(4)熟练使用仪器。(20分)

(5)测量准确，项目完整，数据可靠。(20分)

(6)分析、整理观测数据方法得当。(20分)

(7)认真完成观测报告。(20分)

三、农作物间作套种边行优势的测定

（一）目的要求

农作物边行优势的大小，是影响间套作复合群体产量的关键因素。也是确定间套作时间和田间配置结构的重要依据。通过实际测定，要明确几种主要作物边行优势的大小，掌握边行优势测定与分析的方法。

（二）技能内容

（1）田间取样与田间测定的技术。

（2）室内测定的方法。

（3）测定结果的分析方法。

（三）条件准备

用具：钢卷尺、标牌、细绳、游标卷尺、天平、烘干箱、剪刀、铁铲、叶面积测定仪、计算器。

试验田：为了完成实践内容，要预先设置小麦/玉米，小麦/棉花等种植方式，并设置几种不同的埂宽和带型以便对比分析。

（四）操作方法

间套作边行优势的测定可在作物生长时期进行，也可在成熟时期进行。

1. 生育期间测定

（1）取样方法。在某生育期间测定时，首先在每个处理区内，选择有代表性的地段取样。每处理重复取样 3～5 个。

（2）田间观测。

①测定各处理中作物的小行距，大行距。

②在选定的地段上，分别在边 1 行，边 2 行，边 3 行……中间行 1 m 长的距离内测量株距、株高、叶片数等。

③分别从每一行中一定距离内（如 50 cm）随机取出 3～5 个完整植株，拴好标牌，带回室内测定。

④在室内对取回的植株，分别测定各植株的叶面积、鲜重、干重、根重、径粗等。

（3）对各项记录分析整理，分别计算出各边行效应的大小。

2. 成熟期的测定

(1)样点选择同上。

(2)田间测定内容。

①测量各处理中作物的大行距和小行距。

②在相同地段的每一行测定一定长度(如 1 m)内的株距、株高、成穗数。并随机取单株 3～5 株,用细绳捆好,拴上标牌回室内测定。

③在室内测定(小麦)每穗粒数,千粒重(烘干)等。

④对测定数据分析整理,分别计算出各边行的效应大小。

(五)作业与考核

1. 作业

完成分析报告。

2. 考核标准

①正确取样。(15 分)

②测定方法正确,项目齐全,结果可靠。(30 分)

③数据分析准确,方法正确。(30 分)

④报告条理清楚,结论明确,态度认真。(25 分)

第四节　农田生物多样性调查与作物生态适应性分析

一、农田生物多样性调查

(一)目的要求

农田生物多样性保护及持续利用是全球生物多样性保护的重要组成部分。通过调查,要了解农业生产活动,如土地开发利用,耕作,农作物间混套作,农药化肥的使用,放牧,有害生物防治,引种及品种改良等对农田生物多样性产生的影响。采取合理农业技术措施,在不影响或促进农业生产的同时,保护生境多样性和生物多样性。

(二)技能内容

(1)农田生物群落特征的调查与描述。

(2)农田生物多样性调查与分析方法。

(3)农田生物群落内种间联结调查与分析的方法。

(三)条件准备

1 m^2 样方框、随机数字表、钢卷尺、指南针、采集包、野外记录表格、计算器或计算机。

(四)操作方法

1.种间关联度及群落特征的调查

(1)每 2 个同学一组,选择间套作农田或野生植物地,按随机数字表设置 50～100 个样方。

(2)记载每个样方中所有动植物种类和个体数。大田作物(含林木、果树、牧草)杂草的高度、密度、基盖度,当时不能识别的种带回室内鉴别。

(3)填写野外调查记载表(表 3-8),并整理出每两个种间的 2×2 联列表(表3-9)。

表 3-8 野外调查记载表

样方编号	样方内所含的动、植物种类及个体数
1	
2	
3	
4	
5	
6	
7	

表 3-9 两种间联结 2×2 联列表

物种B	物种A 有	物种A 无	合计
有	a	b	$m=a+b$
无	c	d	$n=c+d$
合计	$r=a+c$	$s=b+d$	$N=m+n$(或 $s+r$)

(4)根据下列公式计算每两种间的 X^2 值

$$X^2=\frac{N\,(\mid ab-bc\mid-N/2)^2}{m\,n\,s\,r}$$

查 X^2 表，做独立性检验，自由度 $f=4-3=1$，$ad>bc$ 为正联结，用＋符号表示显著，＋＋符号表示极显著，$ad<bc$ 为负联结，用－，－－符号表示显著，极显著。

(5)根据 X^2 值计算显著性检验结果，列出种间联结三角表。在格子内填入相关种对的 X^2 相关性。

(6)计算每两物种间的协调系数

$$V=\frac{ad-bc}{\sqrt{mnsr}}$$

V 可在 -1 到 0 到 $+1$ 间变动。$V=0$ 表示两物种无协调关系；$0<V\leqslant 1$ 为正协调；$-1\leqslant V<0$ 为负协调。

(7)将协调系数列成半矩阵，在矩阵中填入每一种对的协调系数值。

(8)根据调查记载结果，分别计算每一物种的密度，相对密度、盖度、相对盖度、频度和重要值。

2. 农田生物多样性调查

(1)在若干不同的农田(或野生植被)里，选择一定大小的样方框，在每种类型的农田里重复取样 10 次。样方随机放置。

(2)记载每个样方内所有的物种数及每个物种的个体数，当场不能鉴定的种，记载后带回室内鉴定。

(3)按群落类型整理合并数据，分别计算 Simpson 和 Shannon-Wiener 多样性指数。Simpson 多样性指数计算公式为：

$$D=1-\sum\frac{N_i(N_i-1)}{N(N-1)}$$

这是在一个有 N 个个体的 S 个种的群落中(其中第 i 个种有 N_i 个个体，$i=1,2,3,\cdots,S$)随机抽取两个个体并且不再放回。这两个个体是不同种的概率。这里 D 值可以用下式进行估计：

$$D'=1-\sum_{i=1}^{s}(P_i)^2$$

P_i 为第 i 个种在总体中的比例，$P_i=N_i/N$

Shannon-Wiener 多样性指数计算公式为：

$$H'=-\sum_{i=1}^{s}P_i\ln P_i=\ln N-\frac{1}{N}\sum_{i=1}^{s}N_i\ln N_i$$

H'可预测从群落中随机抽取一个一定个体的平均不确定度。

(4)填写生物群落多样性指数计算表,见表 3-10。

表 3-10　生物群落多样性指数计算表

样点	各物种个体频率				物种 1 数	物种 2 数	多样性指数	
	物种 1	物种 2			(N)	(S)	D'	H'
1								
2								
3								
4								
5								
6								
7								
8								

(五) 作业与考核

1. 作业

(1)填写生物群落野外调查记录表。

(2)分析整理数据,完成调查报告。

2. 考核标准

(1)正确调查田块和样点。(25 分)

(2)调查、记载方法正确。(25 分)

(3)计算项目完整、结果正确。(25 分)

(4)正确完成调查报告。(25 分)

二、作物生态适应性分析

(一)目的要求

农作物的自然生态适应性是作物布局和种植业结构调整的基本依据,是因地种植的基础。通过对主要作物生态适应性的分析,了解不同作物对不同生态条件适应程度,掌握作物生态适应性分析的基本方法。

(二)技能内容

(1)了解某一作物或品种对气候\土壤\地貌等的要求。

(2)调查和收集某地气候(温度\降水\物候期等)\地貌\土壤等资料。

(3)确定某作物各生育阶段在当地的起止日。

(4)对作物要求与实际环境条件作出分析。

(5)对某作物的生态适应性进行判断。

(三)条件准备

用具:某地气象资料、有关某作物特征特性资料\计算器\绘制表格用具等。

(四)操作方法

1. 生态适应性分析

(1)绘制某作物生态适应性分析表,如表 3-11 所示。

表 3-11 作物生态适应性分析表(样表)

作物	生长期	光周期	生长期	生长期积温	温度特殊要求	土层	土质	肥力	pH值	需肥习性	肥料量	地形	坡度	需水量	排水	其他	产量潜力	适应性
芝麻																		

(2)把作物对环境的要求与该地实际条件填入表格。

2. 生物节奏与季节节奏平行分析

(1)把作物划分为若干生育期,了解各生育期对某生态条件的要求。

(2)了解作物各生育阶段在该地实际生态条件。

(3)绘制某作物生态适应性平行分析表,如表 3-12 所示。

3. 对作物适应程度作出评价

判断其是否属于最适宜区\适宜区\次适宜区\或不适宜区。

(五) 作业与考核

1. 作业

(1)绘制作物生态适应性分析表。

(2)绘制作物生态适应性平行分析表。

(3)对作物生态适应性作出判断。

2. 考核标准

(1)正确绘制作物生态适应性分析表。(20 分)

(2)正确绘制作物生态适应性平行分析表。(20 分)

(3)收集气象资料准确可靠。(20 分)

(4)对作物要求的生态条件调查准确。(20 分)

(5)对作物生态适应性判断正确。(20 分)

表 3-12　小麦在北京的生态适应性分析表 (仿刘巽浩)

	播种 → 出苗 → 分蘖 → 越冬 → 拔节 → 抽穗 → 成熟						共 计
小麦要求温度(℃)	15～18	12～14	＞－20	12～16	16～20	20～22	
该地实际温度(℃)	15～10	11～13	－16～－20	12 ～15	17～20	21～25	
小麦要求降水(mm)	60		20	64	108	148	400
该地实际降水(mm)	43		8	20	17	57	145

第四章　设施栽培综合技能

第一节　保护地栽培设施类型的识别、调查与评价

一、保护地栽培设施的类型识别

(一)目的要求

通过对几种保护地栽培设施的调查、测量和分析，进行类型识别和了解当地主要保护地栽培设施的结构、性能、特点和规格，掌握各保护地设施在本地区的应用情况。掌握设施结构的测量方法。

(二)技能内容

(1)保护地栽培设施利用现状调查的内容与方法。

(2)栽培设施评价的内容与方法。

(3)保护地栽培设施结构、规格测量的方法。

(三)条件准备

皮尺、钢卷尺、测角仪(坡度仪)。

(四)操作方法

1. 对保护地栽培设施的类型进行识别，观察保护地栽培设施的场地选择、方位和规划情况

2. 测量几种保护地栽培设施的结构、规格

(1)测量温室的方位、长、宽、高、透明屋面及后屋面的角度、长度，墙体厚度和高度，门的位置和规格，加温设备类型和配置方式等。

(2)测量大、中、小塑料拱棚的方位、规格、跨拱比和用材种类与规格。

(3)测量温床或阳畦的方位、规格。

(4)分析几种保护地设施结构原理的异同、结构性能的优缺点和节能的有效措施。

(5)了解各保护地设施在本地区的主要栽培季节、栽培作物种类、周年利用情况以及节能的有效措施。

3. 调查保护地栽培设施的利用现状

4. 对栽培设施利用状况进行评价

(五)作业与考核

1. 作业

(1)绘出所测量保护地栽培设施的规格、结构的剖面图,并注明各部位构件的名称。

(2)根据技能内容,总结本地区保护地栽培设施的优缺点及应用情况,并对结构和应用提出改进意见。

2. 考核标准

(1)正确识别各类保护地栽培设施。(10 分)

(2)认真完成调查、访问、测量。(25 分)

(3)绘出所测量保护地栽培设施的规格、结构的剖面图。(30 分)

(4)能对本地区保护地栽培设施的利用现状进行正确评价并提出改进意见。(35 分)

二、温室、温棚气候因子的观测

(一)目的要求

掌握日光温室、塑料大棚环境条件的观测方法。通过观测记录,掌握日光温室、塑料大棚环境条件的一般变化规律及其对蔬菜生育的影响。

(二)技能内容

(1)设施内不同部位温度、湿度的观测方法。

(2)设施内光分布的观测方法。

(3)设施内温度、湿度日变化观测方法。

(4)设施内地温日变化观测方法。

(三)条件准备

(1)日光温室或塑料大棚。

(2)观测仪器。通风干湿球温度计或普通棒状温度计,遥测通风干湿球温度计,照度计,最高最低温度表,套管地温表,自记温度计和湿度计(均为日记)。

(四)操作方法

1. 测定设施内不同部位的温度、湿度

在日光温室(或塑料大棚)中部选一纵剖面,从南到北竖立数根标杆,温室第一标杆距南侧(大棚东西二侧标杆距棚边)0.5 m,其他各相距 1 m,每根标杆垂直方向上每 0.5 m 设一测点。

在温室(大棚)1 m 高处选一横断面,按东、中、西和南、中、北设置 9 个测点,根据需要还可增加测点数目。

每次观测,读数要准确,每一测点的温度要取二次读数的平均值,以消除读数时间上的误差,纵剖面第一次由南到北,每标杆由上而下,第二次由北到南,垂直方向由下而上。横剖面按同理进行。同时在露地等高位置设置对照观测点。

观测时间 8:00,13:00。

2. 测定设施内不同部位的光照强度

观测点、测定顺序和观测时间均与温度、湿度分布观测一样,观测时间也可取当地正午时间。

3. 温度、温度日变化的测定

观测温室(大棚)内中部和露地对照区 1 m 高处的温度、湿度变化情况,记载 2:00,6:00,10:00,14:00,18:00,22:00 时的温度、湿度。

4. 测定设施内地温分布及日变化

在温室(大棚)内水平面上,于东西和南北向中线,从外往里,每 0.5~1 m 设观测点,测定 10 cm 地温分布情况。并在中部一点和对照区观测 0 cm,10 cm,20 cm 地温日变化,观测时间与温度同。

(五)作业与考核

1. 作业

(1)根据观测数据,绘出温室(大棚)和露地等温线图,光照分布图,温度、湿度及地温日变化曲线图。

(2)根据所测数据简要分析温室(大棚)内环境条件的特点及局部差异的成因。

(3)通过上述分析,对温室(大棚)的结构和管理提出自己的意见和建议。

2.考核标准

(1)温度、湿度分布观测。(20分)

(2)光照分布观测。(20分)

(3)温度、湿度日变化观测。(20分)

(4)地温分布及日变化观测。(20分)

(5)观测结果分析与建议。(20分)

第二节　日光温室、塑料大棚的设计与建造

一、日光温室与塑料大棚的设计与建造

(一)目的要求

运用所学理论知识,结合当地气象条件和生产要求,掌握塑料大棚、日光温室设计建造的方法和步骤。设计图纸要基本达到施工要求的标准。建造要符合设计要求。

(二)技能内容

(1)熟悉塑料大棚、日光温室设计的内容与方法。

(2)掌握塑料大棚建造与施工的方法。

(3)掌握日光温室建造与施工的方法。

(三)条件准备

设计用具:比例尺、直尺、量角器、铅笔、橡皮、绘图纸等。

建造材料:立柱、拱杆、拉杆、压杆(压膜线)、吊柱、棚门、棚膜等。

(四)操作方法

1.设计结构方案

(1)设计设施结构。包括各种平面图、立体图、剖面图等,长宽、面积、檐高、屋面坡度、覆盖材料的种类、设备等。

(2)设计建筑材料及允许应力。包括钢材、连接材料、混凝土、地承载力等。

(3)计算荷载。包括恒载、风雪荷载、地震荷载、作物荷载等。

(4)设计主构架(排架)。包括荷载计算、内力计算、构件(梁、柱等)设计、连接处、柱脚设计等。

(5)设计其他构件。包括椽子、檩子、横木、山墙、柱、拉筋、门等设计。

(6)基础设计。包括基础底面、断面的设计等。

(7)选择透明覆盖材料。

2. 绘制设计文件

设计文件包括设计图纸、说明书和结构设计书等。塑料大棚、日光温室的设计图分为建筑、结构、设备图三部分。有总平面图、平面图、立面图、断面图;屋面、基础等,以及结构连接处、梁等的大样图;采暖、换气、排灌、电气等设备的详细图。

3. 预算

预算是对建筑造价的估算,包括材料、加工、施工等费用。

4. 建造施工步骤

(1)塑料大棚的建造工序及注意事项。

准备工作为以下几点。

①选择场地。要符合以下条件:a. 良好的光照与通风环境;b. 地下水位低,灌溉排水方便;c. 地势平坦,土质疏松肥沃;d. 管理与交通便利;e. 有电源,最好还有其他能源条件,如地热、余热等。

②骨架材料的处理。埋入地下的基础部分是竹木材料的,要涂以沥青,或用废旧薄膜包裹,防止腐烂。立柱顶端挖一凹槽,便于安放和固定拱杆;立柱顶端以下20～24 cm 处钻一孔,便于捆绑拉杆。小吊柱两端各挖一凹槽,距两端 5 cm 处各钻一孔,同一端的槽和孔的方向相互垂直,不在同一端的两槽相互垂直,两孔也相互垂直,目的是便于固定小吊柱和固定拱杆。拱杆表面要光滑,无刺,防止扎破棚膜。

③裁接薄膜。根据薄膜的规格和大棚规格,选择适宜大小的薄膜。薄膜不适合时,要进行裁接。薄膜的连接有焊接法、粘接法、缝接法。另外,放风口处的薄膜边缘要焊一个双环,双环内穿一条麻绳,便于通风作业和防护薄膜。

建造工序及注意事项有以下几点。

①放线。包括大棚的方位、长度、宽度,各立柱的位置、拱杆底脚的位置、压膜线固定柱的位置等。

②挖坑。包括立柱坑,深达 40 cm 左右;拱杆底脚坑,深达 20 cm 左右;压膜线固定柱坑,深达 45 cm 左右。

③埋立柱。靠近棚两侧的两行立柱稍向外倾斜埋设,其余垂直埋设。立柱埋好后,要求横竖面直线,并且同一行的立柱高矮一致,同一排的立柱呈拱圆形。

④上拉杆。

⑤上吊柱。要求吊柱顶端和同一行内立柱顶端在同一水平面上。

⑥上拱杆。先上顶部两根竹竿，再埋两侧竹片，然后竹片向里弯曲与竹竿相搭接，固定。

⑦埋地锚（压膜线固定桩）。

⑧上棚膜。选无风天气进行。先将膜卷起，拉至棚顶，再向两侧展开。先上顶端一块膜固定，再上两侧的膜，放风口处搭接 20 cm 以上。

⑨上压膜线。扣膜的同时准备好压膜线，一侧一个人，拴紧，压牢。

⑩装门。

(2)日光温室的建造工序及注意事项。

准备工作：参照塑料大棚建造的有关部分。

建造工序及注意事项：

①定位放线。包括后墙、东西山墙、工作间以及中柱、腰柱、前柱等都要定点定位。

②筑后墙。墙体可用泥土垛成，也可用红砖、空心砖、石头等砌成。泥土墙下宽上窄，最窄处厚度不小于 100 cm。砖石墙可以做成空心墙，也可以后面培土，但总厚度不小于 100 cm。注意：a. 如建空心墙，每隔 2～3 m 要垒一段实心墙，防止因内外两层皮而撑倒；b. 在后墙距地面 0.8～1 m 处，每隔 2～3 m 设 30～40 cm 见方的小窗口以备通风透气。

③筑东西山墙。建筑方法同后墙一样，只是需注意：a. 在建工作间的一侧要留出门口；b. 墙的上表面形状要和后屋面的倾斜程度以及前屋面拱圆形状相吻合；c. 山墙可做成阶梯式，供上下温室之用。

④埋中柱。中柱是支撑后屋顶的。中柱距后墙 1～1.2 m，可以稍向北倾斜。先埋东西两端的中柱，然后在柱顶拉一细线作为标准高度，再埋设其他中柱。

⑤上檩。檩架设在每两个立柱之间。要用铁锔子固定，防止滑脱。

⑥上椽子。椽子架设在后墙和檩上，均需固定，视椽子强度一般 25～30 cm 架设一根。

⑦铺顶盖。最好先铺一层草帘或草苫，然后铺捆成直径约 15 cm 的玉米秸捆，要求铺紧、固定，不能下滑。然后再铺一层稻草或杂草约 5 cm 厚，抹一层麦秸泥。麦秸泥稍干后再铺一层稻草或杂草约 10 cm 厚，再抹一层麦秸泥，干后再抹第三遍泥。注意整个后屋顶应前薄后厚，从外面看近于水平，便于揭盖草苫。

⑧埋腰柱、前柱。腰柱直立，前柱可稍向南倾斜。

⑨上拉杆、吊柱、拱杆。参见塑料大棚的建造技能有关部分。不同的地方是日

光温室的拱杆由一根 6 m 竹竿和一根 3 m 竹片组成。先上 6 m 竹竿，大头与后屋顶相接，然后上 3 m 竹片，埋好后向北弯曲与竹竿细差头相搭接固定。

⑩埋地锚。每两拱之间埋一地锚，供拴压膜线用。

⑪扣膜和上压膜线。日光温室薄膜一般用两块，先上下面一小块，幅宽 1.5 m；再上顶部一大块，幅宽约 6 m。上面压住下面，作为通风口。薄膜与后屋顶相连处至少搭接 40 cm，固定，不要透气。扣膜同时上好压膜线，压紧。

⑫建工作间。工作间大小一般 3 m^2 见方，可供管理人员休息或存放一些常用物品。

⑬上草帘。

⑭挖防寒沟。在温室南边距拱杆底脚约 20 cm 处挖宽、深各 40 cm 的一条沟，沟内填充隔热材料，再用土埋好。

⑮培防寒土。后墙厚度达不到 1 m 的，要培土防寒。

⑯加固整理。全面检查温室，进行整理，既牢固又美观实用。后墙抹白灰，防透风，增加反光。

(五)作业与考核

1. 作业

(1)设计建造一栋塑料大棚。绘出所设计塑料大棚的断面图、平面图、立体图，并写出此设计说明和使用说明。写出所设计塑料大棚的用材种类、规格和数量，经费概算。

(2)设计建造一座日光温室。绘出所设计温室的断面图、平面图、立体图，并写出此设计说明和使用说明。写出所设计日光温室的用材种类、规格和数量，经费概算。

2. 考核标准

(1)掌握塑料大棚的设计要求。(10 分)

(2)掌握塑料大棚建筑材料的规格、用量及用途。(10 分)

(3)绘制塑料大棚施工图纸，标明各部分规格名称。(20 分)

(4)掌握塑料大棚建造工序及有关注意事项。(20 分)

(5)建造一栋塑料大棚符合设计要求，或者参观一栋塑料棚，能准确指出其优缺点，提出改进设想。(40 分)

二、电热温床的设计与建造

(一)目的要求

利用电热线加温，具有升温快、地温高、温度均匀、调节灵敏且可自动控制的优点，使用时间基本不受季节限制，可根据不同的天气条件和作物种类调节温度和加温时间。有利于培育适龄壮苗，获得早熟丰产。通过电热温床设计和建造要掌握电热温床的设计计算方法；熟悉自动温度调节原理和布线原则；掌握建造、安装技术。

(二)技能内容

(1)电热温床电热线功率、用量的计算方法。

(2)电热温床电热线行数、间距的计算方法。

(3)电热温床电热线的铺设方法。

(三)条件准备

电热线、控温仪、交流接触器、电闸盒、配电盘、铁锨、木板等。

(四)操作方法

1. 电热线功率、用量与用法设计

(1)功率密度的计算。功率密度是指每平方米温床平均占有的电热线功率瓦数。一般来讲，电热温床适宜的功率密度为 80～140 W/m^2。功率密度越大，升温较快，但功率密度过大易使控温仪电路通断频繁，会缩短仪器的使用寿命；功率密度过小，难以达到或不能较快地达到规定的温度。具体应用时，可根据当地气候条件、温床保温效果、栽培或种植植物的种类等因素来具体确定每平方米的功率密度。

如温床面积为 20 m^2，选择功率密度为 120 W/m^2，则总的功率密度应为：

$$20\ m^2 \times 120\ W/m^2 = 2\ 400\ W$$

(2)电热线的用量计算。

$$需用电热线条数(条)=[温床面积(m^2)\times功率密度(W/m^2)]/[每条电热线功率(W/条)]$$

电热线条数取整数。

(3)温床布线行数计算。

温床布线行数(行)=[需用电热线总长度(m)－ 温床宽(m)]/温床长(m)

(4)温床布线间距计算。

温床布线间距(m)= 每米电热线的功率(W/m)/功率密度(W/m^2)

或： 温床布线间距(m)= 温床宽(m)/[温床布线行数(行)+1]

以上两公式的计算结果基本一致。

2.电热线的铺设

(1)设置隔热层。铺设电热线之前先在床底设置隔热层,以减少热量的散失,节约电能。隔热层可用旧草帘铺成,也可用碎稻草、麦秸、锯末等材料铺成,铺设的厚度为5～10 cm,要踩实、铺平。然后在隔热层上撒一层2 cm厚细干土,盖严隔热层。

(2)布置电热线。布线前先准备两块长度与床宽相等的木板,木板上按布线间距钉上钉子。注意床的两边布线间距小一些,床中间布线间距稍大一些,这样用布线密度来调节床内局部温差。布线时把两块木板分别固定在床的两端,然后一人在中间往返拉线,两人分别在两端挂线,将电热线铺好。注意布线要紧、平、直。每根电热线的两个出线头要在温床的同一端引出来,如果所用电热线最后一个来回不够长时,可以在中途折回,仍使两个出线头在温床一端,便于接线。如果每个温床用2根以上电热线时,应并联,不可串联。

(3)覆土。电热线布好后,再覆一层土。覆土的厚度视不同情况而定。如果温床用于营养钵、纸杯等护根育苗,可以不覆土,或稍覆土;如果温床用于普通育苗,应先撒一层0.3～0.5 cm厚细沙或灰渣,作为标记,然后覆3～5 cm细土,再装入培养土即可;如果温床用于栽培,应先撒一层细沙或灰渣作为标记,然后再填菜园土。

3.电热线使用注意事项

(1)热线的电阻是额定的,使用时只能并联,不得串联,也不能接长或剪短。

(2)热线不能交叉、重叠、扎结,成盘电热线不能通电试验或使用。

(3)电热线必须埋在土壤中使用,不能作空气加温线用(专门生产的空气加温电热线除外)。当一根电热线有剩余时,也应将剩余部分平行盘于地下,再引出接线头。

(4)布线和起线时不能硬拉,不能用锹挖掘。田间管理时也要小心,防止弄破绝缘层。

(5)电热线不用时,要放在阴凉处,防虫、鼠咬坏绝缘层。

(五)作业与考核

1. 作业

一苗床长 10 m、宽 1.67 m，计算出苗床所需的总功率密度，需用电热的条数、布线间距和行数。并练习田间铺设。

2. 考核标准

(1)掌握电热温床的应用及电热线加温的优越性。(10 分)

(2)能较熟练地使用电热温床有关设备。(25 分)

(3)掌握电热温床的有关计算。(25 分)

(4)熟练掌握电热线铺设方法。(30 分)

(5)掌握电热线使用注意事项。(10 分)

第三节　温棚温室栽培关键技术

一、棚室蔬菜育苗技术

(一)目的要求

通过操作和管理掌握棚室蔬菜的育苗技术。

(二)技能内容

(1)掌握设施内蔬菜育苗的技术要点。

(2)设施条件下形成壮苗、弱苗的原因分析。

(三)条件准备

日光温室或塑料大棚、种子、炉渣、床土、有机质、无机肥料及操作工具。

(四)操作方法

(1)按照不同栽培形式确定好蔬菜栽培育苗的场所。

(2)根据各种苗龄天数及育苗场所的保温性能等因素，安排好育苗的播种期。

(3)把腐熟过筛的有机肥、园出土、化肥按一定的比例配制成营养土。并按 5～10 cm 和 10～15 cm 的厚度分别平铺在播种床和分苗床内。

(4)根据蔬菜种类确定育苗方式。如瓜类和豆类蔬菜采取营养土块法、营养纸袋法和塑料杯等不同的育苗方式。

(5)播种前浇足底水,水渗后撒一层翻身土播种。

(6)苗期管理。

①覆土。在秧苗生长发育的进程中,分别适时进行"脱帽土"、齐苗土、保墒土的覆土工作,掌握好覆土时间、厚度及方法。

②根据播种后苗床出苗率的高低,进行1~2次间苗,注意间苗的时期、方法。

③做好苗床温度的调节工作,分别实践从播种到出苗前,从出苗后到破心,分苗前后,缓苗后及栽植前等各个不同生育期的温度管理。

④在播种前浇足底水的基础上,还要在分苗前浇一次水,分苗移栽时浇足稳苗水,缓苗后浇缓苗水及以后见湿见干的水分管理。

⑤浇水之后要中耕松土。

⑥根据秧苗的长势,分别采取苗床土壤施肥和根外施肥的不同方法,以满足秧苗对营养元素的要求。

⑦在育苗过程中,掌握揭盖草苫的时间,保持透明覆盖物(薄膜或玻璃)的清洁,以延长秧苗的见光时间和增加光照强度。

⑧加强前期病虫害的防治,特别是苗期的立枯病、猝倒病等病害。

⑨为了提高栽植成活率.在定植前采取切块和囤苗,并注意切块和囤苗前后的温度管理。

⑩对育出秧苗的质量作出鉴定。若是壮苗总结经验,若是弱苗,找出其原因。

(五)作业与考核

1.作业

(1)幼苗生育过程中移植前和定植前分别进行生育调查。

(2)根据调查资料和平时观察,分析壮苗、弱苗形成的原因。

2.考核标准

(1)能确定适宜的育苗场所及育苗播种期。(10分)

(2)营养土的配制方法得当与苗床平铺厚度合适。(10分)

(3)能完成好保根措施及播种过程。(10分)

(4)能较好地完成前期管理过程。(20分)

(5)培育出壮苗。(20分)

(6)对幼苗生育过程中进行调查,能够分析壮苗、弱苗形成的原因。(30分)

二、棚室蔬菜滴灌施肥技术

(一)目的要求

熟悉滴灌施肥系统的组成,掌握棚室蔬菜滴灌配肥、施肥技术。

(二)技能内容

(1)选用适宜的滴灌系统。

(2)设计滴灌施肥方案。

(3)滴灌施肥操作。

(三)条件准备

塑料大棚或日光温室、供水装置、输水管道、滴水管、配肥器等。

(四)操作方法

1. 选用与建造供水装置

提供有一定压力的水源,常用的有水塔、压力罐、微型水泵、地上贮水池等。地上贮水池,一般建在棚室旁或棚室内。池高 1～1.5 m,容水量 1～2 m^3,棚室过长时(50 m 以上)可建于中央。也可用塑料罐代替。

2. 选用输水管道

输水管道由干管和支管两部分组成,在棚内直接取水进行滴灌的可只设支管。管道多用不透明的黑色硬质塑料管。干管内径粗 50～100 mm,棚室外埋入冻土层以下,支管内径 32～50 mm,用两通或三通、旁通与干管相连。出水主管上安装过滤器,以防泥沙,农村可用 80～100 目的纱网,同时,安装压力表和阀门、配肥器。

3. 配置滴水管

滴水管铺于作物行间并将水肥滴入根系周围,分为硬质塑料管和软质塑料管带两种。硬质塑料滴水管由毛管和滴头管组成,毛管用有弹性的硬质塑料管,直径为 12～20 mm,上嵌有滤网式滴头管或普通水阻塑料滴头管,滴头管间距可依作物株距调整为 0.5 m,0.75 m,1.0 m,1.25 m。软质塑料(薄膜)管带厚 0.08～0.12 mm,直径有 16 mm,20 mm,25 mm,32 mm,40 mm,50 mm 等规格,黑色或蓝色,左右两侧各打一排直径 0.5～0.7 mm 的滴水孔,每侧孔距 25 cm,两侧滴孔交错排列。

滴水管在田间的布局一般依作物行距、种类,在棚室内沿行向南北布局。种植行距比较小时(20～30 cm),一般在行间铺放一条滴水管,行距大时,在每行作物的旁边铺放一条滴水管,滴水管距作物主茎10 cm左右。

4. 滴灌施肥方法及注意事项

(1)防止堵塞滴孔和出水孔。采用清洁的水源,并用纱网过滤,不用铁管送水。

(2)避免鼓破滴灌软管。一般压力过大或管质量不好时易发生。有压力表时,压力调整到0.3～0.5 kg/cm^2;无压力表时可外观判断,软管应呈近圆形,水声不大即可。

(3)滴灌要加地膜覆盖。

(4)供水量调控。依作物及不同生育期、天气情况确定。一般每亩每次灌水量约20 m^3。

(5)施肥技术。基肥施足有机肥和复合肥,滴灌时只追入溶解性好的化肥。可以购置专用配肥器(或自制),将配肥器放置在距地面高50 cm的地方,下部出液管与安装滴管的支管连接,上部用自来水管不间断地加水,以保持压力,把溶解好的肥料源源不断地加入其中,即可完成施肥。

(6)配肥器与输水管带遮光,防止产生青苔。

(7)夏季不用时应保管好软管和塑料管材。

5. 在实习基地实习滴灌施肥技术的操作

(五)作业与考核

1. 作业

(1)设计滴灌施肥技术方案。

(2)进行滴灌施肥技术的田间操作。

2. 考核标准

(1)熟悉滴灌施肥系统的组成。(20分)

(2)设计滴灌施肥技术方案。(40分)

(3)能按要求进行滴灌施肥技术的田间操作。(40分)

三、棚室二氧化碳施肥技术

(一)目的要求

二氧化碳气体施肥是设施栽培的重要技术措施,增施二氧化碳的方法很多,通过操作要掌握棚室增施二氧化碳气肥的技术。

(二)技能内容

(1)产生二氧化碳的主要方法。

(2)用硫酸、碳氨反应产生二氧化碳的方法。

(3)二氧化碳施用技术。

(三)条件准备

液态 CO_2、硫酸、碳酸氢铵，塑料桶或玻璃缸、玻璃瓶，塑料棒、玻璃棒等。

(四)操作方法

1. CO_2 气体施肥法

(1)纯 CO_2 法。

①液体 CO_2 气体施肥法。把气态 CO_2 经加压后转变为液态 CO_2，保存在钢瓶内，施肥时打开阀门，用一条带有出气小孔的长塑料软管把气化的 CO_2 均匀释放进棚室内。钢瓶出气孔压力为 1～1.2 kg/cm^2，每天放气 6～12 min。CO_2 一般为酿酒厂、化工厂的副产品，纯度要求在 99%以上。钢瓶为无缝瓶。

②固体 CO_2 气体施肥法。利用固体 CO_2 即干冰在常温下吸热后升华为气体来进行 CO_2 施肥。干冰贮藏、运输条件严格，一般在苗床内施用。

(2)硫酸、碳铵反应法 CO_2 气体施肥技术。

①施肥原理。

$$2NH_4HCO_3 + H_2SO_4(稀) = (NH_4)_2SO_4 + 2CO_2\uparrow + 2H_2O$$

该反应中硫酸与碳酸氢铵的用量比为 0.62∶1。

②简易施肥方法。

反应容器：小塑料桶或玻璃缸、玻璃瓶。

浓硫酸稀释：按 1∶3 比例稀释。稀释时，要将 1 份浓硫酸缓慢倒入 3 份水中，并边倒边用塑料棒、玻璃棒充分与水搅拌均匀。

施放方法：每个棚室吊挂 7～10 个容器，高度为作物的中上部，一般离地面 1.2 m 左右，把称量好的硫酸放入容器中，称量好的碳铵分成 7～10 份，用塑料袋装好，每个袋上扎上十几个孔洞，各放入盛酸的容器中，让其缓慢反应。反应后残液无残留硫酸时可将其作肥料施入土壤。

硫酸、碳铵用量计算方法是通过控制碳铵用量来控制 CO_2 气体的浓度(表 4-1)。

每日每次碳铵用量(g)＝ 棚室内的空间体积(m^3)×需要的 CO_2 气体浓度(mL/m^3)×0.003 6。

每日每次反应所需浓硫酸重量(g)＝所用碳铵重量(g)×0.62。

表 4-1 667 m^2 标准棚(1 300 m^3)增施 CO_2 用量对照表

反应物	用量				
CO_2 增加量(mL/m^3)	100	250	550	750	1 000
CO_2 达到量(mL/m^3)	400	550	850	1 050	1 300
浓硫酸(kg)	0.275	0.685	1.480	2.040	2.750
碳酸氢铵(kg)	0.465	1.165	2.515	3.470	4.650

③成套装置法。

用大容器代替小容器，产生出的 CO_2 气体经清水过滤后，用带孔的塑料管送入棚室，目前生产上已有成品 CO_2 气体发生装置销售，如河北省土肥工作站生产的芳田牌 HT1-8 型 CO_2 发生器。此 CO_2 发生器由盛酸塑料桶、控酸流量开关、输酸塑料管、反应桶(内盛碳酸氢铵)、输气塑料管、过滤桶(内盛清水)、散气塑料管构成。

(3)燃烧施肥法。

利用碳素或含碳化合物充分燃烧释放出 CO_2 气体，如燃烧煤油、液化气、煤、沼气、草炭等，但成本较高。

(4)生物生态法。

①增施有机肥产生 CO_2。在棚室内，多施有机肥，不但可改善土壤结构，提高作物品质，还可有效补充 CO_2。

②在棚室内栽培食用菌。

③利用棚室内养鸡、养猪呼出的 CO_2，提高 CO_2 浓度。

2. CO_2 气体施肥时期、时间和浓度

(1)时期。苗期可从真叶展开后开始，以花芽分化前开始使用效果为最好。定植后到坐果前不宜施用，结果期施用。

(2)时间。一般晴天上午，揭苫 0.5 h 后，开始施肥。云天及轻度阴天，可推迟到 1 h 后。放风前 0.5 h 停止使用。每次施肥时间不少于 2 h 为好。

(3)浓度。CO_2 施肥浓度应从作物、季节、生长期、生长情况、天气情况、肥水管理水平等诸方面考虑，一般为 800～1 300 mL/m^3。

3. 棚室内 CO_2 施肥注意事项

(1)要保证肥水供应。

(2)防止茎叶发生徒长。

(3)防止高浓度 CO_2 气体中毒，生产中控制在 1 600 mL/m^3 以下较为安全。

(4)CO_2 气体施肥要保持连续性，一般前后两次间隔时间不超过 1 周。同时，

施肥结束时，不要突然停止，要缓慢减量停止。

(五)作业与考核

1. 作业

运用硫酸、碳铵反应法在棚室内人工施肥CO_2气肥。

2. 考核标准

(1)掌握CO_2施肥的时期、时间。(30分)

(2)熟练确定硫酸、碳铵的用量。(30分)

(3)熟练掌握硫酸、碳铵反应法CO_2气体施肥技术。(40分)

四、有机生态无土栽培技术

(一)目的要求

有机生态无土栽培是不用天然土壤而使用基质，不用传统的营养液灌溉根系而使用有机固态肥，并直接用清水来灌溉作物的一种无土栽培技术。它适应于当前生态农业及无公害食品、绿色食品、有机食品发展的需要。本节通过操作和管理，便于学生掌握有机生态无土栽培技术。

(二)技能内容

(1)配制栽培基质的方法。

(2)建造有机生态无土栽培系统的技术要领。

(3)有机生态无土栽培的栽培管理技术。

(三)条件准备

塑料大棚、日光温室、栽培槽、基质、供水管道等。

(四)操作方法

1. 配制适合生态农业要求的栽培基质

适宜栽培的基质很多，应就地取材。草炭、玉米、小麦、向日葵等的秸秆，椰壳，稻壳，花生壳，蔗渣，酒糟，锯末，树皮，刨花等都可按一定比例混合使用。为调整基质物理性能及营养，可加入一定量无机物如蛭石、珍珠岩、炉渣、沙、粉煤灰等。有机无机物之比，按体积计自2∶8至8∶2(表4-2)，混配后基质容重为0.30～0.65 g/cm^3。每立方米基质可供净栽培面积64 m^2(厚度11～16 cm)。

表 4-2 常用混合基质配比及对 N,P,K 的要求

基质名称	混合配比	对 N,P,K 的要求(kg/m^3)
草炭、炉渣	4∶6	全量 N 0.6～1.2
沙、椰子壳	5∶5	全量 P_2O_5 0.5～0.8
向日葵秆、炉渣、锯末	5∶2∶3	全量 K_2O 0.8～2.02
草炭、珍珠岩	7∶3	

基质混合前,应用药剂、阳光、蒸汽消毒。基质混配均匀,有机质要充分腐熟,炉渣、粉煤灰、沙要过筛,使粒径达 0.5～3.0 mm。因作物不同,混配后基质使用年限为 3～5 年,含有作物秸秆的基质分解速度快,每年应补入一些新的混合基质。

2. 建造有机生态型无土栽培设施系统

(1)栽培槽。一般为基质槽培的形式。材料为木板、砖块、水泥板、竹竿等。栽培槽只建槽框,用砖的只需按尺寸摆好即可,不用泥沙砌,只要保持基质不散落到走道上就行。槽底部铺一层 0.1 mm 厚的聚乙烯膜,以防土壤病虫传染。铺好膜后,先在槽中填 5 cm 厚的石砾或粗炉渣以利于排水,再在其上铺 1 层剪开的废旧编织袋作为衬垫以尽可能阻止植物根系伸入底部排水层,然后,再装满基质。槽底可建成"凹"形或"凸"形底,以集中多余的水分,由"凹"底中央或"凸"底的两边排出栽培槽。栽培槽框高 15～20 cm(3～4 层砖);瓜果作物槽宽为 48 cm,每槽种 2 行,槽距 0.8～1.0 m;叶菜类宽为 72 cm 或 96 cm,槽距 0.6～0.8 m;槽长依棚宽而定。建造时槽底一定要光滑,并保持南北坡比 1∶25。

(2)供水系统。用自来水管道或水位差 1 m 以上的储水池或水桶,配以滴灌或微喷灌系统,48 cm 宽的槽可铺设 1～2 根滴灌带,72～96 cm 的可铺设 2～4 根。

3. 操作管理规程

(1)栽培管理规程(同常规)。

(2)营养管理规程。

①施肥量计算。

②基肥。应先在基质中混入一定量的肥料作基肥,如黄瓜、番茄参考量为每立方米基质中混入 10 kg 消毒烘干鸡粪,1 kg 磷酸二铵,1.5 kg 硫酸铵或尿素,1.5 kg 酸钾。

③追肥。瓜果类蔬菜在定植后 20 d 内不追肥,只浇清水。20 d 后每隔 10～15 d 追肥一次,均匀地撒在离根 5～10 cm 远的周围。追肥可用腐熟的有机肥,鸡粪、饼肥与普通有机肥比例为 1∶(3～5)或有机、无机混合型,其比例为 10∶(1～2)或全无机型。基肥追肥比例为 25∶(75～60)∶40。每次每立方米基质追肥量

为:全 N (80～150 g),全 P(P_2O_5)30～50 g,全 K(K_2O)50～180 g。

④有机肥加工。有机肥包括动物粪便、饼肥和作物秸竿,必须经过腐熟处理(堆积发酵),再进行干燥处理(晒干、烘干),然后粉碎过筛,才能作为基肥、追肥使用。

(3)水分管理规程。

依作物需水量、天气、基质含水量大小来调控。定植前一天浇透基质,定植后每天浇 1～3 次,使基质含水量达 60%～85%。成株期,黄瓜每天每株浇水 1～2 L,番茄 0.8～1.2 L,甜椒 0.7～0.9 L。阴雨天停止,冬天隔 1 d 浇一次。

(五)作业与考核

1. 作业

在棚室内建造有机生态无土栽培系统,并进行栽培管理。

2. 考核标准

(1)掌握栽培基质的配制方法。(30 分)

(2)能熟练建造有机生态无土栽培系统。(30 分)

(3)能按要求进行栽培管理。(40 分)

五、设施条件下蔬菜周年生产调查与茬口安排

(一)目的要求

掌握设施条件下蔬菜周年生产调查与茬口安排的方法。

(二)技能内容

(1)掌握设施条件下蔬菜周年生产调查的方法。

(2)掌握设施内蔬菜周年生产安排茬口的方法。

(三)条件准备

笔记本、调查表、附近农村进行设施栽培的农户、附近蔬菜市场。

(四)操作方法

1. 调查设施条件下蔬菜周年生产现状

(1)调查设施内各种蔬菜的播种期和收获期,蔬菜轮作、间套作和多次作的形式、类型和主要经验。

(2)调查当地设施条件下蔬菜生产的茬口类型,主要茬口的前后作安排,平均复种茬次等;几种主要蔬菜的全年茬口安排及其种植面积,产量产值计算及所占全年的比例。

(3)调查当地市场对设施栽培蔬菜的需求状况及价格。

2.设施条件下蔬菜茬口安排

在设施条件下蔬菜周年生产调查及设施栽培蔬菜的需求状况调查的基础上,合理安排茬口和品种布局。

(五)作业与考核

1.作业

(1)写出当地设施条件下综合蔬菜生产调查报告。

(2)制定出当地设施条件下蔬菜茬口安排简明表。

2.考核标准

(1)拟订设施条件下蔬菜生产情况调查方案。(20分)

(2)按要求完成各项调查。(20分)

(3)制定设施条件下蔬菜茬口安排简明表。(30分)

(4)写出设施条件下蔬菜生产调查报告。(30分)

附录一 我国不同地区目前推广的主要作物品种简介

一、水稻品种

1. 辽粳 135

水稻新品种辽粳 135 是辽宁农业科学院稻作所于 1989 年以 84-233 为母本，79-178 为父本，人工杂交后经 6 代系选育成。1999 年 12 月 10 日通过辽宁省农作物品种审定委员会审定。

特征特性：幼苗粗壮，叶色浓绿，插秧后缓苗快，生长健壮，分蘖力较强。株型紧凑，叶片直立，剑叶开张角度好，茎秆坚韧，后期活秆成熟，不早衰。株高 95～100 cm，穗长 15～18 cm，着粒较密，每穗成粒 110～120 粒，千粒重 24.1 g，穗形半松散，颖壳黄白，着有稀短芒。辽粳 135 在沈阳地区一般 4 月初播种，5 月上、中旬插秧，8 月上旬出穗，9 月末成熟发，生育期 155～156 d，属中熟品种。经省内及中国水稻所等有关单位鉴定，抗稻瘟病为 MR 级，纹枯病极轻，轻感稻曲病，耐肥抗倒性强。经中国水稻所化验分析，辽粳 135 糙米率 82.8%，精米率 74.8%，整精米率 72.0%，粒长 5.1 mm，子粒长宽比 1.8，垩白率 5.4%，透明度 1 级，碱消值 7.0 级，胶稠度 76 mm，直链淀粉含量 17.6%，蛋白质含量 7.4%，其食味适口性好，米质较优。

产量表现：1997 年 5 个生产鉴定试验点，平均亩产 607.4 kg，比对照秋光平均亩产 539.3 kg，增产 12.6%。1998 年 6 个生产鉴定试验点，平均亩产 618.8 kg，比对照铁粳 4 号平均亩产 566.0 kg，增产 9.3%。两年共 11 个试验点次，与对照相比全部增产，平均亩产 613.6 kg，比对照平均亩产 553.9 kg，增产 10.8%。在大面积示范试种过程中平均亩产 600～650 kg，最高亩产达 784.7 kg。

适宜地区：根据辽宁省水稻品种区域试验和生产鉴定及重点示范试种结果，河南省内可在沈阳、辽阳、鞍山、海城、营口、盘绵、铁岭、开原及锦州等地种植，河南省外可在新疆、北京、天津、河北、山东等地试种。

2. 豫粳 6 号

品种来源：豫粳 6 号是河南省新乡市农业科学研究所以新稻 85-12 与郑粳 81754 为材料育成的中粳常规稻品种。1995 年、1998 年分别通过河南省和全国农作物品种审定委员会审定。

产量表现：每公顷产量 9 000～10 500 kg(每 667 m^2 600～700 kg)。

特征特性：全生育期 149～152 d，植株较紧凑，叶色较深，主茎 18～19 片叶，株高 100 cm 左右，分蘖力强，成穗率 80%左右，每穗 110～130 粒，结实率 85%～95%，千粒重 25～26 g。抗稻瘟病、纹枯病和稻纵卷叶螟，耐稻飞虱。稻米直链淀粉含量 16.82%，蛋白质含量 7.13%，达部颁一级米标准。

适宜地区：适宜河南鲁中南、苏北、皖北等地推广 。

3. 吉粳 83 号

品种来源：吉粳 83 号是吉林省农业科学院水稻所以东北 141/D4－41 杂交选育而成。2002 年 2 月，吉林省农作物品种审定委员会审定通过。

特征特性：吉粳 83 号生育期 141 d，需有效活动积温 2 900℃。株高 105 cm，茎秆强韧，抗倒伏，叶色绿色，叶鞘绿色，茎秆节间绿色，穗长中等，分蘖力强，单本有效穗数可达 35 个以上。主穗长约 21 cm，主穗实粒数 160 粒以上，谷粒形状阔卵形，颖壳及颖尖颜色均为秆黄色，种皮为白色。有效穗数 450 穗左右，每穗结实粒数 90～100 粒，结实率超过 96%，千粒重约 26 g，在 1998—2000 年省区域试验中，平均 677 m^2 产 563.5 kg，比对照品种农大 7 号增产 5.2%。综合性状优良，抗逆性强，抗稻瘟病、纹枯病、稻曲病，抗旱、耐盐碱、抗冷、耐霜打。熟期适中，活秆成熟。据农业部稻米及制品质量监督检验测试中心分析：糙米率 82.7%，精米率 77.8%，整精米率 73.9%，透明度一级，垩白率 9%、垩白度 0.4%、粒长 5.1 mm、长宽比 1.8，直链淀粉含量 16.4%，胶稠度 76，碱消值 7.0 级，蛋白质含量 7.6%。有 11 项指标达部颁优质米一级标准。

适应地区：吉粳 83 号适宜于吉林省中晚熟稻作区种植，也适合辽宁、黑龙江、内蒙古、河北、新疆等省区种植。

4. 辽粳 371

特征特性：苗期秧苗健壮，生长较快。插秧后缓苗快，早生快发，分蘖较强，株型松散，叶片披垂，株高 105～110 cm，穗长 20～22 cm。每穗成粒 110～120 粒，散穗型，着粒适中，千粒重 253 g，颖壳黄白，无芒。在沈阳地区生育期 155～156 d。一般 4 月初播种，5 月上、中旬插秧，8 月上旬出穗，9 月末成熟，属中熟品种。经河南省内及中国水稻所等有关单位联合抗病鉴定，中抗稻瘟病、白叶枯病、纹枯病较轻，抗倒伏能力较强，活秆成熟不早衰。经农业部稻米及其制品质量监督检验测试中心化验分析，糙米率 83.6%，精米率 76.3%，整精米率 69.0%，子粒长宽比 1.7，垩白率 4%，垩白度 0.1%；透明度 1 级，碱消值 7.0 级，胶稠度 84 mm，直链淀粉 16.5%，除胶稠度达优质米二级标准外，其他 9 项指标均达部颁一级一优质米标准，综合得分 63 分。

产量表现:1995—1996 年在所内进行品比试验,平均产量 8 643 kg/hm^2,比对照秋光增产 15.1%;1997—1998 年参加省中熟组区域试验,平均产量 7 888.5 kg/hm^2,比对照铁粳 4 号(平均产量 7 443 kg/hm^2)增产 6%;1999—2000 年参加生产鉴定试验,共 10 个试验点次,平均产量 9 118.5 kg/hm^2,比对照铁粳 4 号(平均产量 8 276.25 kg/hm^2)增产 10.2%。1999—2000 年在参加生产试验的同时,在沈阳、辽阳、鞍山、盘锦、铁岭及锦州等地示范试种,均表现较好。

适宜地区:根据辽宁省水稻品种区域试验和全国北方秋光组区域试验,可在沈阳、辽阳、鞍山、海城、盘锦、锦州及铁岭、开原、东部山区等地种植,除河南省外可在北京、天津、河北、山东及新疆等地种植。

5. 丰优 559

品种介绍:丰优 559 系江苏沿海地区农业科学研究所用粤丰 A 与盐恢 559 最新选育而成育成的优质高产多抗杂交水稻新品种。该品种全生育期 148 d,比汕优 63 迟3～5 d,株高 115 cm 左右,株型紧凑,茎秆粗壮,剑叶挺直,叶色中等,穗型大,分蘖性较强。每 667 m^2 有效穗 17.7 万,每穗实粒 158.7 粒,结实率 86.3%,千粒重 26.5 g,抗倒性较好,田间抗病性较强。2001 接种鉴定抗稻瘟病、中抗白叶枯病和纹枯病。2001 年国家区试抽样,经农业部稻米及制品质量检测中心测定,糙米率 80.5%,精米率 73.9%,整精米率 62.1%,粒长 6.2 mm,长宽比 2.8,垩白率 30%,垩白度 3.2%,透明度 2 级,碱消值 5.6 级,胶稠度 96 mm,直链淀粉含量 15.6%,蛋白质含量 9.5%,12 项指标均达国标三级以上优质米标准。米饭松散柔软,味浓郁,适口性佳。丰优 559 已进入植物新品种权保护公告,公告号为 CNA 00145E;恢复系盐恢 559 采用"籼掺粳恢恢交低世代测鉴"法选育而成的强优恢复系,其选育方法已于 2001 年 1 月 13 日获得国家发明专利,专利号 ZL 95111071.3,专利证书号第 64108 号;2004 年 2 月被列为江苏省水稻良种补贴品种。

市场前景:丰优 559 属中、迟熟杂交中籼稻品种类型,适宜在江苏、安徽、浙江、湖北、湖南、广西、江西、河南、陕西、贵州、四川等稻区当单季中稻或双季稻种植,年推广面积可达 6.67 万 hm^2。

6. 协优 7954

协优 7954 系河南省农业科学院育成的中籼迟熟杂交稻新组合,经 1999—2000 年河南省内外试验试种,表现为高产稳产,适应性广,茎秆粗壮,耐肥抗倒,穗大粒重,后期转色好,中抗白叶枯病,米质较好等。2001 年 5 月通过浙江省审定。适合在河南省作单、双季晚稻栽培。2000—2001 两年参加全国区试,产量均居第一位。

该品种作单季种植比汕优63长1～3 d;作连晚种植,较汕优10号长2～4 d。分蘖中等,株高112.2 cm,茎秆粗壮,耐肥抗倒,成穗率高,穗大粒重,穗长22.5 cm,每穗总粒数152.2粒,结实率82.7%,千粒重29.4 g,后期转色好。经浙江省农业科学院植保所鉴定,中抗稻瘟病、白叶枯病,对白背稻虱和细条病抗性优于对照汕优63。

7.中优3566

特征特性:全生育期122.6 d,比对照汕优46早熟1.4 d。该品种株型适中,群体生长整齐,叶片淡绿,剑叶挺直,分蘖力中等,成穗率高,有效穗偏少,穗大粒多,结实率一般,田间长相清秀。株高113.9 cm,亩有效穗18.3万,每穗总粒数153.2粒,实粒数111.3粒,结实率72.7%,千粒重24.9 g。出糙率76.9%,精米率68.5%,整精米率53.2%,垩白粒率10%,垩白度1.0%,直链淀粉含量23.90%,胶稠度68 mm,粒长7.4 mm,长宽比3.5。米质达国优3级。稻瘟病抗性自然诱发鉴定:苗瘟5级,叶瘟5级,穗瘟7级。

产量表现:2003—2004年参加江西省水稻区试,2003年平均亩产440.24 kg,比对照赣晚籼32号增产5.04%;2004年平均亩产518.17 kg,比对照汕优46增产4.13%。

栽培要点:6月15日左右播种,秧田播种量每亩7.5 kg。秧龄一般25～30 d,每亩栽足基本苗7万～8万。每亩用腐熟的猪栏粪等农家肥1 000 kg打底,移栽时每亩施尿素7.5 kg、磷肥50 kg作面肥,返青后每亩追尿素7～10 kg,后期一般不施氮肥。加强水分管理。重点搞好穗颈瘟、纹枯病、螟虫等主要病虫害的防治。

适宜种植范围:江西全省稻瘟病轻发区种植。

8.海丰1S(原名:SG1S)

品种来源:用“农垦58S”为母本,以“紫圭”为父本杂交,通过17年的多代系统选育而成的光温互作型两用核不育系。

特征特性:生育期海南南部12月8日播种,次年3月1日始穗,历期83 d。株高约60.5 cm,株型松散适中,叶绿色偏浓,叶鞘、柱头、稃尖、叶缘紫色,主茎叶片数为12～13叶。分蘖力中等,穗粒结构协调,每亩有效穗数约19.13万。谷粒长椭圆形,谷壳偏薄色黄,稃尖紫色无芒,千粒重约23.5 g。米质经农业部稻米及制品质量监督检验测试中心:出糙率80.8%,精米率72.1%,整精米率59.0%,垩白粒率9%,垩白度1.6%,直链淀粉23.0%,蛋白质含量12.6%,胶稠度84 mm,粒长6.5 mm,粒型长宽比2.9,透明度2级,碱消值6.8级。柱头双边外露率高,柱头总外露率为70%～80%,其中单边外露率为51.8%,双边外露率为40.0%左右,且柱头外露面积大,配合力好,所配组合SG1S/G66,SG1S/G65,SG1S/G85株叶形态好,已分别参加湖北、江西、湖南、海南等省区试验。育性稳定,不育株率100%,套袋自交不育度99.9%。经中国水稻所水稻生物学国家重点实验室人工气候室育性鉴定,该不育系育性转换的临界光长在13.5～14.5 h,在该光长条件下育性转换的临界温度为23～24℃。

繁种技术要点:①在三亚12月8日播,播始历期83 d,主茎叶片数12～13叶;②制种时根据不同父本的花粉量适宜的行比为2:(10～14),对"九二〇"敏感,一般制种只需8～12 g;③合理安排父母本错期,培育壮秧,秧田及大田施足基肥,早施追肥,湿润灌溉,及时晒田,注意防治病虫害。

9. 69优8号

特征特性:该品种属粳型三系杂交水稻,在黄淮地区种植全生育期158.3 d,比对照豫粳6号迟熟5 d。株高109.4 cm,每穗总粒数175.5粒,结实率77.6%,千粒重27.3 g。稻瘟病3级。米质主要指标:整精米率66.1%,垩白米率37%,垩白度4.8%,胶稠度92 mm,直链淀粉含量15.6%。

产量表现:2001年参加北方稻区豫粳6号组区域试验,平均亩产640.6 kg,比对照豫粳6号增产4%(不显著);2002年续试平均亩产628.1 kg,比对照豫粳6号增产3.8%(不显著);两年区域试验平均亩产634.4 kg,比对照豫粳6号增产3.9%。2003年生产试验平均亩产528.4 kg,比对照豫粳6号增产11.5%。

国家品种审定委员会审定意见:经审核,该品种符合国家稻品种审定标准,通过审定。该品种熟期偏迟,产量较高,中抗稻瘟,米质较优。适宜在河南沿黄稻区、山东南部、江苏、安徽淮北及陕西关中稻区种植。

10. 浙农大454

特征特性:该品种属迟熟晚粳糯型常规稻品种,全生育期平均136.1 d,与秀水11相仿。株高89.5 cm,分蘖力中等,穗型较大,穗长17.7 cm,每穗总粒数91粒,谷粒椭圆形,谷粒及谷尖呈黄色。结实率77.5%,千粒重28.4 g。较易脱粒。糙米率81.2%,精米率74.4%,整精米率40.7%,粒长5.2 mm,长宽比1.7,碱消值7.0,胶稠度100 mm,直链淀粉含量1.9%。叶瘟3～9级,穗瘟5～9级,白叶枯病2～5级,褐飞虱9级。

产量表现:1998年参加全国南方稻区双季晚粳组区试,平均亩产480.44 kg,比对照秀水11增产9.6%,1999年续试平均亩产499.71 kg,比对照秀水11增产7.05%,生产试验平均亩产373.7 kg,比秀水11增产2.58%。

全国品种审定委员会审定意见:该品种属迟熟晚粳糯型常规稻,作双季晚稻种植全生育期136 d。穗型较大,产量水平较高,糯性好,感稻瘟病。适宜在湖北、安徽、江苏、浙江、上海市稻瘟病轻发区作双季晚稻种植。经审核,符合国家品种审定标准,通过审定。

二、小麦品种

1. 百农矮抗 58

特征特性：①抗冻能力强，播期弹性大。属半冬性中早熟品种，苗期在−16℃低温下安全越冬，春季抗霜冻能力强，适合早中茬播种。②矮秆强抗倒，抗病能力强。株高 70 cm 左右，茎秆坚实，八级大风刮不倒。高抗条锈病、白粉病、叶枯病，中抗纹枯病、赤霉病，轻感叶锈病。③根系活力强，成熟落黄好。属生理中性根系，酸碱环境都适应。成熟期耐湿害、旱害、雨害和高温危害，子粒灌浆充分。④光合效率高，适应范围广。光饱和点高，补偿点低，弱光照常灌浆，强光灌浆更快。能够充分适应黄淮地区的气候特点和生产水平。⑤增产潜力大，高产又稳产。亩成穗 42 万～45 万，穗粒数 35～38 粒，千粒重 42～45 g，平均亩产 550～600 kg，一般亩产不低于 500 kg。较温麦 6 号等品种增产 10%左右。籽粒卵形、白色、半角质、黑胚率低，商品性好，为中筋优质品种。

适应区域：矮抗 58 在中高等肥力区适于早播，在河北邢台、山东济南以南、湖北随州、安徽怀远以北的河南、安徽、江苏、山东、河北、陕西等广大区域均可种植。

2. 豫麦 18

特征特性：高产稳产，秆低抗倒，早熟避灾，粒重稳定，株型紧凑。叶不早衰，灌浆速度快，既宜高产栽培，又宜晚茬间套等突出优势。品种为弱春性，株高 80 cm 左右，多穗矮竿，株型紧凑，苗期长势一般，分蘖中等，中后期发育快，叶不早衰，穗纺锤形，长芒、白壳、白粒，护颖卵形。穗长 9 cm，小穗数 20 个，穗粒数 31 粒，子粒粉质，卵圆形，千粒重 42 g。容重 807 g/L，蛋白质含量 13.06%，属中筋品种。抗倒伏，抗干热风。成熟避灾，适应性广。高产稳产，自身调节能力强，感条锈病、白粉病、赤霉病和黑穗病，但耐病性较好。

栽培要点：播期 10 月 8～12 日为宜，亩播量 6～7 kg，在肥水管理上，重施底肥，以有机肥为主，氮磷配合。起身期早追肥，每亩施尿素 7～10 kg，生育期间注意浇好越冬、拔节水，及时防治病虫害。

3. 百农 64

特征特性：半冬性，幼苗丛生，叶色浓绿，抗冻。春季生长迅速，苗脚干净利落。株型紧凑，叶片直立，长相清秀。基部节间短粗坚韧，抗倒伏能力强。高抗条锈病、叶锈病、白粉病和土传花叶病，中感叶枯病、纹枯病，抗吸浆虫，较耐蚜虫。根系活力强，耐湿、耐旱、耐高温，活秆成熟，灌浆充分。遇风不落粒，遇雨抗穗发芽。子粒白胖，半角质，饱满度好，容重 800～820 g/L，出粉率高，面粉洁白，蛋白质和面筋含量高，适合制作馒头和面条，食味好。对播期肥力要求不严，10 月上旬播种，6 月

1～2 日成熟。

栽培要点：百农 64 综合抗病抗虫抗逆能力强，高产稳产品质优良，适合黄淮地区中高肥地广泛种植，是河南省独有的环保绿色品种。10 月上中旬早播，高肥田亩播量 7～8 kg，中肥田亩播量 9～10 kg；10 月下旬晚播，亩播量可加大到 11～12 kg。

4. 邯郸 6172

特征特性：半冬性中熟，生育期 240 天，幼苗半匍匐，根系发达，分蘖力中等，成穗率高。株高 75 cm，株型紧凑，旗叶上举，茎秆弹性好，抗倒伏性强。穗层整齐，穗纺锤形，长芒、白粒、硬质。亩穗数 43 万，穗粒数 35 粒，千粒重 42～44 g。灌浆快，落黄好。蛋白质 13.84%，湿面筋 30.4%，沉降值 27.9 mL，稳定时间 3.3 min。1998—2003 六年先后参加完成冀、晋、鲁三省和国家黄淮南、北两片高肥区试，平均亩产分别为 489.9 kg，439.3 kg，537.7 kg，479.5 kg 和 493.6 kg，分别较对照石 4185、鲁麦 14、豫麦 49 显著增产达 4.3%，8.5%～10.6%和 7.1%。在冀、鲁及黄淮南、北片区试中均居首位。一般亩稳产 500～550 kg，最高亩产达 623.4 kg。适应性广，适宜整个黄淮麦区复杂多样的生态环境和生产条件。在长达六年的区试期间，经历了严重干旱、病害流行和低温寡照等不良气候的严峻考验，六年 19 次区试 8 省 146 个试点中 12 次高居首位，127 点增产，首位次数高达 63.2%，增产点数高达 87%。抗病性强，条锈免疫，慢叶锈，中抗纹枯，白粉病和赤霉病，耐病性强。综合抗性强，抗倒抗寒、节水抗旱、抗干热风，落黄突出。

栽培要点：该品种适宜在黄淮麦区中高水肥条件下种植。应适时播种，培育壮苗，稳发群体，确保穗数。适期播种亩基本苗 16 万～18 万为宜，加强起身肥水管理，亩追尿素 15 kg，浇好灌浆水，并及时防治蚜虫。

5. 济麦 20 号

特征特性：冬性，幼苗直立，苗色深绿，叶片较窄，分蘖力强，成穗率高；株型紧凑，叶片上冲，叶耳紫色，旗叶较窄，中长，挺直；株高 75～80 cm，抗倒性好；抽穗后，茎、叶、穗蜡质重；穗纺锤形，长芒，白壳，白粒，角质；亩穗数 40 万，穗粒数 36 粒，千粒重 40 g。有较好的抗旱性。据山东省农业科学院植保所鉴定，955159 中抗条锈病、白粉病流行生理小种。其产量表现 2000 年在山东省小麦高肥区试预试中，平均产量 516.3 kg/亩，较对照（鲁麦 14）增产 6.32%。2001 年和 2002 年在山东省小麦高肥区试乙组中两年平均产量 507.05 kg/亩，与对照相当。2003 年在山东省小麦高肥生产试验中平均亩产 513.37 kg，较对照增产 8.69%。济麦 20 不仅丰产性和稳产性好，而且产量潜力高。2001 年 6 月 5 日有关专家在山东省菏泽市农作物原种场对 20 亩 955159 高产攻关田中的 3.013 亩进行了实打验收，结果亩产 606.89 kg,创该市面包小麦高产记录。

栽培要点:适期播种每亩播种量 5 kg,播种前浇好底墒水,施足底肥。春季管理可适当放晚,肥水推迟至拔节初期,结合浇水亩追施尿素 15 kg。抽穗开花期结合浇水补施尿素 3～4 kg,以争取粒多粒饱。

6. 温麦 6 号

特征特性:属半冬性中熟品种,分蘖力中等,株高 80 cm,幼苗叶色浓绿,生长势强,抗寒性好。株型紧凑,旗叶短宽上冲,茎秆粗壮,基部节间短,抗倒伏能力强。分蘖力强,成穗率高,以穗多为成产优势,产量三要素协调。亩成穗 45 万左右,穗粒数 45 粒上下,千粒重 43 g 左右。高产潜力大,特别是在超高产区试既防虫又防病的情况下,表现突出。抗干热风,灌浆速度快。缺点:高感白粉、纹枯病、中感条锈、旗叶干尖明显。

产量表现:1995—1996 年度参加河南省超高产区试,平均亩产 548.1 kg,比对照增产 6.76%,居第一位,1996—1998 年连续两年参加河南省生产试验,也居第一位。

栽培要点:适宜在黄淮流域亩产 400～600 kg 的高产麦田种植。播期 10 月 3～13 日,亩播量 4～7 kg,晚播适当加大播量,10 月 8 日播种,基本苗控制在 11 万左右,越冬头数 65 万～75 万,最高分蘖数 75 万～85 万,施肥注意 N,P,K 合理配比,追肥注意在苗期和两极分化中进行。注意防治纹枯病(苗期和返青期)、锈病和白粉病(抽穗期、灌浆期)。

7. 郑麦 9023

特征特性:属弱春性、强筋类型早熟优质小麦品种,成熟期比豫麦 18 早熟 3 d 左右。幼苗微直立,分蘖力中等,春季生长迅速,株高 82 cm 左右,株型紧凑直立,穗层整齐,落黄较好。纺锤形穗,长芒,白壳,硬质白粒,亩穗数 38 万左右,穗粒数 32 粒左右,千粒重 45 g 左右,容重 800 g/L 左右。抗条锈病、叶锈病、赤霉病、纹枯病、感白粉病。产量水平每亩 400～500 kg。2002 年农业部全国农技总站对长江中下游麦区国家区域试验和黄淮麦区南片国家区域试验的 23 个试验点的郑麦 9023 及试验对照品种进行了抽样分析,结果表明郑麦 9023 的强筋特性在这两个麦区广大的地域范围内仍具有很好的稳定性。测定结果的平均值为:容重 784 g/L、粗蛋白含量 14.66%、湿面筋含量 33.2%、稳定时间 7.8 min,对照品种的容重 681 g/L、粗蛋白含量 13.06%、湿面筋含量 30%、稳定时间 5.9 min,对照品种为豫麦 47、豫麦 18、扬麦 158。

栽培要点:产量水平每亩 400～500 kg,亩穗数 37 万～40 万、穗粒数 31～34 粒、千粒重 42～45 g,子粒特性达到国家优质强筋小麦标准和小麦粮食标准。播期为10月15日以后，播种期与豫麦18相同。播种量为每亩7～8 kg，基本苗要求为每亩12万～15万株，为保证每亩成穗数达到37万～40万打下群体基础。播前每天采用适当的拌种剂按说明书进行药剂拌种，以防治纹枯病和地下害虫。播种时注意控制播种深度，要求播种深度为4～5 cm，播种行距为16～18 cm。全生育期化肥的每亩施用量为：纯氮12～14 kg、五氧化二磷8～9 kg、氧化钾5 kg，其中氮肥作底肥与作追肥的比例为2∶1。要特别注意后期肥水条件，确保子粒品质。播前整地与施肥应将前茬秸秆充分粉碎还田。每亩施用有机肥3～5 m^3，提高土壤有机质含量，保证化肥施用量。在施足底肥后深耕20 cm以上。若底墒不足，应浇底墒水，以保证足墒下种，一播全苗。

8. 周麦16

特征特性：半冬性，抗冬春寒能力强。株高75 cm左右，抗倒性较好。叶上冲，株形好，分蘖力和成穗率中等。穗粗大，穗粒数较多，一般亩成穗40万株左右，穗粒数38～40粒，千粒重48～50 g。白粒、角质，粗蛋白15.27%，湿面筋35.8%，容重780～800 g/L。品质较好。中抗条锈、叶锈、白粉病、纹枯病，轻感赤霉病。中熟，熟相较好，属超高产类型。

1998—2000年品比试验，三年平均亩产513.4 kg，比对照豫麦21平均增产18.5%，2001年在河南省超高产冬水组区试中，11处平均亩产635.9 kg，其中有3处突破700 kg。

栽培要点：适合河南省中北部、早中茬高肥水肥种植。播期10月5～20日，播量6～9 kg/亩，注意防治以蚜虫、赤霉病为主的病虫害。该品种前期发育慢，抗寒性好，应尽量早播。

三、玉米品种

1. 吉单261

特征特性：在东北地区生育期126 d，比对照四单19号晚3 d，与对照木玉9号相同。株型紧凑，株高300 cm，穗位高120 cm，成株叶片数20片。果穗筒形，穗长21.2 cm，穗行数14行，穗轴红色。子粒黄色，半马齿形，百粒重40.9 g。经吉林省农科院植保所两年接种鉴定，高抗丝黑穗病、黑粉病，抗大斑病和茎腐病，中抗弯孢菌叶斑病，感玉米螟。经农业部谷物品质监督检验测试中心（北京）测定，子粒容重741 g/L，含粗蛋白9.64%，粗脂肪4.45%，粗淀粉72.61%，赖氨酸0.25%。

产量表现：2002年、2003年参加东北早熟春玉米品种区域试验，两年平均亩产734.5 kg，比对照四单19号增产10.9%，比对照木玉9号增产11.6%；2003年参加同组生产试验，平均亩产706.6 kg，比对照四单19号增产14.2%。

适宜种植区域:黑龙江、吉林、辽宁、内蒙古通辽和赤峰地区。

2.通科1号

特征特性:在东北地区生育期126 d,比对照四单19号晚3 d,与对照木玉9号相同。株型半紧凑,株高308 cm,穗位高120 cm,成株叶片数20~21片。果穗锥形,穗长20.0 cm,穗行数16或18行,穗轴白色。子粒黄色,半马齿型,百粒重38.3 g。经吉林省农业科学院植保所两年接种鉴定,高抗黑粉病,抗大斑病和茎腐病,中抗丝黑穗病,感弯抱菌叶斑病和玉米螟。经农业部谷物品质监督检验测试中心(北京)测定,子粒含粗蛋白9.83%,粗脂肪4.47%,粗淀粉73.43%,赖氨酸0.28%。

产量表现:2002年、2003年参加东北早熟春玉米品种区域试验,两年平均亩产690.8 kg,比对照四单19号增产8.5%,比对照木玉9号增产8.7%;2003年参加同组生产试验,平均亩产701.7 kg,比对照四单19号增产13.4%。

适宜种植区域:辽宁、吉林、黑龙江、内蒙古通辽地区、木玉9号品种种植区域。

3.辽单565

特征特性:在东北地区生育期126 d,比对照四单19号晚3 d,与对照木玉9号相同。株型紧凑,株高276 cm,穗位高110 cm,成株叶片数20~21片。果穗筒形,穗长19.1 cm,穗行数14或16行,穗轴红色。子粒黄白色,为半马齿形,百粒重44.1 g。经吉林省农科院植保所两年接种鉴定,高抗黑粉病、茎腐病,抗弯抱菌叶斑病和大斑病,中抗丝黑穗病和玉米螟。经农业部谷物品质监督检验测试中心(北京)测定,子粒含粗蛋白8.71%,粗脂肪4.05%,粗淀粉74.09%,赖氨酸0.30%。

产量表现:2002年、2003年参加东北早熟春玉米品种区域试验,两年平均亩产723.1 kg,比对照四单19号增产9.2%,比对照木玉9号增产9.8%;2003年参加同组生产试验,平均亩产687.2 kg,比对照四单19号增产11.0%。

适宜种植区域辽宁、吉林、黑龙江、内蒙古通辽地区木玉9号品种种植区域。

4.郑单958

特征特性:夏播生育期96 d左右,株高240 cm,穗位100 cm左右,叶色浅绿,叶片窄而上冲,果穗长20 cm,穗行数14~16行,行粒数37粒,千粒重330 g,出籽率高达88%~90%。根系发达,抗倒性强;活秆成熟,高抗矮花叶病毒、黑粉病,抗大小斑病;穗子均匀,轴细,粒深,不秃尖,无空秆,稳产性好,一般亩产600 kg。1998年、1999两年全国夏玉米区试均居第一位,比对照品种增产28.9%,15.5%。1998年区试山东试点平均亩产达674 kg,比对品照种增产36.7%;高者达927 kg。经多点调查,958比一般品种每亩可多收玉米75~150 kg。郑单958穗子均匀,轴细,粒深,不秃尖,无空秆,年间差异非常小,稳产性好。郑单958根系发达,株高穗位适中，抗倒性强；活秆成熟，经 1999 年抗病鉴定表明，该品种高抗矮花叶病毒、黑粉病，抗大小斑病。该品种子粒含粗蛋白 8.47%、粗淀粉 73.42%、粗脂肪 3.92%，赖氨酸 0.37%；为优质饲料原料。该品种抗性好，结实件好，耐干旱，耐高温，非常适合我国夏玉米区种植。

栽培要点：抢茬播种，一般密度在 3 500～4 000 株/亩，大喇叭口期，应重施粒肥，注意防治玉米螟。

5. 农大 108

特征特性：农大 108 属中晚熟品种，夏播生育期 107 d 左右。株高 260 cm，穗位高 100 cm，穗位高 105 cm 左右，叶宽直浓绿，穗下叶片平展，穗位上叶片上冲。穗长 20 cm，穗粗 4.9 cm，穗行数 16～18 行，行粒数 36～40 粒，千粒重 330 g 左右，出籽率 85%，白轴、黄粒、半马齿型，质地半硬，品质好。根系发达，茎秆坚韧，具有较强的抗倒伏、耐旱、耐涝、耐贫瘠能力，抗大、小叶斑病、黑粉病、青枯病等多种病害，活秆成熟，一般亩产 600～700 kg。

栽培要点：该品种果穗较大，不宜过密；春播 3 000～3 500 株/亩，套种、夏播 3 500～4 000 株/亩，肥水条件好可适当增加密度。中高肥力条件下能充分发挥其增产潜力，施肥以攻穗肥为主，浇好灌浆水，及时防治病虫害。

6. 浚单 20

特征特性：该品种幼苗拱土力强，根系发达，生长健壮。株型紧凑、清秀，穗位适中、整齐，活棵成熟。株高 241 cm，穗位高 106 cm。果穗筒形，均匀一致，秃尖轻，结实性好。穗轴白色，子粒黄色，品质好，商品价值高。千粒重 350 g 左右，出籽率 90.40%，容重 758 g/升。经试验示范，该品种产量高，稳产性好，抗玉米多种病害，活棵成熟。夏播生育期 96 d，适合黄淮海广大地区夏玉米麦垅套种和麦后直播。

该品种 2000 年参加国家黄淮海夏玉米预备试验，平均亩产 584.55 kg，比对照种掖单 19 增产 22.29%，居 58 个参试品种第二位。2001 年参加国家黄淮海夏玉米区域试验，平均亩产 629.5 kg，比对照品种农大 108 增产 10.95%，达极显著水平，居第一位。2002 年参加国家黄淮海夏玉米区域试验，平均亩产 595.92 kg，比对照种农大 108 增产 7.41%，达极显著水平，仍居第一位。同年参加国家黄淮海夏玉米生产示范试验，平均亩产 588.87 kg，比对照农大 108 增长 10.73%，又居第一位。经示范种植，一般亩产 600～700 kg，2002 年经专家验收，高产攻关田 925.6 kg，深受群众欢迎。

栽培要点：该品种生长健壮，增产潜力大。应加强苗期管理，合理施肥，以氮肥为主，配合增施磷钾和锌肥，保证中后期肥水供应。大喇叭口期用呋喃丹颗粒剂防治玉米螟，中后期喷药防治蚜虫。每亩种植密度 4 000 株左右为宜。

7. 浚单 18

特征特性：该品种夏播生育期 95 d，株高 244 cm，穗位高 113 cm；幼苗拱土力强，幼苗根系发达，生长稳健，茎秆坚硬，抗风抗倒，株型紧凑，呈塔形，透光性好；雄穗发达，无秃尖，结实性好，穗长 19.6 cm，出籽率 90%以上；子粒半硬质，黄粒、白轴，品质好，千粒重 340 g；高抗大斑病、茎腐病、黑粉病和矮花叶病，抗小斑病和弯孢菌叶斑病，中抗玉米螟。

该品种经 1998—2001 年参加河南省和国家玉米区域试验，连续 4 年产量第一位。2002 年 3 月通过河南和河北两省品种审定。经生产示范种植，一般亩产 600～700 kg，百亩示范田平均亩产 836.6 kg，高产攻关田亩产 910.67 kg，表现为竖叶大穗、稀密皆宜、杂交优势大、产量高、增产幅度大、品质好、抗多种病害、适应广泛的特点，符合当前玉米生产的发展要求，深受种植地区广大群众的欢迎。适宜在河南、河北、山东、陕西、江苏北部、安徽北部、山西运城夏玉米区种植。

栽培要点：适宜中等以上肥力及排灌方便的地块种植，采用宽窄行或等行距种植(0.67 m)，宽行 0.83 m，窄行 0.5 m，株距 0.27 m，每亩 3 800 株左右；一般亩施标准氮肥 50～60 kg，施肥注意氮、磷、钾配合，在拔节和大喇叭口期分次追施为宜；大喇叭口期采用呋喃丹丢心防治玉米螟和蚜虫。

8. 济单 7 号

特征特性：株高 257～268 cm，穗位高 105～110 cm，果穗为锥形，穗长 18～22 cm，穗粗 5.4～5.5 cm，穗行数为 18 行左右，千粒重 320 g，子粒黄色，半马齿型，品质较好，结实性好，无秃尖，出籽率为 90%，株型紧凑，中抗倒伏，抗大、小斑病，抗青枯病、高抗黑粉病和矮花叶病，抗玉米螟。夏播生育期为 103 d 左右，春播生育期 124 d 左右。粗蛋白质 9.30%，粗脂肪 3.97%，粗淀粉 74.26%，赖氨酸 0.30%，属高淀粉玉米品种。1998 年参加河南省夏玉米区域试验(套种组)，平均亩产 549.5 kg，较对照种掖单 13 号增产 24.2%，居第一位；1999 年参加河南省夏玉米区域试验(套种组)，平均亩产 632.2 kg，较对照掖单 13 号增产 15.0 %，居第二位；1998 年、1999 两年平均亩产 586.3 kg，较对照种掖单 13 号增产 19.7%，居第一位；2000 年参加河南省夏玉米大区示范试验(套种组)，平均亩产 425.8 kg，较对照种郑单 14 号增产 13.4%，居第二位；2000 年在国家东华春玉米区区试中平均亩产 526.7 kg，比对照种农大 108 增产 1.3%，居第二位。2001 年参加国家东华北春玉米组区域试验，平均亩产 736.6 kg，比对照种农大 108 增产 12.3%，居第一位。2001 年参加国家东华北春玉米组生产试验，平均亩产 722.6 kg，比对照种农大 108 增产 7.9%，居第二位。

栽培要点:适宜种植密度为3 000～3 500株/亩,在种植方式上适宜于宽、窄行种植,宽行83 cm,窄行50 cm。也适宜于同大豆、花生、红薯间作。亩施肥量为尿素30～40 kg,施肥时注意N,P,K搭配。前期应注意蹲苗,注意防治蓟马和褐斑病,一般亩产600～700 kg。

四、棉花品种

1. 新陆中18号

新陆中18号是新疆中国彩棉股份有限公司选用冀91-19 ×辽棉10号的杂交后代,经多次南繁北育,连续自交提纯后系选而成(代号为白9805),于2003年2月11日经新疆维吾尔自治区农作物品种审定委员会审定命名为新陆中18号。

特征特性:该品种植株呈筒形,Ⅱ类果枝,茎秆粗壮,根系发达,平均株高65 cm,第一果枝节位4.9节,植株生长点上绒毛较多,较耐蚜虫危害,叶片中等大小,暗绿色,苞叶长而大,铃为长卵圆形4～5室,单铃重5.5～6 g,子指10.9 g,衣分41.5%～42%,整个生育期生长势、整齐度较好,结铃性较强,播种到吐絮全生育期为135 d,吐絮畅而集中,霜前花率达96.7%,早熟而不早衰。

产量水平:新陆中18号在2001—2002年连续两年西北内陆棉区(早中熟组)区试中,两年平均霜前皮棉为1 837.2 kg/hm^2,而且早熟性较为突出,优于对照,是一个早熟、稳产性较好的品种。

纤维品质:连续两年参加西北内陆棉区(早中熟组)区试,多点取样经农业部棉花品质监督检验测试中心的测试结果(1CC标准)平均2.5%跨长30.57 mm,比强21.99 $cN\cdot tex^{-1}$,麦克隆值4.4,整齐度48.25%,伸长率6.77%。

适应范围:该品种早熟性突出,所以适宜在新疆早中熟棉区推广种植。

2.新陆早13号(原名97—65)

新陆早13号(原名97—65)是新疆兵团农七师农科所利用常规育种技术,1989年以本所自育早熟、优质品系83－14为母本,选择抗病中5601和1639品系为混合父本进行有性杂交,后代经过南繁北育及病圃定向选择而成的早熟、高产、优质、抗枯萎病新品种。1998—1999年参加垦区多点试验,1999—2001年参加西北内陆第八轮早熟棉品种区试及生产试验,2002年1月31日通过新疆农作物品种审定委员会审定并命名。2001年获农业部发展棉花生产专项资金资助。

特征特性:新陆早13号生育期121 d,比北疆早熟棉区对照品种新陆早7号早熟1 d,属特早熟品种。株型塔形,II式果枝较紧凑,茎秆粗壮茸毛多,叶片中等大小,裂刻较深,田间通透性好,铃卵圆形,结铃性强,铃重5.4～5.8 g,衣指7.04 g,子指9.96 g,衣分40%～41%,植株生长势较强,后期不早衰,开花吐絮集中,含絮好，易采摘，霜前花率92%以上，高抗枯萎病。

产量表现：1998年参加新疆兵团农七师棉花品种多点试验，皮棉产量每公顷1 924.5 kg，比对照新陆早7号增产14%。1999—2000年参加西北内陆棉区第八轮早熟棉区域试验，霜前皮棉每公顷1 720.1 kg，比对照新陆早7号和中棉所24分别增产11.54%和12.34%，排名第二位。2001年参加西北内陆早熟棉区生产试验，五点次平均每公顷产子棉4 142.72 kg、皮棉1 641.1 kg，分别比对照新陆早10号增产28.56%、14.28%，比中棉所36增产19.4%和12.2%。2001年生产示范333.3 hm^2，每公顷皮棉产量1 800 kg，比对照新陆早6号增产12%。

纤维品质：农业部棉花品质检测中心测试，1999年品比试验，2.5%跨长30.8 mm，整齐度49.8%，比强度22.3 $cN \cdot tex^{-1}$，麦克隆值4.2，伸长率7.2%，反射率76.1%，黄度7.7。1999—2000年国家区试，2.5%跨长30.6 mm，整齐度48.2%，比强度为21.2 $cN \cdot tex^{-1}$（ICC校准），麦克隆值4.3，伸长率7.1%，反射率74.7%，黄度8，气纱品质1906，综合指标符合优质棉纺织要求。

适宜种植范围：新陆早13号适宜在≥10℃有效积温3 300℃以上的新疆北疆、东疆棉区及南疆早熟棉区和甘肃河西走廊棉区种植。

3. 新陆早14号

新陆早14号是新疆自育的第一个杂交棉品种。由新疆石河子棉花研究所培育，2002年1月通过新疆自治区品种审定委员会审定。该品种早熟性好，丰产性强，深受农民的欢迎。2002—2004年在北疆推广种植0.8万hm^2，表现优异。

特征特性：早熟性好，在北疆地区种植，生育期115 d，霜前花率95%以上，衣分41.5%。株型较紧凑，Ⅱ形果枝，株高60～70 cm，叶片中等大小，色深绿，铃重5.8 g。铃位分布较集中，宜密植，吐絮畅且集中，适宜机采。

产量表现：1999—2000年参加西北内陆棉区第八轮区试，两年平均每公顷霜前产皮棉2 130.2 kg，比对照新陆早7号增产38.1%，比中棉所24增产39.2%，位列各参试品种之首。2002年参加西北内陆棉区棉花品种生产试验平均公顷子棉产量4 142.7 kg，比对照新陆早10号增产22.4%；2003—2004年在北疆地区大面积生产示范种植新陆早14号0.8万hm^2，平均公顷子棉产量4 635 kg；2004年在石河子地区种植0.2万hm^2，平均公顷子棉产量4 755 kg，比北疆大田推广品种新陆早13号增产16.1%

纤维品质：北疆各种植点取样，送农业部棉花品质监督检验测试中心测试，2.5%跨长30.2 mm，整齐度45%，比强度20.19 $cN \cdot tex^{-1}$，伸长率7.6%，麦克隆值3.7，黄度7.8。

适宜种植范围：适宜地区为新疆早熟棉区、甘肃早熟棉区。

4. 冀 668

冀 668 是河北省农业科学院棉花研究所培育而成，1997 年参加河北省棉花品种区试预备试验；1998—1999 年参加河北省区域试验和生产试验，霜前皮棉单产连续三年名列第一；1999 年同时参加了全国黄河流域棉花品种区域试验及新疆维吾尔自治区棉花新品种区域试验，并于 1999 年获农业部“发展棉花生产专项资金”资助。2000 年 4 月 8 日通过河北省农作物品种审定委员会审定，定名为冀 668。

特征特性：该品种出苗快且整齐，苗势壮，苗病轻，苗期和花铃期长势强，植株整齐一致，株型清秀，松紧适中，茎秆硬，铃大，结铃性强，衣分高，早熟性好，且早熟不早衰，结铃吐絮集中，吐絮肥畅，易采摘。纤维洁白，品质优良，抗病性强。全生育期 125 d，株高 82.5 cm，果枝 12 台，第一果枝着生节位 7.1 台，单株成铃 14.0 个，铃重 5.7 g，子指 10.7 g，衣分 41.0%。1997 年河北省区试预备试验：各试点平均皮棉和霜前皮棉每公顷分别为 1 183.5 kg 和 1 134.0 kg，均比对照品种冀棉 20（原 492）增产 14.2%，在 30 个品系中位居第一。1998—1999 两年平均：皮棉和霜前皮棉每公顷分别为 1 342 kg 和 1 198.5 kg，分别较对照冀棉 20 增产 14.3%和 15.0%，均居第一位。1999 年冀 668 同时参加了全国黄河流域棉花品种区域试验和新疆维吾尔自治区棉花品种区域试验，且皆居第一位。其中全国黄河流域棉花品种区域试验汇总结果：子棉产量、皮棉产量和霜前皮棉每公顷分别为 3 468.0 kg，1 450.5 kg和 1 351.5 kg，分别较对照中棉所 12 增产 15.9%，16.5%和 18.1%，均居第一位。已被推荐参加 2000 年全国黄河流域棉花品种区试生产试验。

纤维品质：1998 年国家农业部品质监督检验测试中心检测的品质结果：纤维长度 29.3 mm，整齐度 50.0%，比强度 23.5 $cN \cdot tex^{-1}$，伸长率 7.0%，麦克隆值 4.0；1999 年测试结果：纤维长度 31.0 mm，整齐度 45.4%，比强度 20.3 $cN \cdot tex^{-1}$，伸长率 6.7%，麦克隆值 4.9。

适宜种植区域：适于冀中南棉区、黄河流域棉区、长江流域北部棉区和新疆南疆棉区广泛种植。该品种是河北省最新审定的集高产、稳产、优质、多抗等综合优良性状于一体的棉花新品种，经 1999 年生产示范和多点试验，适宜棉薯、棉葵、棉瓜、棉菜等多种方式间作种植，适应性广，易管理，产量高，增产潜力大，经济效益显著。

5. 中棉所 45

特征特性：生育期 130 d 左右，属中熟类型品种。植株塔型，株高 82 cm 左右，叶片大小适中，叶色深绿，结铃性强，茎秆粗壮抗倒伏。铃卵圆形，铃重 5.6 g，衣分 39%，铃壳较薄，吐絮畅而集中，易收摘，皮棉色泽洁白，品质指标符合纺优质棉纱要求（绒长 30.1 mm，比强度 30.8 $cN \cdot tex^{-1}$，麦克隆值 4.8）。抗病性强，枯萎病指 9.3，黄萎病指 13.2，属于抗枯、黄萎病品种，兼有耐旱等特性，叶片功能期长。抗棉铃虫性能突出，全生育期抗虫性较稳定。产量表现为 1998—1999 两年中棉所品比试验，平均霜前皮棉亩产 102.6 kg，均比对照中棉所 19 增产达 18.1%。2000—2001 年黄河流域麦套区试中，平均霜前皮棉产量为 85.1 kg，比对照中棉所 19 增产达 12.8%。2001 年参加国家转基因棉花品种生产试验中，中 221 霜前皮棉亩产 95.8 kg，比 33B 增产 16.4%，比 99B 增产 8.1%。

栽培要点：①适时播种，合理密植。本品种适播期为 4 月下旬，采用地膜覆盖或营养钵育苗移栽，高水肥地块密度以 2 000 株/亩，一般水肥地块以 2 500～3 000 株/亩为宜。②及时整枝，去除早蕾。本品种前期生长发育快，现蕾节位低，要求整枝彻底，地膜覆盖或营养钵育苗可摘去下部 1～2 个果枝的 1～2 个早蕾。③虫害治理。本品种对棉铃虫有高度抗性，对二代棉铃虫抗性突出，一般不需防治。防治指标为百株幼虫达到 15 头，或百株 3 龄以上幼虫 10 头时，应采取化学防治。对棉蚜、红蜘蛛、盲椿象、甜菜夜蛾等其他棉田害虫也应及时防治。④灵活应用生长调节剂。根据“看天、看地、看苗”的三看原则，科学确定是否使用生长调节剂，灵活掌握其使用量，做到少量多次，以“稳搭丰产架子，控制旺长”为化调目标。

6. 中棉所 42

特征特性：该品种生育期 100 d 左右，高抗棉铃虫（33B 的抗虫性），产量与春播棉产量相当，最高亩产籽棉可达 330 kg。2001 年度在河南、山东、安徽三省多点生产示范试验，一般田块皮棉亩产 90 kg，高产田块皮棉亩产 115 kg，霜前皮棉比对照中棉所 30 增产 43.2%，达到极显著增产水平。株高 74 cm，植株筒形，铃重 5.0 g，衣分 41%。早熟性好，霜前花率 98%。结铃集中，吐絮畅，絮色洁白。抗枯、黄萎病，枯萎病指为 0，黄萎病指为 10.7，品质优良，各项指标符合纺织工业的要求（2.5%跨长 28.9 mm，比强度 23.0 $cN \cdot tex^{-1}$，麦克隆值 4.1，伸长率 6.3%，反射率 75.6%，黄色度 7.8）。

栽培要点：①适时播种。5 月 20 日到 6 月 5 日麦棉夏套或夏直播。②合理密植。中等地力每亩留苗 6 000～7 000 株，单株保留果枝 7～8 个。③科学施肥。麦收后结合浇提苗水，每亩施饼肥 30～50 kg，过磷酸钙 30 kg，尿素 7 kg，盛蕾后期结合浇水追施尿素 15～20 kg。④及时管理。麦收后抓紧田间管理，勤中耕，雨后及时破除土壤板结，防治蓟马危害，促苗早发。⑤适当化控。中后期根据棉花长势进行适当化调，苗期不宜化调。⑥治虫原则。本品种对棉铃虫有高度抗性，防治指标为百株幼虫达到 15 头，或 3 龄以上幼虫 10 头。对棉蚜、红蜘蛛等其他害虫也应根据发生情况及时防治。

7.鲁棉研16

特征特性：该品种为中早熟棉花品种，两年省区试和一年生产试验平均，全生育期132 d，霜前花率88.2%，适于山东省及黄淮棉区春直播或与其他作物春套种植；铃重5.67 g，衣分39.73%，子指10.3 g，株高95 cm，第一果枝节位6.7台。与参试的其他品种相比，该品种植株较高，株型半紧凑，清秀；叶片中等大，中绿；铃中等大小，呈卵圆形；出苗较好，前期、中期植株生长较快，易搭起丰产架子，结铃性强，下、中、上结铃较均匀，吐絮畅。

2000年生产试验，子棉3 456.0 kg，霜前子棉2 868.0 kg，分别比中棉所29增产3.0%和5.0%；皮棉产量1 357.5 kg，霜前皮棉1 122.0 kg，分别比中棉所29增产7.0%和9.2%。2000年参加国家黄河流域抗虫棉区试，平均皮棉产量1 251.0 kg，霜前皮棉1 053.0 kg，分别比对照中棉所29减产0.7%和1.3%。鲁棉研16作为常规抗虫棉品种，在山东省区试和生产试验中皮棉产量与霜前皮棉产量均超过杂交种中棉所29，在国家区试中产量与对照中棉所29持平，说明其丰产性十分突出。1999年山东棉花研究中心植保室承担省区试抗虫抗病鉴定，在二代棉铃虫发生期间连续调查，累加百株幼虫32头（对照中棉所2 930头），平均蕾铃受害率5.7%（对照为8.1%），平均蕾铃受害减退率29.3%，抗虫性相当于对照品种。病池鉴定，枯萎病指8.1%，黄萎病指25.7%，为抗枯萎病、耐黄萎病品种。

栽培要点：该品种适于肥水较好的条件和地膜覆盖栽培。适宜种植密度每公顷为4.5万株，如果种植密度增加到6万株，应在蕾期和花期注意化控，使最终株高控制在85 cm左右。多施有机肥，注意氮、磷、钾的配比，尤其要注意增施钾肥；中等地力棉田，每公顷基施磷肥（P_2O_5）90～120 kg，追施纯氮150 kg左右，分初花和花铃期两次追施，追施钾肥（K_2O）210 kg左右，可于初花期一次追施。要根据不同气候、种植密度和棉株长势情况，灵活运用化控措施，如果种植密度大，前期雨水偏多，植株长势偏旺，则应从蕾期开始花控；一般情况下不提倡早化控，于初花和盛花分两次化控即可。春直播的时间以5 cm地温稳定通过14℃时为宜（山东省多数棉区在4月20日左右），采用地膜覆盖栽培，播种期可适当提前。提倡4—2式和3—2式麦棉套种方式，选用较早熟的小麦品种，一定留足棉花套种行，麦棉间距应不小于30 cm；棉花和马铃薯间套以2—2式为好，棉蒜间套以2—4式或2—6式为好。

8.标杂A1

特征特性：标杂A1株型高大健壮，鸡爪叶，株高1.3～1.4 m，单株果枝（包括营养枝上的二级果枝）40个左右，单株成铃40～60个，单铃重5.1 g，衣分41%左右。早熟性好，生育期120 d左右，特别适合黄淮流域和长江流域棉区大麦、小麦或油菜收获后移栽。亩产皮棉100～160 kg,最高亩产可达200 kg皮棉。

标杂A1早熟性表现:蕾期较短,常规棉从现蕾到开花要28 d,而标杂A1现蕾到开花平均23 d,短的只有18 d,这样在同样的时间内就可比常规棉多开花,多结铃;开花、结铃、吐絮比较集中,常规棉只有主茎上十几个果枝生长,标杂A1则有十几个主茎果枝和20多个营养枝上的二级果枝同时生长,可使单株棉花开花结铃速度提高一倍多。

在近几年的示范中,标杂A1杂交棉麦后移栽已有良好表现,鹿邑县王庄王洪云1999年3.1亩,平均皮棉亩产121 kg,淮阳县安岭镇戴明先1998年9.1亩平均亩产皮棉103 kg,鹿邑县张店乡孙渡口村2000年1 000多亩连片麦后移栽标杂A1皮棉平均亩产115 kg,且基本不影响拔棉花种麦。比常规夏棉增产40%～50%,比春播或麦套的常规棉增产25%左右。

栽培要点:①适宜播期。麦后移栽可在4月底至5月10日采用7 cm大营养钵露天育苗,大麦、小麦或油菜收割后6月15日前尽早移栽;也可在大麦收割前1周麦垄点播。②种植密度。标杂A1按1.4～1.5 m等行距,株距26～30 cm,每亩1 500～1 800株。③移栽方法。大、小麦或油菜收获后,可按行距用犁翻沟,顺沟亩施三元素复合肥30～50 kg,将棉苗按株距放入沟内封半沟土而后顺沟浇水,待水渗下后及时封沟。④施肥浇水。7月上中旬亩施复合肥40～50 kg,7月底亩施尿素10～15 kg。进入8月每隔5～7 d喷一次1%尿素和0.3%磷酸二氢钾混合液,连喷3～5次。遇旱及时浇水。⑤整枝。不整枝不打杈,叶枝全留;或去掉下部弱营养枝,每株留2～3个强营养枝。7月20日打去营养枝顶尖,7月30日前后打去主茎顶尖。⑥治虫。标杂A1高抗棉铃虫,二代棉铃虫一般不用防治,三、四代棉铃虫若百株有幼虫6头以上就应防治。对棉蚜、红蜘蛛、甜菜夜蛾和盲椿象等害虫应酌情防治。⑦化控。标杂A1结铃性强,需肥量大,一般不会疯长,因此在干旱年份和以施三元素复合肥为主的地块可轻控或不控,在阴雨连绵年份和偏施氮肥地块要适当化控。

五、大豆品种

1.东农42号

东农42号是东北农业大学1992年育成推广的优质、高产、抗病大豆新品种。该品种以蛋白含量高、大粒而获得首届博览会奖牌,并评为农业部优质品种,并先后被列为省、部和国家(1994)科技成果重点推广计划。

特征特性:长叶、紫色、灰毛,亚有限结荚习性。生育期活动积温2 300～2 500℃。植株高大、主茎发达、秆强耐倒,较喜肥水;大粒、高蛋白,品质优良。东农42号大豆百粒重25 g左右，粒大、粒圆、黄色、种皮有光泽，无色脐。子粒蛋白质含量45.30%，脂肪含量19.80%，蛋脂总量65.1%，子粒化学品质和外观品质双优，可作为大粒，高蛋白，优质品种对外出口，深受国内外大豆加工厂家的欢迎；抗灰斑病，中抗花叶病毒病。

产量表现：该品种株型特点是植株高大，主茎发达，秆强抗倒伏，节多，荚匀，粒多，粒大。亩产潜力在250 kg以上。在肥水条件较好地块平均亩产211.3 kg，平均比对照品种增产16.6%。肇东市洪河乡种植3 000亩东农42在盐碱土破皮黄低产豆田生态区取得平均亩产185 kg的好收成。在牡丹江岗地白浆土生态条件下，两年试验东农42表现苗期长势强，抗病，高大繁茂，熟期适中，高产等优势，平均亩产240 kg，单产居供试品种首位。

适宜地区：适于黑龙江省南部、中部一、二积温带广大地区种植。吉林省北部丘陵地区引种放果也好。新疆、宁夏、四川等地引种也反应优良。

2.丰收23号

丰收23号大豆新品种是黑龙江省农业科学院克山农科所1988年用自优2号×克交8619杂交育成，该品种在黑龙江省北部地区多年种植后，平均每667 m^2产量均高于当地主栽品种，1998年经河南省品种审定委员会同意决定推广。

特征特性：本品种属亚有限结荚习性，长叶，紫花，灰白毛，株高80 cm左右，主茎型有一个分枝，秆强不倒，抗灰斑病，百粒重18.5 g，病虫粒率低，黄色圆粒，子粒光亮，生育日数89 d左右，需活动积温1 799.1℃，适合我国东北地区六积温带和二、三、四积温带救灾用种。

产量表现：1995—1997三年产量结果，所内坚定试验平均每667 m^2产152.1 kg，比对照黑河11号平均增产13.2%，比东农40平均增产17.1%，异地鉴定平均每667 m^2产163 kg，较对照黑河9号增产4.5%，区生产试验比标准品种平均增产10.1%，1997年在导弹部队农场（178亩）大面积生产示范平均亩产167.2 kg。

适应地区：本品种适合我国东北五、六积温带地区种植，也可以作为南部地区受灾年份的晚田用种。

六、油菜品种

1.秦优7号

秦优7号1997—1999年参加预备试验，每亩平均产量247.5 kg，比对照秦油2号增产14.59%；2000—2004年先后参加陕西省、全国黄淮海区、长江下游区、长江中游区、湖北省各级区域试验和生产试验，多年多点平均每亩产量177.65 kg，较对照(秦油二号和中油 821)平均增产 6.37%;2002 年和 2003 年两年在陕、皖、苏、鄂、赣等省试验、示范面积 2 800 hm^2,据收集到的 287 个试点统计,平均每亩产量 195.94 kg,比对照增产 12.09%。一般每亩产量水平 200～250 kg,最高每亩产量达 333.3 kg。

秦优 7 号,甘蓝型,弱冬性,在每亩 1.2 万株密度下,株高 165～185 cm,一次有效分枝 8.5～9.5 个,单株有效角果数 285～345 个,每角粒数 23～26 粒,千粒重 3～3.2 g。全生育期在陕西关中东部和黄淮流域为 240 d 左右,比对照秦油 2 号早熟 2 d;在陕南和长江流域为 210 d 左右,较对照中油 821 晚熟 1～2 d。

农业部油料作物遗传改良重点实验室抗菌核病鉴定报告,秦优 7 号抗病水平与抗病品种中油 821 相当或稍高,农业部油料及制品质量监督检验测试中心在区试中抽样检测:秦优 7 号芥酸含量<1%,硫苷含量 22.56 μmol/g(饼),含油量 43.22%,较对照增加 2%～3%,属高油分双低油菜品种。

适用区域:黄淮、长江流域(两熟区)冬油菜区,陕西关中和陕南油菜产区。

2.皖油 14 号

皖油 14 号是安徽省农业科学院作物研究所利用隐性上位互作核不育的三系配套技术选育而成,于 1998 年 5 月通过省级品种审定,定名皖油 14 号。2000 年 5 月通过全国品种审定。

该品种芥酸含量 0.36%,硫甙含量 31.22 μmol/g,含油量 44.3%(分析结果为安徽、浙江、上海三省市种子管理站提供区试收获种子混样后由农业部油料及制品质量监督检验中心检测)。该组合全国区试(长江下游区)1997—1998 年度平均亩产 111.1 kg,比对照中油 821 增产 16.3%,居各参试品种(组合)第一位。1998—1999 年度平均亩产 175.4 kg,较中油 821 增产 8.85%,居各参试品种第二位。田间调查和人工接种结果均表明其抗(耐)菌核病性比秦油 2 号和中油 821 均提高 1～2 个等级以上。该组合属甘蓝型油菜半冬性双低杂交种,全生育期 230 d 左右,较秦油 2 号早 2～3 d,抗寒性强,耐渍性一般;根系发达,株高 140 cm 左右,株型紧凑,茎秆韧性好,不易折断倒伏;枝多角多,一般一次有效分枝 7～9 个,再次分枝 5～6 个,单株有效角果数 420 个左右,每角粒数 20 个,千粒重 3.8 g;皖油 14 丰产稳产性好,适宜在黄淮南部及长江中下游广大地区种植。

主要栽培要点:①早播早栽,促进年前秋发,年后高产早熟。播种期应比当地甘蓝型油菜正常播种期早 5～7 d。②重施底肥,早追苗肥,增施磷、钾、硼肥。亩产 200 kg 施肥标准为纯氮 17.5 kg,磷、钾减半,全部底施,氮肥以总肥量的 50%作底肥,30%作年前苗肥,在年后抽薹前施用。切忌薹前偏施化学氮肥。缺硼田块每亩底施 0.75～1 kg 硼肥,如遇长期干旱天气,在蕾薹期再喷施一次。③注意及时治虫除草。开好三沟，防止水渍。④连片种植单收单贮。以利综合加工利用。⑤二代不能留种。"皖油14号"自1998年以来已累计推广近300万亩。"皖油14号"在全国试验示范中同时已开始在国外试种，1999年5月美国孟山都公司已将该品种引到南非试种，阿根廷正在与我们谈判，试图将该品种引到阿根廷种植。

3. 油研7号

该品种系贵州省科学研究所选育的两系双低杂交油菜新品种。在贵州省区试中比秦油二号增产23.2%，在全国10省市154个对比试验中比当地推广品种平均增产9.8%。品种芥酸0.56%，饼粕硫甙18.7 μmol/g，完全符合国际出口标准；含油率高达41%～44%。一般亩产180～200 kg，最高亩产达291 kg。成熟期比秦油二号早5～7 d，可作稻油、棉油两熟和稻油三熟制栽培，目前在长江流域的安徽、江苏、贵州、湖南、湖北、四川、重庆、浙江、河南、江西、广西等11个省区每年推广面积已超过1 000万亩，表现出良好的增产潜力和强劲的发展势头。

栽培要点：①播种期、育苗期：长江上游9月10日左右，长江中游9月15日左右，长江下游9月18日左右。移栽期：苗龄掌握在30～35 d。一般在10月中下旬左右移栽。②合理密植：移栽亩植8 000株左右，直播每亩留苗1.2万株以上。③重施底肥，早施提苗肥，氮、磷、钾配合使用，由于抗倒力强，增施肥料具有较高生产潜力，一般要求亩施纯氮15 kg以上。④注意施用硼肥：亩用0.5 kg硼肥作底肥或追肥，也可用0.2%硼砂水溶液在开盘和抽苔期叶面喷雾。⑤注意防治病虫。⑥二代以内不能作种。

4. 华油杂6号

品种来源：8086A×7—5。

特征特性："华油杂6号"属半冬性甘蓝型油菜杂交种。生育期224 d，与中油821相当。株高180 cm，株型为扇形，较紧凑；子叶肾脏形，苗期叶为圆叶形，叶绿色，顶叶较大，有裂叶2～3对；一次有效分枝9个，二次有效分枝10个，主花序长85 cm，茎绿色，黄花，花瓣相互重叠。单株有效果441.62个，主花序角果长8～9 cm，每角粒数21粒。种子黑褐色，近圆形，千粒重3.23 g。冬前、春后均长势强；抗寒中等；耐菌核病中等，抗病毒病；耐肥，抗倒伏，不早衰。子粒含油量41.50%，芥酸含量0.21%，硫甙含量40.17 μmol/g。

产量表现：2000—2001年度参加长江下游组油菜品种区域试验，平均亩产157.3 kg，比对照中油821增产12.4%；2001—2002年度续试，平均亩产132.8 kg，比对照中油821增产19.4%；两年区试平均亩产145.1 kg，比对照中油821增产15.52%。2002—2003年度参加长江下游组油菜品种生产试验，平均亩产144.6 kg，比对照中油821增产17.85%。

栽培技术要点：育苗移栽宜在9月10～20日，直播宜在9月20～25日。育苗移栽密度宜在0.6万～0.8万株/亩，直播密度宜在1.0万～1.2万株/亩。合理施肥80%肥作底肥，20%肥作追肥，追肥应以蜡肥为主，每亩用1 kg硼肥作底肥。花期注意防治菌核病。

国家品种审定委员会审定意见：经审核，该品种符合国家油菜品种审定标准，通过审定。适宜在长江下游区的安徽、江苏、浙江、上海等地的冬油菜主产区种植。生产上注意播种期过早会出现早苔早花。

5. 中油杂2号

"中油杂2号"(7789)是中国农业科学院油料作物研究所利用"秦油2号"不育胞质2A培育的双低三系杂交油菜新品种，2000年8月通过湖北省农作物品种审定委员会审定，2001年5月26日通过全国农作物品种审定委员会审定，同年被农业部推荐为长江中下游地区主推品种之一。

特征特性："中油杂2号"属半冬性中熟甘蓝型油菜品种。株高175 cm左右，分枝部位40 cm左右，单株有效角果380个左右，每角粒数18粒左右，子粒较大，千粒重3.6 g左右。

产量表现："中油杂2号"于1997—1998年参加湖北省油菜预备区试，居14个参试品系首位，平均比对照中油821增产13.5%，9个试验点均比对照增产。1998—2000年"中油杂2号"同时参加湖北省和全国(长江中游区)油菜正式区试。在1998—1999年湖北省正式区试中，"中油杂2号"居8个参试品系首位，亩产177.8 kg，平均比对照中油821增产21.46%，10个试验点均比对照增产；1999—2000年亩产212.49 kg，居第一位，比对照"中油821"增产18%，10个试验点均比对照增产。在全国油菜区试中，1998—1999年"中油杂2号"也居参试品系首位，平均比对照中油821增产13.45%，10个试验点均表现比对照增产；1999—2000年平均比对照增产14.36%，居首位，10个试验点均比对照增产。由此可见："中油杂2号"在连续三年的湖北省及连续两年的全国油菜区试的49个试验点次均比对照中油821增产，而且增产幅度大，表现出极强的丰产性，稳产性和广泛的适应性。

品质性状：湖北省种子管理站从区试取样，经农业部油料及制品质量监督检验中心和华中农业大学测试中心分样检测，"中油杂2号"商品籽芥酸含量为0.90%，硫甙含量为20.70 μmol/g(饼)。2000年含油量41.45%，比对照中油821高1.85%。是目前杂交油菜品质最优、含油量最高的新品种。

栽培要点：①适时早播。长江中游地区育苗应在9月中旬播种，苗床与大田比例为1∶4，培育大壮苗，严格控制苗龄(30～35 d)，10月中旬移栽；直播9月下旬播种。②合理密植。在中等肥力水平条件下，育苗移栽的合理密度为每亩1.0万株左右；肥力较高时，每亩 0.9 万～1.0 万株；直播可适当密植(1.1 万～1.2 万株)。③科学施肥。重施底肥，每亩施进口复合肥 50 kg 左右，硼肥 1 kg 左右；追施苗肥，移栽成活后，适时追施提苗肥，根据苗势每亩施尿素 15 kg 左右；腊肥春用，在元月底根据苗势每亩施尿素 10 kg，注意必施硼肥。如果底肥没有施硼，应在苔期喷施硼肥(浓度为 0.2%)。④防治病害。油菜初花期一周内喷施灰核宁，用量每亩100 g 灰核宁兑水 50 kg 喷施。

适应地区："中油杂 2 号"适宜在长江流域及黄淮南部两熟和三熟地区种植。

6. 中双 9 号

中双 9 号(原代号 93256)是由中国农业科学院油料作物研究所用"中油 821/84004/中双 4 号"的杂交后代，经小孢子培养和染色体加倍后，定向选择育成的优质、高产、多抗、高含油量、高效型油菜新品种。2002 年 11 月通过湖北省农作物品种审定委员会审定，2003 年 5 月获植物新品种保护权，品种权号为 CNA 20020073.9。

中双 9 号为半冬性甘蓝型油菜常规品种，幼苗半匍匐，叶色深绿，长柄叶，叶片厚，大顶叶。生长周期具有前期生长稳健，后期长势突出的特点。该品种株高 165 cm 左右，分枝部位 30 cm 左右，一次有效分枝数 9 个，主花序长 80 cm，单株有效角果数 349.6 个，每角粒数 18.3 粒，千粒重 3.48 g，全生育期比中油 821 长 1.6 d。其高产、高含油量、高蛋白质含量、高抗菌核病和病毒病、高抗倒伏，以及低芥酸、低硫甙的双低品质被概括为"六高两优、八项全优"。中双 9 号根系发达，薹茎粗壮，茎秆坚硬，表现出很强的抗倒伏能力，在 2002 年湖北省区试考察时是唯一完全不倒伏的品种。2000—2001 年度参加湖北省区域试验，平均亩产 173.92 kg，比中油 821 增产 13.66%，增产极显著。2001—2002 年度平均亩产 157.04 kg，比中油 821 增产 17.25%，增产极显著，两年区域试验平均亩产 165.48 kg，比对照中油 821 增产 15.33%，是湖北省区域试验中第一个比对照增产 10%以上的常规双低品种。

主要栽培技术：①适时早播。育苗移栽 9 月中旬播种，10 月中旬移栽，苗龄 30 d 左右。苗床与大田 1∶5；直播 9 月下旬至 10 月上旬播种，及时间苗、定苗。②合理密植。该品种株型较紧凑，适当密植有利于提高产量。移栽每亩 0.9 万～1.2 万株，直播 1.0 万～1.5 万株。③提高施肥量，必施硼肥。该品种产量潜力大，且秆硬抗倒，高水肥种植可获得高产。重施底肥，一般肥力田块亩施饼肥 50～80 kg，复合肥 80～100 kg，低肥力田块酌增。苔肥早施，腊施尿素 10 kg。必施硼肥，以 1.5～2 kg 优质硼砂作底肥，并于薹期喷施 0.3%的硼溶液。④防病治病。于初花期后 1 周喷施菌核净，用 100 g 兑水 50 kg 喷施。

适应地区:适宜于长江流域及黄淮地区等冬油菜产区种植。

7.中油杂3号

中油杂3号系中国农业科学院油料作物研究所采用现代生物技术与传统的育种方法相结合选育出的双低、高产、多抗杂交油菜新品种,其组合来源为95A×R2,区试代号为"95-3"。2002年4月通过全国农作物品种审定委员会审定,2003年获得四川省品种审定委员会认定。

中油杂3号属半冬性中熟甘蓝型杂交油菜品种。该组合苗期叶片深绿,分枝部位较低,株高165 cm左右,一次有效分枝8~10个,二次有效分枝15个左右,株型紧凑。每角粒数21粒,单株角果数400个左右,角果长度4.5 cm左右,千粒重3.5 g左右,不育株率低于5%。成熟期与中油821相当。全国区试2年调查,中油杂3号菌核病平均发病率13.37%,比对照抗菌核病品种中油821降低18.97%;病毒病平均发病率3.12%,比对照降低29.89%。中油杂3号根系发达,茎秆坚硬,表现出强抗倒伏性。2000—2001年度在由湖北省农业推广总站组织的高产攻关研究中,湖北当阳、枣阳、湖北农学院3个试验点平均亩产206.7 kg,比对照中油821(平均亩产179.4 kg)增产15.2%。

全国区试主管部门从区域试验参试点随机取样,经农业部油料及制品质量监督检验测试中心检测,商品籽硫甙含量20.53 μmol/g(饼),种子芥酸含量0.38%,双低指标优于国际双低标准;含油量41.02%;油酸含量61.58%,亚油酸含量22.87%,分别为对照的约3.5倍和1.7倍。

栽培要点:①适时早播。中油杂3号叶片较大,叶色浓绿,冬性较强,长江中游区移栽的以9月上中旬育苗,直播地区以9月中下旬为宜。及时间苗、定苗,保证冬发冬壮。②施足底肥,必施硼肥。为充分发挥该组合的高产潜力,一次性施足底肥是夺取本品种稳产丰收的一项重要的高产技术措施。要达到150 kg以上的产量水平,亩施复合肥40 kg,过磷酸钙50 kg,钾肥10 kg,硼砂1~1.5 kg,整地时一次性施入。苗薹期适当看苗追肥。同时在蕾薹期用硼砂150 g兑水50 kg喷雾,严防油菜因缺硼造成花而不实。③合理密植。在中等肥力水平下育苗移栽密度为0.9万~1.0万株/亩,肥力水平较高0.8万~0.9万株/亩,直播密度1.2万~1.5万株/亩。④防治病虫害。中油杂3号叶色浓绿,苗期易受蚜虫危害,注意防治蚜虫,高产田注意防治菌核病。在油菜开花期,亩用40%可湿性菌核净100 g兑水50 kg在植株的中、下部均匀喷施。

适宜地区:适宜于长江流域等冬油菜产区种植。

8.中油杂4号

中油杂4号(原代号96-5)由中国农业科学院油料作物研究所油菜生物技术

育种课题组采用聚合杂交及小孢子培养和染色体加倍等现代生物技术手段育成优质高产杂交油菜新组合，其组合来源为96A×93275。2002年11月通过湖北省品种审定委员会审定。

中油杂4号属早中熟甘蓝型油菜新组合，幼苗直立，叶色深绿，顶叶较小，生长势强，整齐度和一致性好，植株中等偏高。株型紧凑，适合密植，茎秆坚硬，抗倒能力强，分枝数多，单株角果数达371.0个，每角粒数16.8粒，千粒重3.37 g，全生育期比对照中油821早1 d。抗菌核病能力与中油821相当，抗病毒病能力强于中油821。茎秆坚硬，抗倒性强；抗寒能力较强。不育系不育性彻底，制种安全高效，杂交种恢复株率可达到96.7%。2002—2003年参加全国（长江中游片）区试，平均亩产135.08 kg，比对照增产3.39%。2002—2003年度参加江西省区试，平均亩产121.0 kg，比对照增产12.04%，达极显著水平。

湖北省种子管理站从区域试验参试点随机取样，农业部油料及制品监督检验测试中心检测，区试两年平均结果，商品籽饼粕硫甙含量22.05 μmol/g，种子芥酸含量0.38%，含油量38.58%。

中油杂4号适宜于长江流域等冬油菜产区种植。中油杂4号已成为湖北省主推品种之一，据应用单位的初步统计，中油杂4号累计在湖南、湖北、江西、安徽等省示范、推广600万亩以上，创经济效益近3亿元。四川、江苏、浙江、河南等省也在引种试种之中。该品种的推广应用，对提升我国油菜产业的国际竞争力、调整农业结构、增加农民收入等方面都具有十分重要的意义。

栽培要点：①适时播种。育苗移栽适宜播期为9月15～20日。直播9月20～25日为宜。②培育壮苗、合理密植。育苗、直播田都要及时间苗、定苗、留大苗去小苗，留强苗去弱苗，栽大苗不栽小苗，栽壮苗不栽弱苗。直播田块一般可留1.5万株左右。移栽田块一般保证在1万株左右。③科学施肥，重施底肥。每亩施复合肥50 kg左右，尿素10 kg，硼砂1.5 kg作底肥，并针对油菜各阶段苗势长相追肥，追肥用尿素为好，苗、薹肥各8 kg/亩左右。④必施硼肥。除用硼砂1.5 kg作底肥外，在抽薹期喷施0.2%的硼砂溶液50 kg/亩预防油菜花而不实。⑤防治病虫害。用氯氰菊酯+40%乐果1∶2 000倍液防治蚜虫和菜青虫，初花后1周内每亩用40%菌核净200 g兑水50 kg防治菌核病。

9. 中油杂6号

中油杂6号（原代号96－2）是中国农业科学院油料作物研究所选育的双低高产杂交油菜新组合，其组合来源为96A×R2。2003年2月通过全国品种审定委员会审定。

中油杂6号为半冬性甘蓝型杂交油菜品种。该组合苗期叶片上冲，株型紧凑，株高 1.7 m 左右。一次有效分枝 8～10 个，单株有效角果数 368 个左右，每角粒数 19 粒左右，千粒重 3.5 g 左右。抗菌核病能力与中油 821 相当，抗病毒病能力强于中油 821。熟期与中油 821 相当。不育系不育彻底，制种安全高效。1999—2000 年度全国区试（长江中游片）中，平均亩产 157.73 kg，比对照中油 821 增产 8.63%，达极显著水平，9 个试验点中 8 个试验点比对照增产，最高增产幅度达 24.55%，2000—2001 年度，继续进行全国（长江中游片）区域试验，10 个试验点中 9 个试验点比对照增产，其中增产幅度达 10%以上的有 5 个试点，最高达 18.3%，平均亩产 153.66 kg，比对照中油 821 增产 5.49%，达极显著水平，两年全国区试平均亩产 155.7 kg，比对照中油 821 增产 7.06%。2000—2001 年度 96—2 经推荐进入全国（长江中游区）生产试验，6 个试点中湖北黄冈试点比对照中油 821 增产 17.58%。

全国区试主管部门从区域试验参试点随机取样，经农业部油料及制品质量监督检验测试中心检测，中油杂 6 号两年区试抽样硫甙含量分别为 21.55 μmol/g（饼）、22.49 μmol/g（饼），芥酸含量为 0.21%，含油量 40.17%。

中油杂 6 号在两年区域试验共 19 个点次中有 17 点次比对照中油 821 增产，品种×地点互作的变异系数小，互作方差小，均表现了该组合具有良好的丰产性和广泛的适应性，适合长江流域冬油菜地区种植。据不完全统计，2002—2004 年该品种在湖北、湖南、江西、安徽、浙江等省累计示范、推广面积 100 万亩以上。该品种的推广应用，对提升我国油菜产业的国际竞争力、调整农业结构、增加农民收入等方面都具有十分重要的意义。

主要栽培要点：①适时早播。长江中游地区育苗移栽适宜播种期为 9 月上中旬，10 月中下旬移栽；直播于 9 月中下旬到 10 月初播种。②合理密植。在中等肥力水平下，育苗移栽合理密度为每亩 1.0 万～1.2 万株，高肥力水平时，每亩密度为 9 000 株；直播可适当密植。③科学施肥。重施底肥，每亩施复合肥 50 kg 左右；追施苗肥，于 5～8 片真叶时追施尿素每亩 15 kg 左右；必施硼肥，底施硼砂每亩 1.5 kg，薹期喷施（浓度为 0.2%）。④防治病害。在菌核病高发区注意防治菌核病，可于初花期后 1 周左右喷施菌核净，用量为每亩 100 g 菌核净兑水 50 kg，叶片喷施。

附录二 农作物田间观察及室内考种记载标准

一、小麦

(一)小麦生育时期调查记载标准

(1)播种期。指实际播种的日期,以月/日表示。

(2)出苗期。当第一片真叶从胚芽鞘顶端裂口处伸出,长达 1.5～2.0 cm 时即作为出苗,全田有 50%的植株达到上述标准的日期即为出苗期,以月/日表示。

(3)分蘖期。当田间有 50%的植株出现第一个分蘖的日期称为分蘖期,以月/日表示。

(4)拔节期。全田有 50%以上的植株主茎第一茎节高出地面 2 cm 时即为拔节期,以月/日表示。

(5)孕穗期。全田有 50%植株主茎旗叶叶环露出旗叶下一叶的叶环,茎秆中上部呈纺锤形时称为孕穗期,以月/日表示。

(6)抽穗期。全田有 50%的植株顶端第一小穗露出旗叶叶鞘时为抽穗期,以月/日表示。

(7)开花期。麦穗中部小穗基部小花开花数达 10%以上时为开花始期,50%为开花期,以月/日表示。

(8)子粒形成期。

①乳熟期。50%以上子粒能挤出乳白色汁液时为乳熟期,以月/日表示。

②蜡熟期。50%以上的子粒具有蜡质特征时为蜡熟期,以月/日表示。

③完熟期。全田子粒已具备有本品种正常大小和色泽,子粒变硬时为完熟期,以月/日表示。

冬小麦还有越冬期和返青期。

(9)越冬期。指日平均气温稳定在 3℃以下,植株地上部分基本停止生长的日期,以月/日表示。

(10)返青期。全田有 50%以上植株心叶开始转绿为返青期,以月/日表示。

(二)小麦室内考种标准

(1)株高。从地面或分蘖节量到穗顶(不连茎)的高度,取其平均值,以 cm

表示。

(2)芒。分四级。无芒即完全无芒或芒极短;顶芒即穗顶有短芒,长1~15 mm;短芒即穗上下均有芒,多少不等,长20 mm;长芒即芒长20~100 mm,小穗外颖上的有芒。

(3)穗长。量主茎穗长度(不包括芒),以平均数(cm)表示。

(4)穗型。分五种类型。纺锤形:中部大,两头尖;圆锥形:中部大,上部小;圆柱形:宽度、厚度相同,上下一致;倒卵形:上部特大,且较紧密,或称棍棒形;椭圆形:穗短,中部宽而两端微尖。

(5)小穗数。已孕小穗数及不孕小穗数分别记载(计算25株,所有穗子的结实与不结实小穗个数,求其平均数)。

(6)穗色。以颖壳色划分,分红、白色。

(7)穗粒数。穗结实粒数。

(8)粒色。分红色、白色。

(9)粒形。分倒卵形、长圆形、椭圆形。

(10)千粒重(g)。以晒干扬净的子粒为标准,混匀样品后任取1 000粒称其重量,以两次重复相差不大于其平均值5%时为准。如大于5%,则需量取1 000粒称重,以相近的两次称重平均值为准。

(11)产量。实收产量,并折算成每667 m^2 产量(kg)。

二、玉米

(一)玉米物候期观察记载标准

(1)播种期。实际播种日期,以月/日表示(下同)。

(2)出苗期。种子发芽出土高约1 cm的穴数达50%以上的日期。

(3)拔节期。50%以上植株,靠近地面茎秆基部能摸到茎节的日期。

(4)抽雄期。有60%的雄穗尖端露出顶叶的日期。

(5)散粉期。有60%的雄花穗开始散播花粉的日期。

(6)抽丝期。有60%的雌穗已抽出花丝的日期。

(7)成熟期。有80%植株的茎叶退黄,子粒硬实或黑色曾出现时,为成熟期。

(8)生育期。从出苗到成熟期所需的天数。

(9)收获期。实际收获日期。

(二)玉米室内穗部性状考种

(1)穗长。量其穗长,求其产量穗长,以 cm 表示(下同)。

(2)穗粗。在穗的中部测定其直径。

(3)穗轴粗。在穗的中部测定轴的直径。

(4)每穗子粒行数。在穗的中部计数子粒行数。

(5)每行子粒数。每穗计数一行子粒数。

(6)穗重及每穗粒数。称果穗重量,平均后即为穗重(g)。脱粒后,再称每穗子粒重,平均后即为每穗粒重(g)。

(7)穗形。分为圆柱形、长锥形、短锥形。

(8)子粒。

①籽型。分马齿、半马齿、硬质、粉质、甜质、糯质、爆裂、有稃等 8 种类型。栽培种以前 3 种类型为主。

②籽色。分黄、白、橙红、紫、深紫等。

(9)千粒重。脱粒后随机取 500～1 000 粒称其重量。重复 3～5 次,平均,以 g 表示。

(10)子粒出籽率。子粒重量占全部果穗重的百分率。

(11)子粒出粉率。子粒磨制成面粉量占原来重量的百分率,一般取样 5 000 g。

三、棉花

(一)棉花生育期调查记载标准

(1)出苗期。两片子叶平展为出苗。当棉田(或观察区,下同)的棉苗出现时为见苗期,出苗数占全苗数 10%时的日期为始苗期,出苗 50%时为出苗期。

(2)现蕾期。以幼蕾苞叶长达 3 mm 时为现蕾标准。当棉田有 50%棉株现蕾时为现蕾期。

(3)开花期。棉田开始有棉株开花时为始花期;有 50%棉株开始开花时为开花期。

(4)吐絮期。棉铃正常开裂能见到白絮时为吐絮,棉田有 50%棉株吐絮时为吐絮期。

(5)生育期。从出苗到吐絮的总天数为生育期。

(二)棉花籽棉性状室内考种标准

(1)纤维长度。取籽棉样品健全棉瓤的第三位籽(每个棉瓣一粒),用左右分梳法,测其中部总长度除以 2,求 20～50 粒的平均值,以 mm 表示。

(2)纤维整齐度。

$$纤维整齐度=\frac{平均纤维长度\pm 2\ \text{mm}\ 的籽棉粒数}{考察籽棉总粒数}\times 100\%$$

整齐度标准:90%以上为整齐,80%～90%为一般,80%以下为不整齐。

(3)衣分(%)。所收籽棉混合后取样 10 g,轧出皮棉,以籽棉重量除皮棉重量乘 100%即得衣分%,重复两次取平均值。

$$衣分=\frac{皮棉纤维重量(\text{g})}{籽棉重量(\text{g})}\times 100\%$$

(4)衣指和籽指。取籽棉 100 粒,称重量,轧出皮棉,其皮棉重即为衣指,所得百粒棉籽重量即为籽指,均以 g 表示。重复两次平均之。

(5)不孕籽率。取棉铃 15～20 个,检查不孕子粒数。

$$不孕粒率=\frac{不孕子粒数}{全部子粒数}\times 100\%$$

(6)铃重。采收中期开裂正常铃 50 个(每株 1 铃),晒干称重,以总铃数除之,以 g 为单位。

四、水稻

(一)水稻本田生育时期记载项目

(1)插秧期。移栽的日期(月/日),记入调查表并注明秧龄天数。秧龄天数为从播种到移栽所经历的天数。

(2)返青期(缓秧期)。秧苗移栽后,有 50%植株心叶伸出并展开,苗色由黄转绿的日期(月/日)。

(3)分蘖期。有 10%植株新生分蘖叶尖伸出叶鞘时为分蘖始期。全田达最高分蘖数时为分蘖高峰期,分蘖发生最快的时期为分蘖盛期,田间总茎数与最后总穗数相同的日期为有效分蘖终止期,均以月/日表示,从分蘖始期至有效分蘖终止期为有效分蘖期。

(4)拔节期。有 50%植株主茎基部由扁变圆,且地上第一节间已明显时为拔节期(月/日)。

(5)幼穗分化期。主茎基部变圆后，取辅助调查株，剥取主茎顶端生长点，镜检其幼穗原基开始分化或目测其生长点已开始膨大时，为幼穗分化始期；目测幼穗长约1 mm时为幼穗分化期；自幼穗穗节处出现许多白色苞毛时，为二次枝梗原基及颖花原基分化期，均以月/日表示。

(6)孕穗期。50％主茎剑叶鞘伸出下位叶鞘，并呈"纺锤形"的日期(月/日)。

(7)抽穗期。全田有10％的稻穗伸出剑叶鞘的日期为始穗期；50％的穗伸出叶鞘的日期为抽穗期；80％的穗伸出叶鞘的日期为齐穗期(月/日)。

(8)乳熟期。50％以上稻穗中部的子粒内充满白色乳浆状内容物的日期。

(9)蜡熟期。50％以上稻穗中部子粒内容物凝固无白浆的日期。

(10)完熟期。稻穗基部子粒已坚硬，全田90％以上稻色呈金黄的日期。

(11)本田生育期及全生育期。本田生育期是从移栽次日起至成熟的天数。全生育期为秧龄天数与本田生育期之和，以"天"或"日"表示。

(12)收割期。实际收割的日期(月/日)。

(二)水稻室内考种项目

(1)株高。于成熟后从单株的基部地面起量至穗顶(芒除外)的平均高度。以cm表示。

(2)每亩穗数。调查每穴平均穗数(按5点取样法测定)每亩穗数，即得每亩穗数。

(3)穗长。从穗轴基节量至穗顶(芒除外)，以cm表示。

(4)每穗粒数。先观察记录每穗的脱落粒数(均作实粒计算)。然后混合计算充实粒、半实粒、空粒和总粒数(空粒是由于颖花没有受精或子房发育极小的空粒，以指按谷壳成扁平而无内容物的；半实粒是颖花虽经受精，但米粒发育不完全，不够充实，充实度不到正常充实粒的一半)。统计并平均每穗充实粒、半实粒、空粒及总粒数及其百分率。

$$充实粒=\frac{充实粒数}{总粒数}\times 100\%$$

$$半实粒=\frac{半实粒数}{总粒数}\times 100\%$$

$$空粒数=\frac{空粒数}{总粒数}\times 100\%$$

(5)千粒重。从晒干风净的谷粒随机取样 1 000 粒称重(g),以两次重量相差不大于其平均值的 3%时为准。(如大于 3%则需另取 1 000 粒称重,以相近的两次称重平均值为千粒重)。

(6)谷秆比。用五点法取样,从 1 m^2 的稻棵齐泥割取脱粒,分别晒干稻秆和谷粒称重,依下式求得谷秆比:

$$谷秆比=\frac{谷粒重量(kg)}{稻秆重量(kg)}$$

(7)理论产量。以考种材料每 667 m^2 穗数、每 667 m^2 平均充实粒数和千粒重,折算 667 m^2 产量(kg):

$$理论产量(kg/667m^2)=\frac{每\ 667m^2\ 穗数\times 每穗平均充实粒数\times 千粒重(g)}{1\ 000\times 1\ 000}$$

(8)实际产量。根据面积实割脱粒、晒干、风净、称重,折算 667 m^2 产量(kg)。

五、甘薯

(一)甘薯生育期调查记载标准

(1)育苗期。种薯正式入床或上炕后烧火日期,以月/日表示(下同)。

(2)出苗期。50%以上苗芽顶出覆盖物表面的日期。

(3)剪苗期。第一次剪苗日期,以后分别记载。

(4)插植期。实际插植日期。

(5)成活期。有 50%以上植株新叶展开生长或腋部发出新芽时的日期。

(6)分枝期。有 50%以上植株发出分枝达 10 cm 以上时的日期。

(7)结薯期。定期挖根调查,检查时轻轻拨开土壤观察,有 50%以上植株根部有明显膨大形成直径 5 mm 以上薯块时,为结薯期。

(8)封垄期。茎叶全部盖满地面时的日期。

(9)块根膨大最盛期。地下部块根绝对重量增加最快的日期。

(10)收获期。实际收获日期。

(11)生育期。栽植期至收获期的天数。

(二)甘薯室内考种项目

(1)株型。分半直立、匍匐。

(2)叶型。分心形、心脏形、戟形、浅缺刻、深缺刻。

(3)顶叶色。分绿、带紫、紫色。

(4)茎色。分绿、带紫、紫色。

(5)薯形。分长纺锤、短纺锤、下膨纺锤、圆筒形、球形。

(6)薯皮色。分白、浅黄、黄、浅红、红、紫红。

(7)薯肉色。分白、浅黄、黄、橘红、紫、紫带晕。

(8)最长蔓长。由地面至薯顶长度。收获时测10～20株平均之,以cm表示。

(9)分枝数。收获时选10～20株,分别统计共10 cm以上的分枝数,计算其平均数。

(10)薯块数、薯块重及大小薯(%)。取样10～20株,计算单株平均已形成薯块的总数和薯块重,并按重量分大(250 g以上),中(100～250 g),小(100 g以下)。

(11)藤蔓重量。取10～20株,测定单株平均重。

(12)藤薯比例。称薯块和鲜藤的重量,再求出它们的比。

$$藤薯比例=\frac{地下部鲜薯重量}{地上部藤叶重量}$$

(13)干薯率。称鲜薯块2.5～5 kg,洗净切丝或切片晒干或用手截断,能发出清脆声为度。

$$干薯率=\frac{干量}{鲜量}\times 100\%$$

(14)食味。蒸熟尝试品质及风味,以五分制记载,并记载甜、香、粉。

(15)薯块产量。实收鲜薯块重量,折算每667 m^2 产量(kg)。

六、大豆

(一)大豆生育期调查记载标准

(1)播种期。播种当日的日期。

(2)出苗期。50%以上的子叶出土并离开地面的日期。

(3)分枝期。50%的豆株出现第二节分枝的日期。无分枝类型可按第二片复叶刚展平时作为分枝期。

(4)始花期。开花株数达10%以上的日期。

(5)盛花期。开花株数达50%以上的日期。

(6)末花期。90%以上豆株已开完花的日期。

(7)结荚期。幼荚形成达 2 cm 以上的植株达 50%以上的日期。

(8)鼓粒期。豆荚放平子粒显著凸起的植株达 50%以上的日期。

(9)成熟期。子粒完熟,粒形复圆,种皮呈品种固有颜色,用指甲不能刻伤的植株达 50%以上的日期。

(10)收获期。收获当日的日期。

(11)生育期。指出苗到成熟的日期。从出苗到开花前,为营养生长期,从开花到成熟为生殖生长期。

(12)封垅期。即插墒期。从地头目测大豆行间 1.5 m 远以外叶片相互交叉,看不清地面的日期。

(二)大豆室内考种项目

考种样品的选择:

一般选用 1 m^2,要求:植株分布均匀,密度接近计划密度;繁茂度适中;四周无缺株,采点数目根据具体情况确定。

(1)株高。自子叶痕到主茎生长点的高度。

(2)茎粗。自子叶痕到真叶中间扁面的直径。

(3)分枝数。单株分枝数为其中着生一个或一个以上荚的有效分枝数。

(4)主茎节数。自真叶节到最顶的节数。

(5)主茎节间长度。株高被节数除之。

(6)结荚高度。主茎最下部豆荚距子叶痕的距离。

(7)生物产量。指考种的平方米植株或取样植株地上部(子叶痕以上)的总干重。

(8)经济产量。指考种时子实的风干重。

(9)经济系数。经济产量/生物产量×100%。

(10)单株荚数。一株的成荚数。

(11)单株粒数。一株的全部粒数。

(12)单株粒重。一株子粒重量。

(13)百粒重。随机取样,每百粒称重一次,重复两次,求平均数。

(14)粒荚比。单株粒数/单株荚数。

(15)粒茎比。平方米子粒重/平方米茎秆总重(包括荚皮)。

(16)秕荚比。单位面积秕荚数/单位面积总荚数×100%。

(17)虫食率。随机取样,测五百粒中含虫口粒数。

(18)病粒率。随机取样,测五百粒中病豆粒数。

七、芝麻

(一)芝麻生育期记载

(1)播种。指实际播种的日期,以月/日表示(下同)。

(2)始苗期。出苗达20%以上的日期。

(3)出苗期。出苗达75%以上的日期。

(4)出苗整齐度。整齐或不整齐。

(5)现蕾期。出现绿色花苞植株(心叶呈上茸状)达60%的日期。

(6)始花期。开花植株占10%的日期。

(7)开花期。开花植株占60%的日期。

(8)终花期。植株有60%以上不再开花的日期。

(9)封顶期。主茎梢端不再增加蕾的植株占75%的日期。

(10)成熟期。主茎叶片大部脱落,蒴果、茎秆及中下部蒴内子粒已呈本品种成熟时固有色泽的植株达70%以上的日期。

(二)芝麻室内考种标准

(1)株高。从子叶节至主茎顶端的高度。

(2)主茎果轴长度。从始蒴节至顶端最高一个结实蒴节位的高度。

(3)始蒴节位。指主茎最下一个蒴着生的节位。

(4)始蒴高度。指子叶节主茎蒴节的高度。

(5)黄梢尖长度。指主茎梢端无子粒收成部分的长度。

(6)主茎蒴数。指主茎上有子粒收成的蒴果数。

(7)分枝蒴数。指全株分枝上有子粒收成的总蒴数。

(8)单株蒴数。指主茎和分枝蒴数的总和。

(9)蒴果棱数。分四、六、八棱和混生。

(10)蒴果大小。取主茎中段20个蒴果,量其长、宽,求其平均数,以长×宽表示。

(11)蒴色。分绿、黄绿、黄,少数带紫色或紫点者可描述之。

(12)每蒴粒数。取主茎中段20个蒴果粒数的平均数。

(13)种皮色。主要分白、暗白、淡黄、黄、浅褐、褐、深褐、灰、黑色等。

(14)粒形。分扁卵形、长卵形。

(15)千粒重。指三次重复的平均千粒重。

(16)单株生产力。取样 10 株的平均子粒产量。

(17)含油量。取饱满种子,用常规分析法测定三次以上,求其含油率的平均数。一个品种的含油率,以原产地正常年份的饱满种子含油量为标准。

八、油菜

(一)油菜生育期观察记载项目

(1)播种期。记载实际播种的日期。

(2)出苗期。以预定密度的 75%幼苗出土,子叶平展为标准。

(3)移栽期。记录实际移栽日期。

(4)观蕾期。随着花芽的分化与形成,主茎顶端生长锥(主花序)分化的一簇小花蕾逐渐长大,用镊子轻轻拨开 2～3 片心叶,肉眼能看到黄绿色的花蕾时为现蕾。生产上将大田中有 50%植株现蕾的日期作为现蕾期。

(5)初花期。全田有 25%植株主花序开始开花的日期。

(6)盛花期。全田有 75%以上的花序已经开花的日期为盛花期。

(7)终花期。全田有 75%以上的花序谢花(花瓣变色,开始枯萎)的日期。

(8)成熟期。全区有 50%以上植株每果开始转黄变色,主花序中部的角果种子呈固有色泽为标准。

(9)收获期。实际收获的日期。

(10)全生育期。从出苗至成熟的天数。

(二)油菜性状考种标准

(1)株高。自子叶节至全株最高部的长度,以 cm 表示。

(2)分枝部位。最下部的第一次有效分枝离子叶节的高度,以 cm 表示。

(3)第一次有效分枝数。凡主茎上的第一分枝具有三个以上有效角果的枝数。

(4)主花序有效长度。主花序最下一个有效角果至最上一个有效角果之间的长度,以 cm 表示。

(5)主花有效角果数。主花序上含有一粒以上饱满种子的角果数。

(6)全株有效角果数。全株上含有一粒以上饱满种子的角果总数。

(7)结角密度。

$$结角密度=\frac{主花序有效角果数}{主花序有效长度}$$

(8)每角粒数。自主花序上的有效角果中任意取5个,以及在上、中、下分枝上也任意各取5个角果,共计20个角果,脱粒,计数,求平均值。

(9)千粒重。随机取少量晒干扬净种子,数取1 000粒种子称重,以g表示。

(10)含油量。将晒干扬净后的菜籽样品送到当地粮食收购部门测定,取差异不超过0.5%的两个样品的平均含油量百分率表示。

(11)理论产量。

$$\text{理论产量}(\text{kg}/667\ \text{m}^2)=\frac{\text{株数}/667\text{m}^2\times\text{每株角果}\times\text{每角粒数}\times\text{千数重(g)}}{1\ 000\times1\ 000}$$

(12)实际产量。将一块田的植株单收,单打、晒干扬净称重,或在大田中选择具有代表性的1%～2%面积植株,单收,单打,晒干扬净称重,再折合单产,以$\text{kg}/667\text{m}^2$表示。

九、高粱

(一)高粱物候期观察项目

(1)播种期。播种当日,以月/日表示(下同)。

(2)出苗期。全区75%的幼苗露出地面(即已"钻锥",子叶尚未展开)的日期。

(3)分蘖期。分蘖高粱全区50%的植株出现分蘖的日期。

(4)拔节期。全区75%植株基部茎节突起(能摸到鼓包)的日期。

(5)旗叶出现期。全区75%植株最后一片叶抽出的日期。

(6)抽穗期。全区75%的植株穗部开始突破旗叶(剑叶)鞘的日期。

(7)初花期。全区75%植株穗上部1/4开花的日期。

(8)盛花期。全区75%植株穗上部3/4开花的日期。

(9)末花期。全区75%植株穗下部1/4至全穗开花的日期。

(10)成熟期。全区70%以上植株穗下部子粒达到蜡熟末期的日期。

(11)生育期。从出苗期至成熟期经历的总日数,出苗当天不计算在内。

(12)收获期。田间收获的日期。

(二)高粱室内记载项目

(1)株高。在成熟期调查,每区定5点,每点连续取样5～10株,测量从地面至穗顶的高度,求其平均值,以cm表示。

(2)茎粗。与株高同时调查,测量植株中部节间中部的直径,求其平均值,以

cm 表示。

(3)有效分蘖数。对分蘖品种,于成熟期全区选定 5 点,每点连续取样 5～10 株,计算有效分蘖(即穗长在 3.3 cm 以上,子粒正常成熟的分蘖)总数,再除以总株数所得之商。

(4)倒伏程度。于成熟期或在大风、暴雨、雹灾后调查,记载倒伏的时间、原因和种类(根倒、茎倒、折断)等。按植株倾斜角度,倒伏程度分为一、二、三、四级。直立的为一级,倾斜不超过 15°的为二级,倾斜不超过 45°的为三级,倾斜达到 45°以上的为四级。

(5)抗旱性。在干旱发生时进行调查。根据田间发育表现及凋萎程度分强、中、弱三级。植株生育正常的为强,生育较差的为中,生育极差的为弱。

(6)抗涝性。在遭受水涝的情况下,根据植株生育情况分强、中、弱三级,鉴定标准同抗旱性。

(7)抗盐碱性。根据植株在盐碱地上的生育表现,分强、中、弱三级,鉴定标准同抗旱性。

(8)叶部病害情况。根据叶部发病盛期的病害程度分无、轻、中、重四级。叶部无病害的为无,病斑面积占叶面积 20%以下的为轻,占叶面积 21%～40%的为中,占叶面积 41%以上的为重。

(9)黑穗病、螟虫及蚜虫情况。根据田间自然发生程度分轻、中、重三级。

(10)穗长。收获前每区收 5 点,每点连续测定 5～10 个有代表性的植株穗子,自穗下端枝梗叶痕处至穗尖的长度,取其平均值,以 cm 表示。

(11)穗型。于成熟期在田间观察,分紧、中紧、中散、散四种。

(12)穗形。与穗型同时调查,按实际形状分为纺锤形、牛心形、圆筒形、棒形、杯形、球形、伞形和帚形等。

(13)壳色。于成熟期观察,按壳的实际颜色分红、黑、黄、白色等。

(14)粒色。于成熟期观察,按子粒实际颜色分红、褐、黄、白色等。

(15)单穗粒重。收获时,每区选 5 点,每一点连续取 5～10 穗,风干后混合脱粒称重,求单穗平均值,以 g 表示。

(16)千粒重。脱粒风干后,随机取样 2 000 粒,分两组,每组 1 000 粒称重,以两组之差不超过 1 g 为准,求其平均数,以 g 表示。

(17)穗粒数。以千粒重除以穗粒重,所得商乘以 1 000,即得穗粒数。

(18)产量。将本区实收实打的产量换算成 667 m² 产量。

$$667\ \text{m}^2\ 产量(\text{kg})=\frac{试验区实收产量(\text{kg})\times 667\text{m}^2}{试验区面积(\text{m}^2)}$$

(19)着壳率。按子粒着壳的多少,分少、中、多三级。着壳率在4%以下的为少;在5%~7%的为中,在8%以上的为多。

(20)出米率。测定100 kg子粒出米的千克数,以百分率表示。

十、谷子

(一)谷子田间试验记载标准

(1)播种期。记年、月、日。

(2)出苗期。目测全区约有50%以上幼苗出土时,记月/日(猫耳叶半展容易看清时为出土)。

(3)分蘖期。零星出现第一分蘖露出叶鞘时,记月/日。

(4)拔节期。全区有10%以上植株的第一茎节出现于地面1.5~2.0 cm时,用月/日来表示。

(5)抽穗期。50%以上的穗尖露出叶鞘时,用月/日来表示。

(6)成熟期。全区穗部子粒硬化,穗基部没有青粒,已具备本品种成熟的色泽,用月/日来表示。

(7)生育日数。由出苗到成熟期的总日数减一天,为生育日数。

(二)谷子室内考种标准(取样20株)

(1)有效分蘖数(包括主茎)。统计总穗数,以株数除得之商表示。

(2)主茎高度。测量由分蘖节基部到穗基部(最下部小穗着生处)的长度,以平均数(cm)表示。

(3)穗部。

①主穗长度。由穗基小穗着生处量到穗尖长度,以cm表示。

②刚毛长短。灌浆期调查,分为三级,与谷粒相平的为一级(0~5 mm),高于谷粒而不很长的为二级(5~7 mm),显著长的为三级(大于7 mm以上)。

③穗形。分纺锤、长纺、圆筒、棍棒、鸭嘴、长穗(鞭形、绳形)、佛手、猫爪等形。于灌浆期记载。

④谷色、米色。室内考种时记载。谷分为白、黄、棕黄、红、黑、灰色等。米色为白、黄、青色。

⑤谷粒色泽。室内考种时记,分光亮与粗暗。

(4)叶部性状。

①主茎叶片大小。在灌浆期，测量从上往下数第三叶的长度和最宽处，以 cm 表示。

②叶片长相。在灌浆时记载，根据上部五个叶片与茎秆夹角，分为上举、平伸、下垂。

③叶面情况。灌浆期记载叶表面光滑、粗糙、有无皱缩等情况。

(5)根部。

①次生根轮数及条数。

②气生根着生位置。以分蘖节以上第几节表示。

(6)单株穗重。风干后，从穗基部最下一小码处折下称重，以 g 表示，取 20 株平均数。

(7)单株粒重。上述样品脱粒后，称重，取 20 株平均，以 g 表示(用簸箕簸到相当于当地贮存粮食的水平)。

(8)千粒重。用上述样本，随机数两个 500 粒，称重。以 g 表示，要求准确到小数点后第一位，第二位估计，折算成千粒重，两次结果差异不超过 0.1 g，若超过，需重做。

(9)出谷率。以单株穗重为分母，除单株粒重，以百分数表示。

(10)秕谷率。收获后，在小区子粒脱粒后，未扬簸前，随机取样一小把，数 100 粒，统计其中空壳数，然后放入水中，沉者为饱粒，浮者为秕粒，分别计算空壳、秕粒、饱粒百分数，空壳和秕粒合计为秕谷，重复三次以上。

(11)小区子粒重量。收获风干后，脱粒扬簸干净，称重，以 kg 表示。

(12)小区产量。收割后晒几天，自然风干后称重，以 kg 表示。

十一、花生

(一)花生生育期观察记载项目

(1)播种期。实际播种的日期，用月/日表示(下同)。

(2)出苗期。50%的幼苗出土，子叶张开平展时为出苗期。

(3)出苗率。出苗后 15～20 d 调查。

$$出苗率=\frac{出苗株数}{实播粒数}\times 100\%$$

(4)苗期生长势。出苗后调查幼苗生长的强弱，分强、中、弱三等。

(5)开花期。50%植株的多数分枝均已开花的日期。

(6)下针期。50%的植株果针开始入土的日期。

(7)成熟期。茎复合叶片转为黄绿色,中下部叶片脱落,地下多数荚果饱满的日期。

(8)收获日期。实际收获的日期。

(9)缺株率。收刨前调查。

$$缺株率=\frac{实播粒数-实收株数}{实播穴数}\times 100\%$$

(二)花生经济性状考察项目

(1)主枝高。从第一对侧枝分生处测至顶端展开叶的叶节处(10 株平均,下同)。

(2)侧枝长。第一对侧枝的平均长度。从主茎与第一次侧枝连接处到侧枝顶端展开叶的叶节。

(3)株型指数。侧枝长与主茎高之比。

(4)有效枝长。第一对侧枝上最远结实节位与主茎连接处的距离。

(5)结实节数。第一对侧枝上有效枝段的节数。

(6)总分枝数。除主茎外,全株所有大于 5 cm 的分枝数的总和。

(7)总结果枝数。全株所有结果枝数的总和。

(8)主茎叶片数。全株每节展开的复叶片数(包括落叶)。主茎尚未脱落的鲜叶片数为现有叶片数。

(9)果针数。全株开入土与入土子房柄的总数。

(10)幼果数。子房膨大但没有经济价值的荚果数。

(11)秕果数。果壳皮发黄,内海绵体白色,籽仁尚不饱满的单、双仁黄果数。

(12)饱果数。果壳皮发青黄,内海绵体全黑褐色,籽仁充实饱满的单、双仁荚果数。

(13)单株生产力。选有代表性的 10 株荚果称重取平均值。

(14)百果重。随机取饱满的双仁荚果 100 个称重,重复 2 次。如系多粒型品种,则取代表性饱果称重。

(15)千克果数。随机取荚果,称 1 kg 计算果数,重复 2 次。

(16)百仁重。随机取充分饱满的干籽仁 100 个称重,重复 2 次,依据其大小将种子分三级。

①大粒种。百仁重>80 g;

②中粒种。百仁重在 50～80 g；

③小粒种。百仁重＜50 g。

(17)出仁率。籽仁重量占荚果重量的百分比。

(18)双仁果率。双仁饱果和秕果占单株总结果数的百分比。

(19)小区荚果产量。试验小区面积内实收干荚果产量。

(20)折公顷产量。由小区换算成公顷产量。

附录三 常用仪器简介及使用方法

一、显微镜

1. 显微镜的结构

显微镜种类不尽相同，学生用的多为单镜筒，其结构分为三部分。

(1)光学部分。是显微镜构成中的主要部分，由物镜、目镜和镜筒组成，是显微镜的放大系统，用以放大物像。物镜安装在镜筒下的转换器上，10 倍以下的称低倍镜，40 倍或 45 倍的称高倍镜，100 倍的称为油镜。目镜一般为 5 倍、10 倍、15 倍。目镜的镜筒内有一个视野光圈，光圈的位置是物镜所造成实像的位置，放目镜测微尺和指示标志均应在此光圈上。镜筒的标准长度是 160～170 mm。

(2)集光系统。包括反光镜和聚光器。反光镜可向各个方向转动，镜面有平凹两面，凹面适合于光线较弱、无聚光器、通过窗纱的光线或光源为日光灯时使用；平面镜在光线强或用聚光器时使用。聚光器位于载物台通光孔的下方，作用是聚集反光镜反射过来的光线，并将其射入物镜和目镜中，以增强标本的亮度。聚光器下降，视野中明亮度降低，聚光器上升则亮度增加。聚光器下面有虹彩光圈，推动其把手，可用来控制聚光器口径的大小和照射面，以调节光的强弱。

(3)机械部分。即显微镜的金属部分，包括镜座、镜臂、载物台、物镜转换器和调焦装置。物镜转换器固定在镜筒下方，有 3～4 个物镜螺旋口，物镜按放大倍数高低顺序排列，当转动转换器时，物镜自动固定在使用位置上。每个物镜的光轴与目镜的光轴同心。调焦装置是调节物镜和标本间距离的部件，有粗螺旋和细螺旋，利用它们使镜筒或载物台上下移动，当物体在物镜和目镜焦点上时，则得到清晰的图像。

2. 显微镜的使用

(1)取用及放置。取用、放回或搬动显微镜时，必须一手握住镜臂，一手托住镜座，使镜身直立，不可用一只手提携，以防目镜摔落，要轻取轻放，放时要使镜臂朝向自己，略偏左侧，距桌边 8 cm 左右，右侧放记录本或绘图纸。

(2)低倍镜观察。先将低倍物镜的位置固定好，然后放置玻片标本，转动反光镜，调好光线，将物镜提高，向下调至看到标本，再用细螺旋调准焦距进行观察。一般聚光器的位置放在最高点。如果视野中出现外界物体(如窗框等)的图像，可以将聚光器稍微下调，或翻转反光镜，图像就可消失。聚光器下的虹彩光圈应调到适当大小,以控制射入的光量,增加明暗差。

(3)高倍镜观察。由于高倍物镜只能把低倍镜视野中心的一小部分加以放大,因此,使用高倍镜前,应先在低倍镜中选好目标,将其移至视野中央,转动物镜转换器,把低倍镜移开,小心地换上高倍物镜,并使之合轴。在正常情况下,当高倍物镜转正后,在视野中即可看到模糊的物像,只要略微调动细调焦螺旋,就可得到最清晰的物像。如果高、低倍镜不是共焦点的,则需重新调整焦点,此时眼睛应从侧面注视物镜,并小心地转动粗螺旋使镜筒慢慢地下降到高倍镜头几乎与切片接触为止(切勿使镜头紧压玻片,以免损坏镜头和压碎玻片标本),然后再利用目镜观察,向上调整焦点。使用高倍镜时,虹彩光圈要放大,使之能形成足够的光锥角度。稍微上下移动聚光器,使图像更加清晰。

(4)油镜观察。在使用油浸物镜前,也必须先从低倍镜中找到被检部分后,再换高倍镜调整焦点,并将被检部分移到视野中心,然后再换用油浸镜头。在使用油镜前,一定要在盖玻片上滴加一滴香柏油,然后才能使用。在用油镜观察时,只能用细螺旋调节焦点。使用完毕,需立即用清洁剂擦净镜头和玻片标本。清洁剂由7份乙醚3份无水乙醇混合而成。

(5)显微镜使用后的整理。观察结束,应先将镜筒升高,再取下切片,取片时要注意勿使切片触及镜头。转动物镜转换器,使镜头离开通光孔。镜头要保持清洁,只能用专用擦镜纸擦拭。切勿用手或其他物品触及镜头。擦净镜身,罩上镜套,一手握镜臂,一手托镜座,小心地收回镜箱中。保管维护方法与解剖显微镜相同。

附:显微镜指针的安装

新购置的显微镜一般没有指针,为了教学和科研的需要,可以自己安装指针。具体方法如下:将目镜的上盖(一片透镜)旋下,剪取5~10 mm长一段头发(其长度约等于目镜的半径),用镊子夹住一头,将另一头蘸少许加拿大树胶,将其粘在目镜内壁的金属光栏上,注意使指针的尖端位于视野中央,稍干后,旋紧上盖即可使用。

二、解剖显微镜

1. 解剖显微镜的结构

(1)底座。底座在解剖镜的最下面,是金属制成的,具有稳定镜身的作用。底座上装有直径为95 mm的平台,黑白两面,供放置解剖标本。底座后方装有直立的金属滑动柱,下粗上细便于装置镜身,固定工作距离。

(2)镜身。镜身前端下方装有孔径为39 mm的大物镜,前端的上方外面中间有一个小螺旋，用于固定双筒。在镜身两侧有手轮和倍数盘，盘上刻有数字以示放大倍数，旋转手轮可以调节放大倍数，手轮后面的两侧有大齿轮，用以调节工作距离。镜身的后面装有一个大齿轮，具有固定镜身的作用。

(3)双筒。在镜身的上方装有倾斜成45°的双筒，双筒可装置目镜。在右侧的镜筒上部装有视度调节圈，以便调节视度。

(4)目镜。解剖镜配有6.3倍目镜一对和25倍目镜一对，并在目镜上配有一对活动的塑料眼罩，便于观察物像。

2. 解剖显微镜的使用

把双筒解剖镜放在桌面上的适宜处，先旋转镜身后边滑动柱上的大齿轮，把镜身固定牢。把要观察的标本放于平台上(标本色深的用白面，色浅的用黑面)，如果是浸渍标本，必须先放入培养皿然后放于平台上，以免污染平台。然后旋转镜身两侧的大齿轮，调节工作距离(物镜距标本100 mm)达物像清晰为止。若标本放的不适中，可移动标本到视场适宜处。若感到放大倍数不理想，可用双手转动手轮和倍数盘调节放大倍数，直至调到适当为止。

解剖镜的总放大倍数的读数，在使用25倍目镜观察时以右侧倍数盘上指示的数字为准，在使用6.3倍目镜观察时，则以左侧倍数盘上指示的数字为准。如果观察者双眼视度有差异，可以先调节解剖镜使左眼观察到的物像清晰，然后旋转右侧视度调节圈至右眼观察到的物像清晰。双筒可以在一定角度内相对转动以适应工作者两眼之间的距离。

3. 解剖显微镜的维护

(1)仪器无论在使用或存放时，均应置于避免灰尘、潮湿、过冷、过热或含有酸碱性蒸汽的地方。

(2)不得将化学药品放在仪器附近或同一橱内(干燥剂除外)。

(3)显微镜的各个部件，特别是镜头，切勿自行拆卸。

(4)切勿用手接触镜面。镜面上的尘土可用擦镜纸轻轻拭去，或用毛笔轻轻刷去。如镜面上有霉污，可用脱脂棉沾显微镜清洁剂轻轻擦去。机械部分用软布擦拭。

(5)切勿使物镜触及标本和浸制液，以免损坏和污染镜头。

(6)齿轮、齿条、滑动槽面以及滑动柱面上的油脂因使用日久而产生污垢或硬化，致使粗动手轮转动发生困难时，可用二甲苯将陈脂除去，然后擦上少许无酸动物油脂或无酸凡士林，不可用其他油脂。

三、天平使用

(一)分析天平

分析天平的使用方法及规则(以半自动电光分析天平为例)如下:

1. 天平的检查

(1)天平是否处于水平状态。

(2)秤盘是否清洁。

(3)天平梁、吊耳、秤盘安装是否正确。

(4)砝码是否齐全,环码安放位置是否合适。

2. 零点调整

天平两边都不负载时开启天平,指针左右摆动几次停下后,投影屏中线对准微分标牌上“0”刻度即为零点。若指针偏离“0”点较大,可用横梁上端左右二个平衡铊旋动调节,若指针偏离“0”点较小,可用底坐下部的微动调节杆调整。

3. 感量调整

电光分析天平规定标准在空载时其允许误差是±1 分度,全载时其允许误差为+2 或-1 分度,感量为 0.1 mg。若过低或过高时可旋动重心螺母进行调节,调节后天平必须重新调整零点。

4. 试样称量

(1)直接法称样。此法一般称取不易潮解也不和空气作用的单份样品。先称容器或称量纸的重量为 W_1,再加好预定称样重量的砝码,随即用小勺在容器或称量纸中加入试样,通过增添或取出试样以达到所需重量范围,最后调整砝码达到平衡,此重量为 W_2,试样重量即为 W_2-W_1。如果称取一固定量样品,可用称量纸调节零点,利用增添或取出样品的方法直接称量。

(2)减量法称样。此法适用于称取易吸水、易氧化、易与二氧化碳反应的物质。方法是带上细纱手套将内装样品的称量瓶放入称量盘上称其重量,然后拿出称量瓶,打开盖,利用倾斜、转动、轻轻敲打的方法,渐渐倾出试样于容器内,估计接近所需重量时,盖好盖,再放入天平称量,两次称量之差即为所称样品重量。如果倾出样品不足,再如上操作一次,如果倾出样品太多,超过所需重量,只能弃去重称。

5. 天平使用规则

(1)旋动开关旋钮时,必须缓慢均匀。

(2)称量时应适当估计添加砝码,开启天平后,按指针偏移方向增减砝码或增减试样。直至投影屏中出现静止到 10 mg 内的要求读数为止。每次增减砝码或样品时必须关住天平。

(3)天平加减砝码和读数。被称物在 10 mg 以下者不需加砝码，可由投影屏中微分标牌刻度读出；10 mg 以上至 990 mg 可以旋动圈码指示盘旋钮，指示盘指示数值即为 mg 数；1 g 以上至 100 g 砝码可由砝码盒内用镊子钳出，根据需要选取使用。

(4)称物不能直接放在称量盘上称重，称物和砝码要放在秤盘中央，并不得超过天平最大载荷。

(5)称量时尽量不要开动和使用前门，天平在工作状态时，侧门也要关闭，关门要轻缓。

(6)取放圈码时要轻缓，避免脱落或变位。

(7)过热、过湿样品要待恒温后方可称量，湿样、挥发样和腐蚀性物品要在加盖的称量瓶中称量。

(8)每次开启天平要轻缓，注意观察指针移动情况，如果明显不平衡，要立即关上，根据移动方向用砝码和试样的增减来调整，直到指针移动缓慢，方可逐渐开大。

(9)天平砝码在使用中不能任意丢放，必须随时放入砝码盒中固定位置上。

(10)称量完毕，关闭天平，所有砝码放回盒中固定位置，圈码指示盘读数恢复到零。天平内要用毛刷打扫干净，拔下电源插头，关闭天平门，罩上天平套，填写使用记录。

(二)FA/JA 系列电子天平

FA/JA 系列电子天平内置 RS232C 输出口，可连接打印机、计算机等设备做现场质量控制用，日常教学与科研工作中一般室内称量使用。型号的组成及其代表意义：

J(F) A ××× × A

其中 J(F)代表电子精密(分析)天平，A 代表机种类型，数字的前几位代表最大称量(g)，末位数字代表小数点位数，最后字母 A 代表改进型。

FA/JA 系列电子天平使用方法如下：

1. 准备工作

(1)将天平安放在稳定的工作台上，避免振动、气流、阳光直射和剧烈的温度波动。

(2)安装秤盘，调整水平调节脚，使水泡位于水准器中心。

(3)接通电源前确认当地交流电压是否与天平所需电压一致。

(4)为获得准确的称量结果，在进行称量前必须使天平接通电源预热，至少

60 min 以达到工作温度(FA 系列需预热 180 min)。

2.开机

使天平空载并按压〈ON〉键，天平进行显示自检(显示屏所有字段短时点亮)显示天平型号，当天平显示回零时，天平就可以称量了。

3.校准

为获得准确的称量结果，必须对天平进行校准以适应当地的重力加速度。校准应在天平经过预热并达到工作温度后进行，遇到以下情况必须对天平进行校准：首次使用天平称量之前；天平改变安放位置后；称量工作中定期进行。具体校准方法是：

(1)准备好校准用的标准砝码，确保秤盘空载。

(2)按〈TAR〉键，使天平显示回零。

(3)按〈CAL〉键，显示闪烁的 CAL－×××，(×××一般为 100，200 或其他数字，提醒使用相对应的 100 g，200 g 或其他规格的标准砝码)。

(4)将标准砝码放到秤盘的中心位置，天平显示 CAL……，等待十几秒钟后，显示标准砝码的重量。此时，移去砝码，天平显示回零，表示校准结束，可以进行称量了，如天平不回零，可再重复进行一次校准工作。

4.称量

称量时须等显示器左下角“O”标志熄灭后才可读数，称量时被测物必须轻拿轻放，并确保不使天平超载，以免损坏天平的传感器。

5.关机

按〈OFF〉键。天平如果长时间不用，请拔去电源插头，在拔去电源时，天平的秤盘上必须保持空载。

附：〈TAR〉键(清零/去皮功能键)的使用

清零功能：当天平空载时，如果显示不在零状态，按〈TAR〉键可使天平显示回复到零状态，此时方可进行正常称量。

去皮功能：当称量液体、粉末等需要和容器一起称量的物品时，可先将容器放在天平秤盘上，再按〈TAR〉键，使天平显示回到零状态，再将容器和待称的液体、粉末等一起放在天平秤盘上，此时天平显示的结果即为液体、粉末的质量。

注意：使用去皮功能时，容器和液体、粉末的总质量应不大于天平的最大称量。

四、比色仪器使用

(一)721 型分光光度计

721 型分光光度计是可见光分光光度计，其波长范围为 360～800 nm，操作方法为：

1. 准备工作

(1)首先了解仪器结构、工作原理和各操作旋钮的功能。

(2)未接通电源前，先检查仪器接线是否正确、牢固，接地是否良好，各调节旋钮起始位置是否正确，电表指针是否位于“0”刻度线上，若不是指“0”，可用电表上校正螺丝调节至“0”。

(3)检查供电电源与仪器所标电压是否相符，若符合即可接通电源。

2. 仪器调校和预热

(1)旋转“λ”旋钮，使所需波长对准红刻度线。

(2)灵敏度共有五档，从“1”到“5”逐步增加，其选择原则是保证能使空白档良好的调到“100”的情况下，尽可能采用灵敏度较低档位，这样，仪器有较高的稳定性。所以，使用时一般先从“1”档开始，灵敏度不够时再逐档升高，直到符合要求为止，但改变灵敏度后须重新调较“0”和“100%”。

(3)打开比色皿暗箱盖，调节“0”旋钮使电表指“0”，然后将比色皿暗箱盖合上，比色皿座处于蒸馏水校正位置，旋转调“100%”旋钮使电表指针到“100”，最后打开暗箱盖，观察指针能否回到“0”，若不指零，可再调“0”旋钮使之指“0”，但需再调“100%”，直到合上箱盖表针指“100%”，打开箱盖表针指“0”。在仪器预热过程中可连续几次调整“0”和“100%”。

(4)仪器打开电源后需预热 20 min 后方可进行测定工作。

3. 样品测定

(1)将样品空白液倒入比色皿中放入第一比色槽，样品依低浓度到高浓度依次放入第二、第三、第四比色槽中，按上述 2(3)调“0”定位。

(2)定位后将拉杆拉出一档，使样品置光路中，然后读取其光密度或透光率。其他样品依次拉出测定。

4. 关机

(1)将比色盒内比色皿全部取出，倒掉溶液，冲洗干净。拉杆推至空白档，比色盒盖翻下。

(2)灵敏度旋钮旋至最低档，开关拨至“关”位置。

(3)关上电源。

5. 注意事项

(1)中途停电,仪器应重新调校。

(2)中途大幅度改变波长时应重新调校“0”和“100%”。

(3)测试中要常检查“0”和“100%”定位是否改变。

(4)千万不能用手、滤纸和毛刷等物摩擦比色杯的光滑面。

(5)每套分光光度计的比色杯和比色槽不得随意更换。

(二)751 型分光光度计

751 型分光光度计属于可见光——紫外光分光光度计,其波长范围为 200～1 000 nm。它能测定物质在紫外光区、可见光区和近红外光区的吸收光谱。操作方法如下:

(1)在电源电压与仪器要求的电压相符时,插上电源插头。

(2)仪器上装有两个光源灯。钨灯的波长范围为 320～1 000 nm,氢灯为 320 nm 以下。拨动光源灯座的把手,将选用的光源灯置于光路中。根据需要可以在光路中插入滤光片,以减少杂散光,一般情况下无此必要。

(3)检查仪器各种开关和旋钮,使之处于关闭位置时,打开电源开关,预热 20 min。

(4)选择适当的比色杯,测定波长在 350 nm 以上时,用玻璃比色杯;若在 350 nm 以下,必须使用石英比色杯。比色杯盛入溶液后,放在比色杯架上,然后再放入暗厢内,盖好盖板,此时,空白溶液或蒸馏水的比色杯恰好处于光路中。

(5)选择适当的光电管。测定的波长范围在 200～625 nm 内,用蓝敏光电管,应将手柄推入;若在 625～1 000 nm 范围内,用红敏光电管,应将手柄拉出。

(6)将选择开关扳至“校正”位置后,转动选择波长的旋钮,使波长刻度对准所需要的波长。

(7)调节暗电流旋钮,使电表指针对准“0”位置。为了得到较高的准确度,每测量一次都应校正暗电流一次。

(8)调节零敏度旋钮,在正常情况下,从关闭的位置起沿顺时针方向转动 3～5 圈。

(9)转动读数电位器旋钮。使刻度盘处于透光率 100%位置。然后,把选择开关扳至“×1”位置。再拉开暗电源闸门,使单色光进入光电管。

(10)调节狭缝旋钮使电表指针处于“0”位置附近,再用灵敏度旋钮仔细调节,使电表指针准确地位于“0”处。

(11)完成上述操作后将比色杯定位装置的手柄轻轻地拉出一格，使第二个比色杯的待测液处于光路中。注意，应使滑动板准确地定位于定位槽内。这时电表指针偏离“0”位。再转动读数电位器旋钮，重新使用电表指针对准“0”位，刻度盘上的读数即为该待测液的光密度或透光度。依次测定第二、第三个待测液，并读出数据。

(12)完成一次测量后，立即关上暗电流闸门，以保护光电管。

(13)在读数时，若选择开关处于“×1”位置，光密度(即消光)范围为0～∞，透光度是0～100%，当透光率小于10%时，则可把选择开关扳至“×0.1”位置。这时，读出的透光度数值应除以“10”；而读出的光密度值，则应加上“1.0”。

(14)测定完毕，将每个开关、旋钮、操作手柄等复原或关闭。拔掉电源插头，以切断电源，并盖好仪器罩。

注意事项：

(1)该仪器为贵重的精密仪器，应由专人负责管理和维护。

(2)若外电路电压波动较大，可使用稳压器，以增加仪器的稳定性。

(3)其他注意事项与721型分光光度计相同。

五、烘箱和恒温箱

烘箱又叫干燥箱，常用的是电热鼓风干燥箱。干燥箱用于物品干燥和干热灭菌，工作温度为50～250℃。恒温箱又叫培养箱，用于细菌生物培养等，工作温度自室温以上至60℃，这两种仪器的工作原理、结构及使用方法都相似。

1.使用方法

(1)检查温度计是否插入座内，应插在放气调节器中部的小孔。

(2)把电源插头插好，合上电闸。

(3)根据所需温度的高低，将电热丝分组开关的旋钮拨到(1)或(2)，再将自动恒温控制旋钮沿顺时针方向旋转。指示灯红灯亮表示电热丝开始加热。此时也可开鼓风机帮助箱内热空气对流。

(4)在恒温过程中，应注意观察温度计，待温度将要达到需要温度值(差2～3℃)时，将调温旋钮向反时针方向扭动，直至绿指示灯正好发亮，此时表示电热丝停止加热，箱内温度即能自动控制在所需要的温度(±0.5℃)。

一个新买回的烘箱或恒温箱，在初次使用时，要较长时间观察温度的升高过程，并加以记录，以作为以后使用时的参考。

(5)恒温过程中，如不需要多组电热丝同时加热时，应将电热丝分组开关的旋钮拨到(1)档。

(6)工作一定时间后需要将潮气排出,可打开放气调节器,也可打开鼓风机。

(7)使用完后,关闭鼓风机马达开关,将电热丝分组开关旋钮和自动恒温控制旋钮沿反时针方向旋回至零位。

(8)断开电闸,将电源插头拔出插座。

2.注意事项

(1)使用前应检查电源(电压、电流)是否符合规定,地线是否接妥。

(2)挥发性物品,如盛有有机溶剂的器皿,不能放入,以防火灾和爆炸。

(3)安放物品时应小心,不要触及自动恒温控制器和温度计,以免损坏部件。安放物品后应立即关好箱门,以便保持温度恒定。

(4)烘烤刚洗刷完的仪器时,应尽量将水珠甩去再放入烘箱内。干燥后,待温度降至60℃以下方可取出物品。注意,若温度超过180℃,箱内棉花或纸张则烤焦(当时不能打开箱门,否则马上燃烧。一定要等温度降低后再打开箱门),玻璃器皿则容易破损。

(5)电热鼓风干燥箱的电动机轴承,每年至少加一次润滑油。

(6)仪器必须有良好的接地线。

(7)仪器附近不能放置易燃物品。

(8)检修时不能带电操作。

六、电热恒温水浴

电热恒温水浴(槽)用于恒温加热及蒸发等。常用的有2孔、4孔、6孔和8孔,单列式或双列式。工作温度从室温以上至100℃,恒温波动±1℃至±0.5℃。

1.使用方法

(1)关闭水浴底部外侧的放水阀门,将水浴内注入蒸馏水至适当的深度。加蒸馏水是为了防止水浴槽体(铝板或铜板)被侵蚀。

(2)将电源插头接在插座上,合上电闸。插座的粗孔必须安装地线。

(3)将调温旋钮沿顺时针方向旋转至适当温度的位置。

(4)打开电源开关,接通电源,红灯亮表示电炉丝通电开始加热。

(5)在恒温过程中,当温度计的指数上升到距离需要的温度约2℃时,沿反时针方向旋转调温旋钮至红灯熄灭为止。此后,红灯就不断熄亮,表示恒温控制发生作用,这时再略微调节调温旋钮即可达到需要的恒定温度。

(6)调温旋钮度盘的数字并不表示恒温水浴内的温度。随时记录调温旋钮在度盘上的位置与恒温水浴内温度计指示的温度的关系。在多次使用的基础上,可以比较迅速地调节,达到需要控制的温度。

(7)使用完毕,并闭电源开关,拉下电闸,拔下插头。

(8)若较长时间不使用,应将调温旋钮退回零位,并打开放水阀门,放尽水浴槽内的全部存水。

2.注意事项

(1)水浴内的水位绝对不能低于电热管,否则电热管被烧坏。

(2)控制箱部分切勿受潮,以防漏电损坏。

(3)使用时随时注意水浴槽(锅)是否有渗漏现象。

(4)初次使用时应加入与所需温度相近的水后再通电。

七、电动离心机

1.离心机的适用范围

在实验过程中,欲使沉淀与母液分开,有过滤和离心两种方法。在下述情况下,使用离心方法较为合适。

(1)沉淀有黏性。

(2)沉淀颗粒小,容易透过滤纸。

(3)沉淀量过多而疏松。

(4)沉淀量很少,需要定量测定。

(5)母液黏稠。

(6)母液量很少,分离时应减少损失。

(7)沉淀和母液必须迅速分离开。

(8)一般胶体溶液。

离心机是利用离心力对混合溶液进行分离和沉淀的一种专用仪器。电动离心机通常分为大、中、小三种类型。在此只介绍常用的小型台式或落地式电动离心机。

2.操作

(1)使用前应先检查变速旋钮是否在"0"处。外套管应完整不漏,外套管底部需放有橡皮垫。

(2)离心时先将待离心的物质转移到大小合适的离心管内,量不宜过多(占管的2/3体积),以免溢出。将此离心管放入套管,再在离心管与外套管间加入缓冲用水。

(3)一对外套管(连同离心管)放在台秤上平衡,如不平衡,可调整离心管内容物的量或缓冲用水的量。每次离心操作,都须严格遵守平衡的要求,否则将会损坏离心机部件,甚至造成严重事故,应该十分警惕。

(4)将以上两个平衡好的套管,按对称方向放到离心机中,盖严离心机盖,并把不用的离心套管取出。

(5)启动时,先接通电源,然后慢慢拨动旋钮,使速度逐渐增加。停止时,先将旋钮拨动到"0",不继续使用时拔下插头,待离心机自动停止后,才能打开离心机盖并取出样品,绝对不能用手阻止离心机转动。

(6)用完后,将套管中的橡皮垫洗净,保管好。冲洗外套管,倒立放置使其干燥。

3.注意事项

(1)离心过程中,若听到特殊响声,表明离心管可能破碎,应立即停止离心。如果管已破碎,要将玻璃渣冲洗干净(玻璃渣不能倒入下水道),然后换新管按上述操作重新离心。若管未破碎,也需要重新平衡后再离心。

(2)有机溶剂和酚等会腐蚀塑料套管,盐溶液会腐蚀金属套管。若有渗漏现象,必须及时擦洗干净漏出的溶液,并更换套管。

(3)避免连续使用时间过长。一般大离心机用 40 min 休息 20 min 或 30 min,台式小离心机用 40 min 休息 10 min。

(4)电源电压与离心机所需要的电压一致。接地线后,才能通电使用。

(5)一年应检查一次离心机内电动机的电刷与整流子磨损情况,严重时更换电刷或轴承。

八、LSKC—4 型粮食水分快速测试仪

1.电阻式原理

种子内含有水分,水分越高电阻越小。从电学上来说,在同一电路里,当电压比较稳定时,则电流强度与电阻成反比。种子在电路中作为电阻,种子水分低,电阻大,电流强度就小,相反种子水分高,电阻小,电流强度就大。因此,把不同水分的种子放在电路里时,电流就随着水分的高低而变化,由实验可求出电流量与水分的关系,作出表盘,故在测定种子水分时,可在表盘上直接读出种子的水分百分率。

2.仪器构造

主要由仪表部分、磨碎部分、测试部分及电源等组成。

3.操作方法

(1)准备。打开侧门取出附件,装好干电池,用毛刷将测量孔内上下电板、磨子滚轮和漏斗孔打扫干净,将压杆和摇把装入压杆轴和摇把轴的位置,再将盛料盘插入磨子漏斗孔内。

(2)调整仪器。先按下调整开关,拨动调整旋钮,听到咔嚓之声,表示电源已接

通，再拨动调整旋钮，使表头指针与右端末线重合，若不能重合，则应换新电池。

(3)磨碎。用定量勺取一平勺样品，倒入磨子内，合上磨料斗盖，用手转动磨料斗，被磨碎样品落入盛料盘内，用刷子将磨子滚轮和下面漏斗所粘样品刷入盛料盘内。

(4)测量。样品磨碎后迅速将盛料盘送到测量孔内，按下压杆，表头指针随即偏转，以第一次压下的读数为准。

(5)温度校正。相同水分的样品，在不同温度下测量，温度较高时，表头读数偏高，反之则低。因此，必须进行温度校正。方法是以 20℃为标准，每升高 1℃，水分读数减去 0.1%，反之，每降低 1℃，水分读数就加上 0.1%。仪器上温度计已将温度值改刻为温度校正值；其中“0”就是 20℃，“+0.5”就是 15℃，“−1”就是 30℃。例如，在 26℃时测量样品水分(在温度计上读数为−0.6)，仪器表头上读数是 15.6%，实际水分应为 15.6%−0.6%=15%。样品温度与仪器温度相差悬殊时应将样品与仪器同置一处 10 余 min，使样品与仪器保持相同温度，测量才能准确。两者温度允许偏差为 3℃。

(6)结束。测量结束后，按下调整开关，拨动调整旋钮，仍使指针回到左端末线上。

4. 注意事项

(1)样品水分不均匀时，要注意取样的代表性，同时多测几次(3～5 次)，取其平均值。

(2)样品中的杂质，对测定结果有影响，应将其中的泥块、石子等杂质除去。

(3)仪器应防止震动，保持清洁干燥，以免损坏机件，影响测量的准确性。

九、光照培养箱

LRH—250G 型光照培养箱是在原 LRH—250A 型生化培养箱结构上增加光照和光照自动控制系统，具有光照功能的恒温设备。

1. 各项技术指标

容积 250 L；

控温范围：全光照 15～45℃，无光照 10～45℃；温度波动允差±1℃；温度不均匀值±2℃；光照用 6 支 12 W 日光灯即可；

整批消耗功率：不大于 420 W，其中压缩机功率 175 W；

工作电压：220 V±10%×220 V，50 Hz；

箱体尺寸：650 mm×700 mm×1 500 mm；

制冷剂：R-12；

工作时间：连续；

光照度：0～7 000 lx；

工作环境：0～40℃。

2.使用说明

(1)将仪表电源开关拨至“开”位置，整机电源接通，电源指示灯亮，机器开始工作。

(2)温度调整。

①将温度显示开关拨至“开”，则数显表电源接通。

②将“整定”、“测量”共用开关拨至“整定”位置，然后旋转温度刻度盘，直到数显表显示出所需要的温度值为止。

(3)位于控温旋钮下的两个指示灯分别表示加热、制冷的两种工作状态，若开机经过一段时间，两灯均不亮，则表示箱内温度达到所需温度。由于加热是无级调压形式进行补偿，故加热指示灯出现闪烁现象是正常情况，但要防止两灯同时亮，否则表明机器出现故障，须及时检查修理。

(4)电源接通后，调节好所需的温度，这时不能随便将控温旋钮来回多次旋转，以免压缩机启动频繁造成压缩机过载，影响压缩机寿命。

(5)光照控制。

光照部分共四个控制开关，其中 K_1 是光照采取手动或自动方式的开关，K_2，K_3，K_4 分别为每一层的照明开关。

光照手动控制：将 K_1 拨向“手动”位置，将 K_2，K_3，K_4 拨向“开”的位置，则箱内多层均照亮，若要停止光照，则将 K_2，K_3，K_4 拨向“关”的位置。

光照自动控制：将 K_1 拨向“自动位置”，将 K_2，K_3，K_4 拨向“开”的位置，则箱内多层照明均由数字定时器按预先预置的时间程序“自动”开亮和关熄，请参照以下数字定时器操作步骤。

接通电源。

面板上电源开关拨向“开”的位置，整机电路，数字定时器 LED 发光显示。

预置“开”。

①将开关 K_1 拨至预置“开”的位置，K_2 拨至“24H”和“循环”的中间位置。

②按动“AN_2”调时键及“AN_3”调分键至所需的光照定开(触点闭合)时间。

预置“关”。

①将开关 K_1 拨至“预置关”的位置，K_2 仍在中间位置。

②按动“AN_2”调时键及“AN_3”调分键至所需定关(触点释放)时间(注意：“定关”时间要大于“定开”时间，“定关”减去“定开”即为光照时间)。

“定时”循环工作。

①将 K_1 拨至“定时”位置(此时 DC 电源接通),K_2 拨至“循环”位置。

②按动“AN_1”复零键,显示复零,开始“定时”计时(光照停止)。此“定时”开始至到达预置“开”时刻这段时间,时间继电器触点自动释放,当达到预置开时刻,时间继电器触点闭合,光照开始,定时器上小红灯亮,待到达预置“关”时刻,时间继电器触点自动释放,小红灯灭,光照停止,定时器又自动复零,重复上述过程。

“定时”24 h 制工作。

①将 K_1 拨至“定时”位置,K_2 拨至“24H”位置。

②按动“AN_2”调时键及“AN_3”调分键至当时时钟的标准时间,此时,原“预置开”和“预置关”的时刻就是和标准时间相符,整机光照时间的“开”—“关”控制就和标准时间同步,数字定时器的时间显示相当于一个数字时钟。

(6)停机切断外电源时要将 K_1 拨至“预置关”位置,目的是关断定时器内的 6V 电池。如发现外电源中断,原整定时间记忆也消失时,说明电池已用完,要及时将上部控温仪表箱盖打开,更换 6V 电池。

(7)定时器在进行计数工作时,可随时将 K_1 拨至“预置开”、“预置关”位置进行复查,防止由于他人乱动而造成原整定时间的改变。

十、酸度计

酸度计是测量 pH 值的精密仪器,也可用来测量电动势。

1. 使用方法

(1)安装。

①电源的电压与频率必须符合仪器铭牌上所指明的数据,同时必须接地良好,否则在测量时可能指针不稳。

②仪器配有玻璃电极和甘汞电极。将玻璃电极的胶木帽夹在电极夹的小夹子上。将甘汞电极的金属帽夹在电极夹的大夹子上。可利用电极夹上的支头螺丝调节两个电极的高度。

③玻璃电极在初次使用前,必须在蒸馏水中浸泡 24 h 以上。平常不用时也应浸泡在蒸馏水中。

④甘汞电极在初次使用前,应浸泡在饱和氯化钾溶液内,不要与玻璃电极同泡在蒸馏水中。不使用时也浸泡在饱和氯化钾溶液中或用橡胶帽套住甘汞电极的下端毛细孔。

(2)校整。

①将“pH～mV”开关拨到 pH 位置。

②打开电源开关，指示灯亮，预热 30 min。

③取下放蒸馏水的小烧杯，并用滤纸轻轻吸去玻璃电极上的多余水珠。在小烧杯内放入选择好的、已知 pH 的标准缓冲溶液。将电极浸入。注意应使玻璃电极端部小球和甘汞电极的毛细孔浸在溶液中。轻轻摇动小烧杯使电极所接触的溶液均匀。

④根据标准缓冲液的 pH，将量程开关拧到 0～7 或 7～14 处。

⑤调节控温钮，使旋钮指示的温度与室温同。

⑥调节零点，使指针指在 pH 7 处。

⑦轻轻按下或少许转动读数开关使开关卡住。调节定位旋钮，使指针恰好指在标准缓冲液的 pH 数值处。放开读数开关，重复操作，直到数值稳定为止。

⑧校整后，切勿再旋动定位旋钮，否则需重新校整。取下标准液小烧杯，用蒸馏水冲洗电极。

(3)测量。

①将电极上多余的水珠吸干或用被测溶液冲洗 2 次，然后将电极浸入被测溶液中，并轻轻转动或摇动小烧杯，使溶液均匀接触电极。

②被测溶液的温度应与标准缓冲溶液的温度相同。

③校整零位，按下读数开关，指针所指的数值即是待测液的 pH。若在量程 pH 0～7 范围内测量时指针读数超过刻度，则应将量程开关置于 pH 7～14 处再测量。

④测量完毕，放开读数开关后，指针必须指在 pH 7 处，否则重新调整。

⑤关闭电源，冲洗电极，并按照前述方法浸泡。

2. 注意事项

(1)防止仪器与潮湿气体接触。潮气的浸入会降低仪器的绝缘性，使其灵敏度、精确度、稳定性都降低。

(2)玻璃电极小球的玻璃膜极薄，容易破损，切忌与硬物接触。

(3)玻璃电极的玻璃膜不要粘上油污，如不慎粘有油污可先用四氯化碳或乙醚冲洗，再用酒精冲洗，最后用蒸馏水洗净。

(4)甘汞电极的氯化钾溶液中不允许有气泡存在，其中有极少结晶，以保持饱和状态。如结晶过多，毛细孔堵塞，最好从新灌入新的饱和氯化钾溶液。

(5)如酸度计指针抖动严重，应更换玻璃电极。

3. 标准缓冲液的配制

酸度计所用的标准缓冲液的试剂容易提纯，也比较稳定。常用的配制方法如下：

(1)pH＝4.00 的标准缓冲液。称取在 105℃干燥 1 h 的磷苯二甲酸氢钾 5.07 g，加重蒸馏水溶解，并定容至 500 mL。

(2)pH＝6.88 的标准缓冲液。称取在 130℃干燥 2 h 的磷酸二氢钾(KH_2PO_4)3.401 g，磷酸氢二钠($Na_2HPO_4 \cdot 12H_2O$)8.95 g 或无水磷酸氢二钠(Na_2HPO_4)3.549 g，加重蒸馏水溶解并定容至 500 mL。

(3)pH＝9.18 的标准缓冲液。称取硼酸钠($Na_2B_4O_7 \cdot 10H_2O$)3.814 4 g 或无水硼酸钠 $Na_2B_4O_7$ 2.02 g，加重蒸馏水溶解并定容至 100 mL。

参考文献

[1] 徐汉卿. 植物学. 北京:中国农业出版社, 2000.

[2] 山东农学院. 作物栽培学(北方本)上、下册. 北京:农业出版社,1980.

[3] 北京农业工程大学. 农学基础实验及实物教学指导书. 北京:农业出版社, 1991.

[4] 于振文. 作物栽培学各论. 北京:中国农业出版社,2003.

[5] 赵同华,吴玉娥,姚维传. 作物栽培技术. 北京:中国农业科技出版社,1998.

[6] 马元喜. 小麦的根. 北京:中国农业出版社,1998.

[7] 何康,刘瑞龙. 中国农业百科全书:农作物卷上下册. 北京:农业出版社,1991.

[8] 金善宝. 中国小麦学. 北京:中国农业出版社,1996.

[9] 沈秀萍. 应用作物生态学. 沈阳:辽宁科学技术出版社,1994.

[10] 王树安. 作物栽培学各论(北方本). 北京:中国农业出版社,1995.

[11] 焦自高. 蔬菜设施栽培技术. 北京:高等教育出版社,1999.

[12] 尚书旗. 设施栽培工程技术. 北京:中国农业出版社,1999.

[13] 刘浩巽. 耕作学. 北京:中国农业出版社, 1994.

[14] 张会民,刘红霞. 土壤与植物营养实验实习教程. 咸阳:西北农林科技大学出版社,2004.

[15] 娄安如,牛翠娟. 基础生态学实验指导. 北京:高等教育出版社, 2005.

[16] 宋留轩,杨怀森. 立体种植技术. 北京:气象出版社, 1996.

[17] 陈阜. 农业生态学, 北京:中国农业大学出版社,1996.

[18] 骆世明. 农业生态学. 北京:中国农业出版社,2003.

[19] 杨怀森,雷圣远. 农业生态工程技术. 北京: 中国农业科技出版社,1997.

[20] 西北农业大学. 耕作学(西北本). 银川:宁夏人民出版社,1986.

[21] 欧阳海. 农业气候学. 北京:气象出版社,1990.

[22] 农业技术经济手册编委会. 农业技术经济手册. 北京:农业出版社,1983.

[23] 杨怀森. 农作物间作套种. 郑州:河南科技出版社,1986.

[24] 鲁如坤. 农业化学手册. 北京:科学出版社,1998.

[25] 杨生华. 农学基础. 北京:中国农业出版社,1986.

[26] 刘中柱.立体农业原理与技术.北京:科学技术出版社,1989.
[27] 曹敏建.耕作学,北京:中国农业出版社,2002.
[28] 李汝莘,高焕文.土壤容重和含水量对耕作阻力的影响.农业工程学报,1998(1):81-85.
[29] 杨持主.生态学实验与实习.北京:高等教育出版社,2003.
[30] 宋永昌.植被生态学.上海:华东师范大学出版社,2001.
[31] 廖昭懋,杨文礼.概率论与数理统计.北京:北京师范大学出版社,1988.
[32] 丁昆仑,Hann M J. 耕作措施对土壤特性及作物产量的影响.农业工程学报,2000,16(3):28-31.
[33] 丁颖.中国水稻栽培学.北京:农业出版社,1961.
[34] 董洪平.作物遗传育种实验技术与方法.北京:中国农业出版社,1999.
[35] 张天真.作物育种学总论.北京:中国农业出版社,2003.
[36] 李德炎.小麦育种学.北京:科学出版社,1976.
[37] 李月华等.小麦剪药去雄套袋杂交技术.作物学报,1992,18(5):387-390.
[38] 玉米遗传育种学编写组.玉米遗传育种学.北京:科学出版社,1979.
[39] 李正理.棉花形态学.北京:科学出版社,1979.
[40] 中国农业科学院油料作物研究所.中国油菜栽培学.北京:农业出版社,1990.
[41] 江苏省农业科学院,山东省农业科学院.中国甘薯栽培学.上海:上海科学技术出版社,1984.
[42] 王金陵.大豆.哈尔滨:黑龙江科学技术出版社,1982.
[43] 山东省花生研究所.中国花生栽培学.上海:上海科学技术出版社,1982.
[44] 申宗坦.作物育种学实验.北京:中国农业出版社,1995.
[45] 陈学森.植物育种学实验.北京:高等教育出版社,2004.
[46] 盖钧镒.作物育种学各论.北京:中国农业出版社,2001.
[47] 潘加驹. 作物育种学. 北京:农业出版社,1994.
[48] 赵凤艳.农作物生产技术与实训.北京:中国劳动社会保障出版社,2005.
[49] 颜启传.种子学. 北京:中国农业出版社,2001.
[50] 刘宜柏,董洪平,丁为群. 作物遗传育种原理.北京:中国农业科学技术出版社,1999.
[51] 董钻,沈秀瑛.作物栽培学总论.北京:中国农业出版社,2000.
[52] 张春庆,王建华.种子检验学. 北京:高等教育出版社,2006.

图书在版编目(CIP)数据

农艺实践与技能/吴玉娥，刘明久主编．—北京：中国农业大学出版社，2006.9

ISBN 7-81117-073-6

Ⅰ．农…　Ⅱ．①吴…　②刘…　Ⅲ．农学-高等学校-教材　Ⅳ．S2

中国版本图书馆 CIP 数据核字(2006)第 098943 号

书　名　农艺实践与技能

作　者　吴玉娥　刘明久　主编

策划编辑　赵　中　潘晓丽　　**责任编辑**　潘晓丽

封面设计　郑　川　　**责任校对**　王晓凤　陈　莹

出版发行　中国农业大学出版社

社　址　北京市海淀区圆明园西路 2 号　　**邮政编码**　100094

电　话　发行部 010-62731190，2620　　读者服务部 010-62732336

编辑部 010-62732617，2618　　出　版　部 010-62733440

网　址　http://www.cau.edu.cn/caup　　**e-mail**　cbsszs@cau.edu.cn

经　销　新华书店

印　刷　北京时代华都印刷有限公司

版　次　2006 年 9 月第 1 版　2006 年 9 月第 1 次印刷

规　格　787×980　16 开本　17.25 印张　317 千字

印　数　1～3 000

定　价　23.00 元